DE HELDERE MORGEN

Margreet Maljers

De heldere morgen

VCL-serie

ISBN 90 5977 081 1
NUR 344

© 2005, VCL-serie, Kampen
Omslagillustratie: Jack Staller
Omslagbelettering: Van Soelen, Zwaag
ISSN 0923-134X

1

„Neem jij je zus en je broertje mee alsjeblieft. De rommel is aan de kant, dus ik kan wel even vooruit."

De stem van mevrouw De Wit klonk half vragend, half bevelend. Ze duwde de jongste dochter van het gezin Rombouts naar haar oudere zus toe. Wat een ingewikkelde toestand was het toch om hier schoon te maken. Die troep die iedere week weer opgeruimd moest worden door Sandrine, het oudste kind.

Het was dat ze het geld nodig had en dat ze zo te doen had met die oudste, anders stopte ze er subiet mee.

„En dan ook subiet," zei ze tegen zichzelf. Maar ze kon dat kind niet in de steek laten. Het meisje werkte als een volwassene. Die moeder wist waarschijnlijk niet eens wat haar dochter allemaal voor haar deed. Een kind van vijftien... Het was eigenlijk een schandaal. Mevrouw De Wit snoof luidruchtig, pakte een paar emmers en vulde ze met sop. Ze was het soms zo zat om de vuile rommel van een ander op te ruimen. De jaren gingen tellen. Ze zette haar handen op haar heupen. „Sandrine, ga even naar het strand met ze," herhaalde ze.

Sandrine Rombouts veegde haar korte, bruine haar naar achteren en keek de vrouw aan. Ze moest voorzichtig omgaan met mevrouw De Wit. Als ze ontslag nam, had haar moeder niet zomaar een andere werkster. Ze mocht mevrouw De Wit ook geen werkster noemen. Dat vond haar moeder niet klinken. Mevrouw De Wit was huishoudelijk medewerkster, zei haar moeder. Mevrouw De Wit werkte een morgen in de week bij hen thuis en een morgen in de antiekzaak van haar ouders. Het was Sandrine niet helemaal duidelijk waarom haar moeder daar ook moest werken. Zoveel was er toch niet te doen. Wat deed ze nu helemaal in de zaak? Verkopen? Dat kon haar vader gemakkelijk alleen. Als haar vader naar veilingen ging, vergezelde haar moeder hem meestal. Ze was het gezicht van 'De Zaak'.

„'De Zaak' heeft een aanlooptijd nodig," verzekerde haar vader zijn dochter als zij hem aarzelend vroeg hoe het ging. „Binnen drie jaar is het een goed lopend bedrijf." Bij die woorden keek haar vader alsof hij de omstandigheden kon dwingen.

Sandrine wist met haar vijftien jaar al dat dat niet het geval was. Dingen gebeurden niet zoals jij graag wilde dat ze gebeurden. Anders werkte haar vader nog gewoon bij de grote meubelhandel in de stad en was haar moeder beter in staat om voor haar man en kinderen te zorgen. Sandrine had al toen ze heel klein was, opgemerkt dat haar moeder anders was dan andere moeders. Bij andere kinderen zorgden moeders voor thee, deden boodschappen en ruimden het strijkgoed op en riepen: binnenkomen, handenwassen, eten.

Zo lang Sandrine zich kon herinneren, deed zij de boodschappen en ruimde de rommel op. Het kwam omdat moeder niet sterk was en in de winkel nodig was, had haar vader verklaard. Klanten kochten meer als haar moeder, met haar blonde haar en de stralende glimlach, aanwezig was. Vader zei dat dat nu eenmaal zo werkte en trok bij die opmerking minachtend zijn mondhoeken naar beneden.

Sandrine was ook geneigd de klanten dwaas te vinden. Wat maakte het uit of een knappe, blonde vrouw iets verkocht of een donkere, norse man? Je kast stond er in je huis niet beter of slechter om.

Moeder zei altijd dat haar kinderen aardig moesten zijn tegen klanten. En vooral moesten ze vriendelijk zijn tegen de man van wie vader en moeder het geld hadden geleend om de zaak op te richten: meneer Veraert.

„Wees vriendelijk en blijf beleefd. Het is onze boterham," zei ze tegen Sandrine toen die eens haar afschuw over meneer Veraert uitsprak.

Meneer Veraert logeerde regelmatig in Stormduin, het grote hotel dat aan de boulevard stond. Als hij op bezoek kwam, streek hij Sandrine over haar arm en ging zo dicht bij haar staan dat ze altijd een stap terug moest doen.

„Hij kijkt altijd naar je of je een zak patat bent," had Gerke, Sandrines broertje dat dol was op patat frites, gezegd.

„Gerke! Wat een vergelijking! Afschuwelijk... Patat! Sla geen onzin uit," had haar moeder verongelijkt gezegd.

„Het is gewoon zo," had Gerke lacherig geantwoord. „Echt waar. Hij likt langs zijn lippen als hij naar Sandrien kijkt. Dat doe ik alleen als ik patat zie."

„Belachelijk. Als je vader dit hoort zwaait er wat voor je."

Het knappe gezicht van hun moeder vertrok nerveus en ze wapperde met een hand. „Praat jij je broertje geen onzin aan," voegde ze Sandrine toe.

„Ik heb niets gezegd," had Sandrine verontwaardigd geroepen. Ze kon er ook niets aan doen dat meneer Veraert haar op het strand had bekeken met een blik die haar kippenvel had bezorgd. Gerke had het gezien en was, onverwacht ridderlijk, bij haar in de buurt gebleven.

„Je zorgt maar dat je vriendelijk en beleefd blijft. Kom, je bent zo'n grote hulp voor ons. Doe nu niet opeens zo kinderachtig." Mevrouw Rombouts had haar dochter smekend aangekeken. Sandrine wist niet goed wat ze nog moest zeggen, dus ze zweeg. Meneer Veraert had zich al een paar weken niet vertoond. Ze kon dus met een gerust hart naar het strand gaan als mevrouw De Wit dat zo graag wilde...

De elfjarige Tanja, de jongste van de drie kinderen Rombouts, trok een lang gezicht.

„Ik heb helemaal geen zin om naar het strand te gaan. Het is nog koud, we kunnen niet eens zwemmen." Ze sprak expres zeurderig en keek mevrouw De Wit uitdagend aan. „En Gerke heeft ook geen zin, hè Ger?"

Ze dacht: die doet of we kleine kinderen zijn. Idioot mens.

„Ik kan niet schoonmaken als iedereen om me heen hangt," zei mevrouw De Wit kortaf. Ze vond een vakantie in mei helemaal niets. Mevrouw Rombouts zei dat het goed voor de zaken was, maar daar merkte zij niet veel van. Last en drukte.

Sandrine zag de vermoeide trek op het gezicht van mevrouw De Wit. Haar mondhoeken hingen naar beneden en ze had wallen onder haar ogen.

„We gaan al. Gerke, vraag Toon ook maar mee," stelde ze voor.

Tanja's gezicht klaarde op. Ze was erg gecharmeerd van de vriend van Gerke. Toon was al dertien en alle meisjes van de klas benijdden haar omdat Toon bij hen over de vloer kwam.

„Goed dan," stemde ze toe. Ze rende naar haar kamer en trok een badpak aan onder haar T-shirt. Even keek ze keurend naar haar figuurtje in de spiegel en trok het shirt strak om zich heen.

Helemaal plat, dacht ze spijtig en keek benijdend naar haar zusje. Sandrine had al een hele tijd een BH aan. Al vanaf haar twaalfde. Weifelend keek ze nog eens naar haar spiegelbeeld. Het kwam ineens, had Sandrine gezegd. Die had het alleen maar lastig gevonden.

„Het was oneerlijk verdeeld, dacht Tanja en rende voor Sandrine uit de trap af.

Het strand was stil. Een paar wandelaars, een garnalenvisser en ver weg een echtpaar met kleine kinderen die een zandkasteel maakten. Het zand vertoonde ribbels en er lag een rif van schelpen halverwege de zee en de duinenrij. Vuil, wittig schuim lag op de vloedlijn. Gerke had een frisbee meegenomen en ze speelden eerst een halfuur. Sandrine trok haar spijkerbroek uit en liet zich op het badlaken vallen. Het was warmer dan ze had gedacht. Ze pakte haar boek uit haar tas.

„Wij gaan naar het zeeaquarium. Ze hebben een jonge dolfijn."

Tanja 's gezicht was blozend en warm. „Ik blijf hier. Als jullie wat fris willen?" Sandrine klopte op haar tas.

„Straks. We gaan eerst kijken."

Ze holden weg. Gerke met zijn lange benen vooruit.

Sandrine vouwde haar armen om haar benen en legde haar hoofd op haar knieën. De zon was warm en ze kreeg een gevoel van vrijheid. Heerlijk was dit. Ze had een boek bij zich en sloeg het open. Gelukkig dat ze geen vriendin had gevraagd om mee te gaan naar het strand. Trouwens... Heleen vond er niet veel aan om voor oppas te spelen. Ze lette wel eens op kinderen van haar buren en vond het geld dat ze ermee verdiende erg weinig. Dat Sandrine zo veel in huis deed en dat ze vaak een oogje op haar zusje en broertje moest houden, vond ze bespottelijk en ze verklaarde Sandrien dan ook voor gek dat ze het deed.

„En zonder geld. Ben je op je achterhoofd gevallen? Je bederft de markt. Straks denken mijn ouders dat dat normaal is," had ze eens opgemerkt na een bezoek aan Sandrine.

Sandrine draaide zich op haar buik en begon te lezen.

Op het lichtgele zand viel een donkere schaduw. Ze legde een hand op het boek en keek omhoog. Onzeker keek ze op naar een man van middelbare leeftijd. Gebruind, met een beginnende onderkin en een haarkleur die te zwart was om echt te zijn.

Weerzin en een licht gevoel van angst overvielen Sandrine.

„Zo, kindje," zei meneer Veraert. Hij liet zich naast Sandrine neervallen en bekeek haar met zijn lichtbruine, wat uitpuilende ogen.

Zijn mond was week en er zat een belletje in zijn rechtermondhoek.
„Zo kindje," herhaalde hij.

Sandrine ging rechtop zitten en schoof weg. De bruine ogen gleden keurend langs het jonge figuurtje en bleven hangen bij de hals. „Ik was net bij je vader en moeder in de zaak. Ze hadden het aardig druk. Het gaat goed, zo te zien. Maar vooruit. Ik moet met kleine meisjes niet over zaken praten. Niet waar? Dat vinden ze maar saai."

Hij lachte, boog zich naar haar toe en bracht langzaam een hand naar Sandrines schouder. „Toch? Dat vind je toch saai? Gewoon een beetje onbezorgd plezier maken... Dat is wat jullie meisjes..."

Sandrine wachtte niet op het vervolg van de zin. Ze greep haastig naar haar T-shirt en sprong op terwijl ze het over haar hoofd gooide. „Ik weet niet waar de anderen zijn. Ik moet even kijken," zei ze zenuwachtig.

Meneer Veraert greep haar enkel vast en lachte vermaakt. „Je hoeft je niet druk te maken om je broertje en je zusje. Die zijn in het zeeaquarium. Ik heb je zusje wat geld gegeven voor een ijsje en een milkshake."

Sandrine keek naar beneden. De vingers van meneer Veraert tikten op haar enkel. Ze huiverde en wilde zich losrukken.

Maar in haar oren hoorde ze de hoge stem van haar moeder: aardig en beleefd zijn tegen meneer Veraert. Hij heeft ons veel geld geleend.

„Ik zei al tegen je moeder... Kom ga weer zitten," onderbrak hij zichzelf. De greep om haar enkel werd sterker.

„Maak je toch niet zo druk om je zusje en broer. Ze blijven echt wel even weg. Ik zeg nog tegen je moeder... aan die Sandrine van jullie zullen jullie nog plezier beleven. Ze kan veel betekenen voor de zaak. Een jong, pittig gezichtje doet het altijd goed."

Hij lachte hees en streelde met een lome beweging haar been. Van beneden naar boven, van boven naar beneden en weer terug.

Sandrine stond als verlamd. Die hand... En die griezelige mond vlak bij haar knie. Haar adem stokte.

„Sandrien... Sandrien...!

Vanuit de verte klonk de stem van Gerke. Toon en hij kwamen aan rennen. Ze hadden hun handen vol met ijsjes en milkshakes. Tanja volgde op een kleine vijftig meter. Uit haar hele houding bleek dat ze verongelijkt was.

„Ver…" Met een onderdrukte verwensing haalde meneer Veraert zijn hand van Sandrines been en sloeg het zand van zijn lichtbeige pantalon.

Met grote passen kwamen Gerke en Toon dichterbij.

„Jullie zijn vlug terug. Was het zeeaquarium niet geopend?" vroeg meneer Veraert koel.

„Jawel. Maar we vonden het niet leuk om Sandrine alleen te laten en alles zelf op te eten. Hier Sandrien." Gerke overhandigde zijn zusje een milkshake. Zijn sluike, bruine haar hing op zijn wenkbrauwen. Zijn blauwe ogen keken waakzaam naar het hoogrode gezicht van zijn oudste zusje. „Sandrine?" Ze ademde langzaam uit en schudde haar hoofd.

Tanja was er inmiddels ook. Haar sandalen sloften door het zand. „Die flauwe Gerke. Ik wilde net zo graag naar de dolfijn kijken, maar hij wilde met alle geweld naar jou toe," pruilde ze.

„O, maar die dolfijn moeten jullie niet missen. Ga maar naar het aquarium. Sandrine komt straks wel," zei meneer Veraert. Er lag een misnoegde uitdrukking op zijn gezicht.

„Wij moeten bij elkaar blijven. Anders krijgt Sandrine op haar kop van mijn vader," merkte Gerke op.

Tanja liet zich onbekommerd naast meneer Veraert op het badlaken zakken en keek in de wit kartonnen beker die ze van Gerke had gekregen. „Aardbeien milkshake. Wilt u er ook een, meneer Veraert? Ze zijn best lekker." Er was een scheut over de rand op haar vingers gegaan en ze likte haar hand af. „Heel lekker. M…"

„Nee. Dank je. Enfin… Ik geloof dat ik maar weer eens ga." Hij stond op, sloeg nog wat zand van zijn pantalon.

„Tot ziens. Ik zie jullie nog wel." Zonder om te kijken, beende hij weg.

„Hij is kwaad. Waarom eigenlijk? Was je onaardig tegen hem?" Tanja zoog haar milkshake met een borrelend geluid op.

„Nee. Die baalde omdat wij weer terug kwamen. San, je moet niet alleen naar het strand gaan als hij hier in het hotel is," zei Gerke ongerust.

„Waarom niet. Waarom mag Sandrine niet alleen naar het strand?" vroeg Tanja.

Sandrine keek haar broertje aan en draaide met haar ogen.

„Gewoon… omdat-ie met zijn handen aan Sandrien zit. Daarom," snauwde Gerke.

„Moet je dat niet tegen je vader en moeder zeggen...?" Toon had door Gerkes onrust en Sandrines bange ogen genoeg begrepen. „Zo'n ouwe vent."

Sandrine haalde haar schouders op. „Wat moet ik dan zeggen? Meneer Veraert kijkt zo vervelend naar me? En hij aait langs mijn been?"

„Voor iets anders heeft hij de kans niet gekregen," zei Toon nuchter.

„Voor wat voor anders?" vroeg Tanja verbaasd.

Toon sloeg zijn armen om zijn magere lijf en maakte smakgeluiden in de lucht.

„Bluh...Doe niet zo gek. Meneer Veraert is een oude man, nog ouder dan papa en Sandrine is gewoon een meisje..." hoonde Tanja en keek met grote ogen naar haar zusje. „Hè San?"

Gerke dacht na. Het klopte niet. Het klopte helemaal niet dat Sandrine hierover thuis niet kon praten. Moeder geloofde niet dat die Veraert Sandrien lastig viel toen ze haar dat eens had verteld. Hij was dol op zijn moeder en zou haar tegenover Toon niet afvallen, maar het was toch gek? En vader zag helemaal niets. Die wilde alleen maar dat de zaak goed ging en dat iedereen deed wat hij zei. Had hij maar niet zo veel geld geleend van die Veraert...

Onrustig schoffelde Gerke met zijn voeten in het zand en liet zich toen op het badlaken vallen. Hij wreef over zijn magere benen, rolde op zijn buik en gaf zijn zusje een zet.

„Schuif eens op. Jij neemt veel te veel plaats in."

„Gaan we nog naar het dolfijntje. Toon, wil jij met me naar het dolfijntje?"

Tanja negeerde haar broer en keek zijn vriend door het witblonde ponyhaar dat voor haar ogen viel, smekend aan.

Het leek wel of die jongens alleen maar op Sandrine letten.

„Mij best," antwoordde Toon onverschillig.

Sandrine boog zich voorover, pakte haar tas en gaf haar broer een por.

„Van het kleed af. We gaan allemaal. Ik wil ook naar de kleine dolfijntjes kijken."

Een paar uur later waren ze thuis. Mevrouw De Wit had het huis doorgewerkt en zette net een kop koffie voor zichzelf en de oude dame die in een stoel in de serre zat.

„Tante Antonia." Sandrine liep verheugd naar haar oudtante toe en gaf haar een kus.

„Zo kind. Dag Tanja, dag jongens." Het grijze gladde haar streek langs Sandrines haar en Sandrine rook de geur van seringen. „En hoe gaat het met jullie allemaal?" Ze hield Sandrine vast, hield haar een stukje van zich af en keek haar onderzoekend aan. „En hoe is het met jou?"

„Goed," zei Sandrine. Ze voelde zich opgelucht dat tante Antonia er was. Tante Antonia had veel invloed op moeder. Als zij was geweest, probeerde moeder een hele tijd de rommel op te ruimen en meer thuis te zijn. Dat kwam vast doordat moeder als kind een tijd bij tante Antonia in huis had gewoond toen haar eigen ouders, oma en opa Van Vliet, in Afrika waren.

Ze legde een hand langs de wang van haar oudtante. De huid voelde als gekreukt zijdepapier.

„Is dat zo?" Tante Antonia had van mevrouw De Wit iets anders gehoord.

„Dat kind doet veel te veel," had mevrouw De Wit verklaard. „Ze houdt het huishouden draaiend. Dat is toch niet zoals het hoort. Het is een wonder dat ze het goed doet op school. Er zal wel een kop op zitten, mevrouw."

„Dat mogen we hopen," had zij bezorgd geantwoord.

„Tante... meneer Veraert, weet u wel... die man die veel geld aan papa heeft geleend, vindt Sandrine leuk," zei Tanja gewichtig.

„Meid," protesteerde Gerke woest.

„Echt waar. Hij pakt haar benen vast. Op het strand." Ze knikte met haar kleine hoofd als een oude Chinese mandarijn.

„En daarom moesten we terug. Omdat Gerke niet wilde dat Sandrine alleen op het strand was," ging Tanja triomfantelijk verder. „En we mogen het niet aan moeder vertellen."

Mevrouw De Wit keek op. De naam Veraert had ze eerder horen noemen in dit huis. Maar dat hij handtastelijk was, had zij nog niet begrepen. Ze wierp een veelbetekenende blik op tante Antonia, dronk haar thee op en verhief zich van haar stoel.

„Ik ga maar weer eens. Er is nog meer te doen."

„Er is altijd werk," stemde tante Antonia in.

„Ik zeg maar zo, een vrouwenhand en een paardentand staan nooit stil." Mistroostig ging mevrouw De Wit richting de deur en zwaaide ten afscheid. „Dag. Tot vrijdag. En vraag of je moeder niet te veel op het aanrecht laat staan. Anders kom ik niet door de rommel in de keuken heen."

De deur sloot met een klap achter haar.

Tante Antonia klopte op de stoel naast haar.

„Kom eens naast me zitten... nee, wacht... Tanja, schenk jij eens thee in, kind. Dat kun je best."

„Nee, ik ben pas tien jaar. Dat kan ik nog niet, zegt moeder altijd." Tanja stond roerloos en keek haar oudtante schattend aan. Van haar vader en moeder hoefde zij dat soort dingen niet te doen en nu deed ze het ook niet. Ze hield er ook niet van. Afwassen en dat soort klusjes... bah. Dat Sandrine zo gek was... Zijzelf liet gewoon een paar keer de kopjes uit haar handen vallen als ze af moest wassen. Daarna hoefde ze een hele tijd niets te doen.

Er was hier in huis iets helemaal mis, dacht tante Antonia. Ze had ongevraagd een demonstratie gekregen van wat mevrouw De Wit haar had verteld. Sandrine die te zwaar belast werd met allerlei karweitjes en de zorg had voor een broer en jonger zusje die niets hoefden te doen. Dat ze dat nooit eerder had gezien. Waarschijnlijk het gevolg van het feit dat ze nooit onaangekondigd verscheen. Dit was de eerste keer dat ze in een opwelling haar petekind, Sandrines moeder Irma, had opgezocht. Ze klemde haar handen in elkaar. Waren er geen aanwijzingen geweest? Natuurlijk wel. Hoe had ze zo blind kunnen zijn.

„Geef de anderen ook een kop," beval tante Antonia en keek Tanja vriendelijk maar onverzettelijk aan. Tanja slikte de rest van haar protest in en verdween naar de keuken.

Sandrine keek haar verbaasd na. Tante Antonia klopte Sandrine op haar hand. „Ik blijf hier een paar dagen. Vertel eens. Wat was dat nu voor een verhaal van Gerke?"

Beschaamd keek Sandrine haar oudtante aan en vertelde wat er die morgen op het strand was gebeurd. Eigenlijk was het niet veel. Alleen maar dat ze zich zo onbehaaglijk had gevoeld met die hand op haar been en vooral de manier waarop hij had gekeken.

„Misschien verbeeld ik het me wel," weifelde ze tenslotte.

„En Gerke? Verbeeldt die het zich ook?" merkte tante Antonia nuchter op.

Sandrine schudde haar hoofd. „We moeten vriendelijk zijn tegen

13

meneer Veraert. Hij heeft vader geld geleend." Ze keek haar tante aan en zuchtte. Toch was ze opgelucht dat een volwassene haar verhaal niet meteen als onzin van de hand had gewezen. Ze keek in het gerimpelde gezicht met de wijze ogen die haar bezorgd aankeken. „Ach… het valt wel mee. Ik ga gewoon niet meer naar het strand in mijn eentje," zei ze.

Tante Antonia kneep haar lippen op elkaar en besloot dat ze een paar mensen over hun gedrag zou onderhouden.

Ze klopte haar achternichtje op haar hand. „Kom, laten wij eens kijken wat we voor het eten klaar gaan maken. Help je me?"

Sandrine was gewend het eten zo ver klaar te maken dat haar moeder alleen de laatste hand aan het eten hoefde te leggen. Ze glimlachte dankbaar.

„Goed," zei ze.

Tante Antonia ontging niets. Aan de geroutineerde manier waarop het meisje de groente en aardappels schoonmaakte en de sla in een schaal deed, merkte ze dat haar achternichtje gewend was dit werk te doen. Die mevrouw De Wit had gelijk. De situatie deugde niet. Ze besloot grimmig dat ze vaker onverwacht langs zou komen.

Na die dagen ging het een tijdje beter. Moeder was vaker thuis. Ze deed een paar keer boodschappen en ruimde vaker op. Ze was er veel meer tijd mee kwijt dan Sandrine. Af en toe keek ze haar oudste dochter verwijtend aan, zuchtte over de hoeveelheid werk in de zaak zodat Sandrine automatisch meehielp.

Het kon Sandrine niet veel schelen. Ze was dankbaar dat ze meneer Veraert niet meer tegenkwam in haar ouderlijk huis.

Sandrine vermoedde dat tante Antonia iets tegen haar ouders had gezegd, want ze ontmoette hem alleen nog maar in aanwezigheid van anderen.

Haar vader had iets gemompeld over hersenschimmen en verbeelding van oude tantes. Toch liet hij Sandrine niet meer met zijn geldschieter alleen. Ook al zei Irma, zijn vrouw, dat het allemaal nonsens was en dat zij er nooit iets van had gemerkt.

Die had verongelijkt gekeken en zei: „Je hebt een te grote fantasie, Sandrine. We mogen hopen dat meneer Veraert het ons niet kwalijk neemt als hij erachter komt wat jij voor nonsens uitkraamt."

Dat zei ze wijselijk niet waar tante Antonia bij was. Het ontzag voor haar tante zat diep, maar ze vond wel dat haar dochter overge-

voelig was en zich aanstelde. Zo'n chique man als meneer Veraert...
en dan zo'n dwaas kind... Onzin. Als Veraert nu aandacht aan haar,
Irma, schonk, zou dat logisch zijn, maar hij was gewoon heel attent
en belangstellend voor haar. Ja, het bleef een man... Sandrine vatte
zijn aandacht verkeerd op.

Deze woorden versterkten in Sandrine het onveilige gevoel.
Ze voelde zich eigenlijk alleen maar op haar gemak als tante
Antonia er was. Die kwam veel vaker dan ze eerst gewend was te
doen.

Een paar weken later vertrok meneer Veraert tot Sandrines grote
opluchting naar het buitenland en bleef er ruim een jaar.

De zaken gingen goed en vader zei dat als het zo door bleef gaan, dat
hij dan een groot gedeelte van zijn schuld af kon lossen.
Toen meneer Veraert weer terugkwam in Nederland, was Sandrine
bijna zeventien. Ze was erg behendig geworden in het ontwijken van
mensen en het feit dat haar vader het grootste gedeelte van zijn
schuld had afgelost, maakte het haar gemakkelijker om Veraert te
ontlopen. Ze had wel een deel van haar vertrouwen in volwassenen
om zich heen verloren. Ze hield van haar ouders. Natuurlijk. Maar ze
was op haar hoede als ze in 'De Zaak' vreemden ontmoette en bleef
op de achtergrond.
Ze doorliep de middelbare school, volgde een secretaresseoplei-
ding en zocht toen ze eenentwintig was, ondanks de verongelijkte
klacht van haar ouders dat ze alleen aan zichzelf dacht, een klein huis
aan de rand van de stad. Ze werkte als secretaresse bij een organisatieadviesbureau en kon het met twee van haar directeuren goed vinden. De derde hield ze hardnekkig op afstand.
Hoewel hij uiterlijk niets weg had van meneer Veraert, herinnerde
zijn manier van kijken haar aan haar kwelgeest uit het verleden.
Maar ze was goed tegen hem opgewassen. Ze was inmiddels ook
tien jaar ouder. En vijftien of vijfentwintig... dat was een wereld van
verschil, al bediende ze zich van hetzelfde wapen tegen ongewenste
opdringerigheid als destijds: wegwezen!

2

Sandrine stond met haar handen in haar zakken bij het raam en keek aandachtig naar haar vriendin die gejaagd een mobiele telefoon van een plank nam.

„Je bent een schat dat je op wilt passen Sandrien. Wat een geluk dat jij vrij hebt vanmiddag. Let niet op de troep. Ik weet niet meer waar ik beginnen moet met opruimen, maar dat komt wel weer als we een nieuwe kast hebben gekocht. Dag Lotje, lief zijn bij tante Sandrien hè?" Ronny Volgers pakte haar handtas van tafel, voelde in haar jaszak naar haar autosleutels en liep gehaast naar de deur. Ze wierp nog een blik door de kamer, zag met tegenzin het speelgoed dat verspreid over de vloer lag, de gebruikte bordjes op tafel en de stapels kleren op de stoelen.

Ze keek naar haar vriendin en draaide de sleutels aan een vinger rond.

„Kleine kinderen zijn vreselijk. De troep die ze geven. Als ik terug ben, doe ik er wel iets aan," zei ze beschaamd.

„Ga nu maar, anders ben je niet op tijd voor je afspraak."

Sandrien duwde Ronny de deur uit en keek daarna ook de kamer rond. De beste manier om de aandacht te vestigen op rommel, was zeggen dat je er niet op moest letten. Ronny had toch een ruim huis, hoe was het mogelijk dat ze er zo'n chaos van maakte?

Het middaglicht viel in de kamer en accentueerde het stof op de tegelvloer.

„Tansan." Het stemmetje van Lotje, het tweejarige dochtertje van haar vriendin klonk vleiend.

Sandrine liet zich op haar hurken zakken en keek in het ronde gezichtje. Er zat pindakaas rond het mondje en een kleine hand stak haar bevelend een beker toe.

„Nog limmenim Tansan."

Sandrine schudde haar hoofd. Ze pakte het kind op, waste haar gezicht en handen en zei: „Geen limonade meer. Kom jij Tansan maar eens helpen."

Ze zette het kind in een hoek van de kamer, gaf haar een doos en zei: „Doe alle blokjes hier maar in."

Lotje aarzelde even maar gooide daarna gehoorzaam haar blokken in de grote kartonnen doos.

16

Sandrine ruimde de tafel af, werkte de afwas weg en keek daarna met haar handen in de zakken van haar spijkerbroek naar de hoek waar het speelgoed lag. Het rek was een warboel van knuffeldieren en kinderboekjes. Een lappenpop hing met een half afgescheurd armpje over de rand. De vulling puilde eruit.

Niet praktisch, dat rek en die grote kartonnen doos met blokken. Als Ronny er een paar plastic kratten voor kocht, kon ze beter stapelen en hield ze veel meer ruimte over in de kast.

„Kom Lotje," zei Sandrine vastberaden. „We gaan uit. Naar de winkel."

In het warenhuis kocht ze vijf plastic kratten. Thuisgekomen gaf ze Lotje een doek om de blokken schoon te maken. Het kind spetterde af en toe flink met water en neuriede van plezier.

Sandrine haalde de planken leeg, sorteerde het speelgoed en deed het in de kratten. Daarna zette ze het in de kast.

„Kijk, Lot. Nu nog de kleren. Jij mag ze aangeven."

Lotje dribbelde heen en weer en stak Sandrine een paar sokken toe.

„Goed zo. Grote meid."

Sandrine vulde een wasmachine, vouwde de rest van de kleren op en bracht ze op de gok naar de slaapkamers. Ze trok de dekbedden recht en legde er de kleren bovenop.

Een paar uur later bekeek ze tevreden het resultaat van haar werk.

De boeken stonden op een rij. De kratten stonden onderin en een paar knuffels lagen op de plank. De rest lag in een doorzichtig krat en er was nog ruimte over in het rek. Ze deed Lotje een schoon truitje aan en zette thee. Bijna vijf uur. Ronny zou zo wel terug komen. Ze was benieuwd. Door een paar gesprekken tussen het hoofd personeelszaken en de directeur die ze had opgevangen, had ze begrepen dat Ronny een andere baan kon krijgen. Ze had erover gezwegen. Dat was een regel die ze zichzelf had opgelegd. Niet kletsen over dingen die je toevallig hoort.

Kwart over vijf stak Lotje een vinger op. „Mama."

Een blik op Ronny vertelde Sandrine dat haar vermoedens juist waren geweest.

Ronnys mond stond strak. Ze veegde vermoeid een blonde haar-

lok uit haar vochtige gezicht en gooide haar jas op een stoel.
Sandrine pakte de jas op.

Ronny zakte neer op de bank, vouwde haar handen in haar schoot en keek Sandrine aan terwijl Lotje naast haar op de bank kroop.

„Wat is er?"

„Er gaat een senioradviseur weg en ik kan zijn baan krijgen. Ik moet alleen een halve dag meer werken, anders zit die promotie er niet in. Ze zeggen het niet letterlijk zo, maar de wenk was overduidelijk. Ik zou niet weten hoe ik het voor elkaar moet krijgen. En het is nog leuker werk dan het mijne ook," voegde ze er onsamenhangend aan toe."

„Je wist het zeker al? Ik kan het aan je gezicht zien."

„Ach... Vaag." Sandrine bleef staan met de jas in haar handen. De stof voelde klam aan.

„Ik moet hulp hebben. Alleen is die niet te krijgen. Ik weet het even niet meer." Ronny keek radeloos omhoog of de huishoudelijke hulpen van het plafond waren te plukken.

„En eigenlijk wil ik geen vreemde in mijn huis. Die troep altijd! Ik schaam me kapot. Hoe doen andere vrouwen dat? Het lijkt wel of ze allemaal handiger zijn dan ik. Mijn moeder kon ook alles. Echt zo'n ster. Ik mocht niets doen. Dan kwam ik op haar terrein, denk ik. Het resultaat is dat ik huishoudelijk een kneus ben. Ik vind het gewoon naar voor Ben," besloot Ronny zielig.

Sneu was dit. Ronny had eigenlijk alleen iemand nodig die haar vertelde hoe en wat ze doen moest, dacht Sandrine.

„Thee?", vroeg ze hardop.

„Ja. Graag." Ronny keek om zich heen. In het wandrek was het niet de gebruikelijke chaos, maar er stonden kleurige kratten opgestapeld. Er was ruimte op de planken. Zelfs het speelgoedkeukentje was netjes. De kamer was ruim en gezellig. Sandrines werk. Ronny moest even iets wegslikken en vocht tegen een gevoel van onmacht. Dat Sandrien dat in een paar uur voor elkaar kreeg terwijl zij er met geen mogelijkheid in slaagde om de boel aan kant te krijgen.

„Sandrien... je bent aan het werk geweest. Het is hier netjes." Ze hoorde hoe mat haar stem klonk en trok haar schouders naar achteren.

„Heerlijk, maar ik ben jaloers op je," peinsde ze hardop. „Kun je mij niet leren om de zaak een beetje op orde te houden? Of ben ik gewoon een hopeloos geval?"

Sandrine dacht na. „Alles is te leren," zei ze luchtig. „ Als je het echt wilt tenminste. Maar je moet het zelf willen. Net zoals je met een tekstverwerker om moest leren gaan en je computertaal onder de knie hebt gekregen, moet je huishouden leren. Er zijn mensen die dat uit zichzelf kunnen, maar jij niet. Nou, jammer dan. Het is gewoon een bepaalde handigheid. Alleen... je moet het willen leren."

Ze hoorde opeens een echo uit het verleden.

Sandrine, wat heerlijk toch kind dat we mevrouw De Wit hebben en dat jij ook wat kunt doen. Mama heeft het zo druk. Dat komt door papa's baan. Jij bent echt een steuntje voor mama. Nou, da-ag... Lief zijn voor je broertje en zusje hè?"
En mama verdween, lief en charmant.

Ronny keek haar aan. „Sandrien," begon ze en stopte.

Sandrine schoot in de lach. „Ik wil je wel een paar tips geven. Maar dan moet je een paar dingen veranderen. Misschien vind je dat helemaal niet prettig. Wat dat betreft zou je beter iemand in kunnen huren."

„Dat bedoel ik. Kan dat niet? Dat ik jou inhuur voor het geven van tips?"

Sandrine schudde haar hoofd. „Nee, dat wil ik niet. We zijn vriendinnen."

„Adviezen waar je voor moet betalen, hebben vaak meer invloed dan losse aanwijzingen," zei Ronny wijsgerig.

Sandrine overwoog het antwoord. Daar zat wel iets in. Ze schoot in de lach. „Nee. Maar wie weet. Als je nog eens connecties hebt die ook een adviesje willen, laat ik ze dubbel en dwars betalen. En hier is de rekening van de plastic kratjes. Die mag je betalen."

Ronny nam de bon aan. „Stom kind. Ik turn je nog wel om," voorspelde ze. „En anders praat ik wel met Jasper."

Sandrine maakte een grimas. „Jasper vindt huishoudelijk werk geen werk," zei ze luchtig. „Dat komt omdat Jaspers mama hem altijd alles uit handen heeft genomen."

Ronny bedacht dat het een vreemd toeval was dat Sandrine een vriend had die er geen idee van had hoeveel werk Sandrine deed en hoe bekwaam ze was. Erg jammer.

Uit de spaarzame verhalen die Sandrine over haar jeugd had verteld, was een moeder naar voren gekomen die alles op de schouders van haar oudste dochter had gegooid. Vervolgens kreeg Sandrine een vriend die door zijn moeder werd verwend. Het leek erop dat hij hetzelfde van zijn aanstaande vrouw verwachtte. Jasper bewoonde een etage in het huis van zijn ouders. Ze hadden al een paar keer voorgesteld dat hun zoon voorlopig bij hen zou blijven wonen als hij met Sandrine getrouwd was.

Sandrine kon er gewoon bij intrekken. Zo heerlijk makkelijk om wat te sparen voor een eigen huis en Sandrine kon gewoon door blijven werken.

„In deze tijd…" peinsde Ronny. Zij zou nog liever in een kippenhok trekken dan bij die ouders van Jasper te moeten wonen.

„Nou ja. Ik bedenk wel wat," zei ze tegen Sandrine.

Ben, de man van Ronny, was tegen zevenen thuis. Nadat Ronny verteld had dat ze promotie kon maken en wat daar aan vast zat, wierp hij Sandrine een smekende blik toe. „Alsjeblieft Sandrien. Je zou ons er zo mee helpen. Ik ben ook al geen opruimer. We maken er met z`n drieën hier een puinhoop van. Alsjeblieft… laat ons betalen dat we er blauw van zien. Dan kijken we wel uit om er weer een rotzooi van te maken. Misschien kunnen we ook iemand krijgen die schoon kan maken. Ik zet wel een advertentie. Wanneer kun je beginnen? Met tips geven, bedoel ik."

In het nauw gebracht keek Sandrine naar het stuk pizza op haar bord.

„Overmorgen heb ik een paar vrije dagen. Maar ik wil er niet voor betaald worden. Beslist niet."

Ronny dacht na. Haar gezicht verhelderde en ze zei triomfantelijk:

„Goed, geen geld dan als je dat per se niet wilt. Dan trakteer ik je op een weekendje Londen."

Sandrine zuchtte diep en gaf toe.

Toen ze in haar huisje terug was, zag ze dat er voor haar gebeld was. Ze schakelde het antwoordapparaat in.

Het eerste bericht was van haar zusje Tanja. Haar stem klonk ademloos. Dat had Tanja altijd gehad. Vroeger als kind al.

„Sandrien, wil je eens naar huis gaan? Mam doet alsof ze als Job op de mesthoop zit, en dat scheelt niet veel ook. Doe er alsjeblieft wat aan. Ik kan niet weg, want Fred heeft er een hekel aan als ik weg ben."

Tanja was getrouwd en gebruikte Fred als excuus voor alle dingen die ze vervelend vond. Fred liet zich goedmoedig aanleunen dat Tanja dingen waar ze een hekel aan had, van zich afhield met de woorden: Fred houdt er niet van. Hij was kalm en gelijkmatig en zelfs haar moeder kreeg geen vat op hem. Hij negeerde alles wat hem niet aanstond.

Zuchtend spoelde Sandrine verder. De klaaglijke stem van haar moeder klonk door de kamer.

„Sandrine. Je bent al drie weken niet thuis geweest. Vader vraagt zich ook af waar je blijft en hij wil weten waar ik de paspoorten heb gelaten. De strookjes van de stomerij zijn ook wèg en de poes heeft kleintjes gekregen in de linnenkast. En..."

Sandrine legde haar vinger op de knop. De stem ratelde hoog verder tot ze een andere toon hoorde.

De stem van haar vader zei: „Sandrine, ik hoop dat je uiterlijk deze week weer eens thuiskomt. Je moeder heeft te veel aan haar hoofd. De zaak is er ook nog."

Jasper, haar vriend, zei: „Sandrine, ik heb afgesproken dat we morgen met een paar collega's naar het theater gaan. Kleed je een beetje leuk aan. Het is nogal belangrijk voor me."

Het laatste bericht was van haar broer. „Hoi Sissy. Hier Gerke. Laat je niet opzadelen met de sores van de hele familie. Je hebt ze zo lui en gemakzuchtig gemaakt als een bende zonnende tijgers. Blijf uit de buurt van hun klauwen, want ze staan klaar om je op te vreten."

Sandrine zette het apparaat uit. „Hoe gaat het met je, Sandrine? Heb je het druk op je werk en is je griep al over?" mompelde ze sarcastisch en snoot haar neus.

Haar moeder was er zo aan gewend dat haar oudste dochter de lopende zaken in huis bijhield, dat ze het de gewoonste zaak van de wereld vond dat Sandrine dat was blijven doen, ook nadat ze op zichzelf was gaan wonen. Het was bijna een voorwaarde geweest.

„Moeder kan niet zonder een beetje hulp," had haar vader gezegd. En hij verwachtte dat zijn dochters die hulp gaven. Tanja was onhandig, dus Sandrine was de aangewezen persoon voor de klusjes. Ze hadden wel een opvolgster gevonden voor mevrouw De Wit. Ze heette mevrouw Zwart.

Sandrine had er om moeten lachen. „Hoe zoeken ze het uit. Na De Wit een mevrouw Zwart.''

Mevrouw Zwart werkte het huis door, maar zei met een kritische blik: „Ik verwacht wél dat de mensen zelf hun troep opruimen.'' Mevrouw Rombouts kon er niet tegen.

„Ze doet of ik achterlijk ben,'' had ze geklaagd toen haar kinderen toevallig alledrie tegelijk thuis waren. „Wat een verschil met die lieve mevrouw De Wit!''

Gerke, die zijn moeder mevrouw De Wit nooit anders dan als lastig had horen afschilderen, haalde zijn schouders op.

Tanja had koel gezegd: „Neem dan iemand anders!''

„Dat kan niet. Je weet toch hoe moeilijk het is om aan betrouwbaar huishoudelijk personeel te komen. Je moet ze tegenwoordig met goud behangen, willen ze een handje uitsteken,'' had Mevrouw Rombouts gebelgd geantwoord. „Wat mevrouw Zwart niet durft te vragen!...En ik hoorde van de buren dat zij nog meer betalen voor hun werkster.''

„Dan gewoon zelf een handje uitsteken,'' had Tanja geadviseerd. Haar gezicht was onbewogen gebleven.

Mevrouw Rombouts ogen hadden zich met tranen gevuld. „En nu weet je hoe hard ik in de zaak nodig ben. Als ik er niet ben, verkoopt je vader niet de helft van wat we omzetten als ik er wel ben.''

„Laat vader dan thuis de rommel opruimen!'' Tanja was niet onder de indruk. „Ik doe het in ieder geval niet. Ik ben er niet voor in de wieg gelegd. Bovendien, Fred heeft er een hekel aan als ik veel van huis ben. Ik werk eigenlijk ook te veel naar zijn zin.''

Ze had zich op haar hielen rondgedraaid en was fluitend weggegaan.

Sandrine had een paar stapels wasgoed gepakt en naar boven gebracht. De linnenkast op de gang puilde uit. Zuchtend had ze een paar planken geordend.

Sandrines vriendinnen verklaarden haar voor gek. Het huishouden voor je vader en moeder regelen... En blijven regelen. Bespottelijk!

Maar het was moeilijk om gewoonten te veranderen. Voor haar ouders, en voor haarzelf ook. Want natuurlijk was het haar eigen schuld. Misschien vond ze het wel prettig om nodig te zijn, dacht Sandrine. Dat kon.

Alleen dat het altijd eenrichtingsverkeer was: zij regelde iets voor haar ouders... Dat vond ze wel eens onbehaaglijk. Maar als je over dat soort dingen na ging denken, kwam je nergens.

Maria, de schoonmaakster op het kantoor, was attenter dan haar eigen familie. Maria kwam uit de Dominicaanse Republiek en was Sandrine toegedaan. Ze vond dat Sandrine niet genoeg op zichzelf lette en zei dat in gebroken Nederlands dat ze vermengde met Spaanse woorden: „Sandrina, jij niet goed voor jezelf zorgen." Het was of er een Zwarte Piet aan het woord was. Het hele kantoor had zich de eerste tijd dat ze er werkte, vermaakt met haar verbasterde Nederlands. Toen de telefoniste een keer de telefoon aannam met de opmerking: ik zijn Kelly van adviesbureau Gruyter, had Richard Gruyter, de directeur er een eind aan gemaakt. „De eerste die nog krom praat, vliegt eruit," had hij gedreigd. Daarna was het afgelopen.

Ook omdat het taaltje van Maria begon te wennen.

Maria was een lief mens. Ze was vlug in haar bewegingen en lachte gemakkelijk. Sandrine schatte haar op een jaar of veertig. Ze had twee kinderen en waarschijnlijk was ze gescheiden, want over haar man had ze het nooit.

Zo had iedereen zijn eigen ellende, dacht Sandrine en schrok van haar gedachten. Ze had toch een goed leventje? Hoezo 'eigen ellende'?

Ze had een baan waar ze goed in was: ze was directiesecretaresse en ze had twee aardige bazen en een vervelende. Ze had aardige collega's waaronder Ronny, die een van haar beste vriendinnen was geworden. Ze had vrienden en vriendinnen met wie ze kon praten, ze hield van haar broer en zusje en ouders bleven ouders, dus daar hoorde je van te houden. Tenslotte had ze sinds bijna een jaar een vriend waar ieder meisje jaloers op was.

Vreemde volgorde. Haar familie en vriend het laatst. Dat kwam waarschijnlijk omdat daar de problemen vandaan kwamen. Ze was best dol op haar familie. Dat ze heel anders met elkaar omgingen dan bijvoorbeeld bij Ronny thuis, moest ze maar accepteren. En Jasper... Er was geen vrouwelijke collega die niet steels of openlijk naar hem keek als hij haar af kwam halen. Dat was niet zo vaak, want hij had het druk met zijn baan en dan natuurlijk de sport. De spórt. Wat hij in haar zag, had ze nooit begrepen, want ze was niet sportief. Het enige dat ze graag deed was lopen. Maar als Jasper dat geen bezwaar vond, was het haar best. Ze was vaak te vinden op het veld als hij een hockeywedstrijd moest spelen en ging gewillig na afloop mee naar de kantine. Ze voelde zich bij de enthousiaste verhalen een buitenstaander, maar dat had ze er graag voor over. Alleen golf… dat vertikte ze. Dat opgeklopte gedoe op die velden was niets voor haar.

Morgen, dacht Sandrine. Morgen ga ik wel naar huis. Dan hebben we dat ook weer gehad. Oh nee, dat theaterbezoek van Jasper. Hij wilde kennelijk eer met haar behalen. Ze zou het maar als een compliment beschouwen.

Ze keek haar kamer rond. De ramen waren donkere vlakken. Ver weg hoorde ze het geluid van de straat. Ze had geboft met dit kleine huis aan de rand van de stad. Beneden een flinke woonkamer en een keukentje. Boven een grote slaapkamer en een piepklein logeerkamertje en een douche. Groot genoeg voor haar alleen.

Ze trok de lichte gordijnen dicht, knipte de schemerlampen aan en deed de grote lamp weer uit.

Het zachte licht viel op de crèmekleurige bank en weerspiegelde in het glas van de donkerbruine antieke kast die ze van haar oudtante Antonia had geërfd.

Niks ellende. Hoe kwam ze erbij? Een vriend, familie die wel erg van zichzelf vervuld was, maar als het er op aan kwam, zouden ze voor haar klaar staan, dat wist ze zeker.

„Geen zelfmedelijden, Sandrine,” zei ze streng tegen zichzelf.

„Ga maar eens vroeg naar bed. Daar knap je van op.”

Nog voor tienen lag ze in bed.

Een paar uur later werd ze wakker van zachte voetstappen op het grind van het tuinpad. Met bonzend hart sprong ze uit bed. Het liefst zou ze de dekens over zich heen trekken, maar dat had ze als kind al afgeleerd. Het was beter de dingen waar je bang voor was, het hoofd te bieden. Ze keek op de klokwekker. Drie uur. Weer hoorde ze voetstappen en een schurend geluid in de tuin.

Ze schoof het gordijn wat open en keek door de kier naar de maanovergoten tuin. De bomen staken zwart af tegen de lucht en ze hoorde het zachte geritsel van het blad. Ze was blij geweest met de tuin die naar verhouding erg groot was voor het huisje.

In de struiken van het buurhuis scharrelde een donkere gedaante.

Sandrine herkende de buurvrouw. Gek. Wat deed die daar in het holst van de nacht? Er was vast iets mis. Vlug trok ze haar joggingpak aan over haar nachthemd en liep naar beneden. Zacht opende ze de achterdeur en stapte op de tegels.

„Is er iets, mevrouw Davelaar?" riep ze gedempt.

Mevrouw Davelaar kwam overeind. Haar bleke huid was zichtbaar in het maanlicht en haar steile haar hing verwaaid langs haar magere gezicht. In haar ene hand had ze een plantenschop. In de andere een papieren zak.

„O hallo, dag Sandrine," zei ze op een toon of het de gewoonste zaak van de wereld was om midden in de nacht met een schop op het tuinpad te staan.

„Is alles in orde met u?" Sandrine liep behoedzaam naar haar buurvrouw toe. Afra Davelaar had haar altijd de rust in eigen persoon geleken, maar je wist het nooit. Iets kon zo maar omslaan. Wie weet had ze een aanval van iets.

„Jawel. Uitstekend hoor. Maar ik wil nieuwe pioenrozen planten en ik had gelezen op de zaaikalender van Maria Thun dat je de beste resultaten krijgt als je met volle maan plant."

„Met volle maan plantjes in de tuin zetten? Midden in de nacht?" vroeg Sandrine geboeid.

Afra hief de papieren zak omhoog en legde toen een paar zwarte wortelbundels op het pad. Het leken precies grote, zwarte spinnen en Sandrien huiverde.

„De neuzen moeten net boven de grond uitkomen," zei Afra.

„Eerst leek het mij onzin, maar ik las het een paar keer door en toen dacht ik: Och… Waarom niet!"

Haar stem klonk opeens bezorgd. „Of denk je dat dit heidens van me is? Of dat het naar natuuraanbidding riekt?" Ze gebaarde naar de grond. „Daar moet ik niets van hebben, weet je. Maar tenslotte is alles door God geschapen en er is zoiets als samenhang in het heelal." De stem was weer nuchter als altijd.

Sandrine gaf geen antwoord. Natuurgodsdienst. Dat had je toch bij de Indianen en zo. Ze zag Afra Davelaar nog niet voor een wigwam zitten met een pijp in haar mond.

„Zal ik u even helpen?" bood ze aan en wilde de woorden meteen inslikken. Daar had je haar weer met haar 'gehelp'.

„Nee kind. Maar als je ook trek hebt in een kop thee, dan nemen we er straks een."

Om drie uur in de nacht theedrinken met de buurvrouw omdat ze plantjes in de grond wilde zetten. Waarom niet? Sandrine voelde zich zorgeloos worden en schommelde van haar tenen naar haar hakken.

„Het is heerlijk weer voor de tijd van het jaar. Ik ben een beetje laat met planten," babbelde Afra Davelaar, „maar dan bloeien ze maar een paar weken later. Mij maakt het niet uit."

Sandrine schoot in de lach. „Ik ga theewater opzetten. Ik ben zo terug," zei ze.

„Welnee, ik heb het al klaar staan," zei Afra. „Als je even wacht." IJverig groef ze een paar kuilen.

„Vond jij het ook zo'n verrassing toen je de tuin zag achter het huis?" vroeg ze terwijl ze de wortels van de plant bij elkaar nam en in de koele grond zette.

„Het huis vond ik eerst helemaal niks, maar toen ik de tuin zag, dacht ik: dit is een cadeau van de Heer."

Zo had Sandrine het nog nooit bekeken. Ze ging op de tuinbank zitten en vroeg: „Hoezo... van de Heer?"

„Ik heb altijd geleerd dat je voor- en tegenspoed van God ontvangt. En ik had al flink wat tegenspoed gehad, dus toen ik de tuin zag, dacht ik: Hij vond het nodig dat ik nu een beetje voorspoed krijg," murmelde Afra.

Sandrine dacht na. „Denk je dat alle tegenspoed van God komt?" vroeg ze tenslotte wat mistroostig. Ongemerkt was ze overgegaan van 'u' op 'je'.

Afra plantte eerst alle pioenrozen en legde de schep op de papieren zak. Ze ging naast Sandrine op de bank zitten en legde een modderige hand op Sandrines mouw.

„Nee. Ik geloof niet dat de rampen allemaal van God komen. Ik geloof dat we in een gebroken schepping leven en dat er vreselijke dingen gebeuren omdat mensen niet luisteren naar de regels die Hij heeft gegeven. Het zijn mensen die het kwaad bedrijven, maar er zijn ook dingen waar ik geen oplossing voor weet: ziekte, rampen, hongersnood. Hoewel ook daarvan veel terug te voeren valt op menselijk gedrag en foute beslissingen. Het enige dat me overblijft, is erop vertrouwen dat God er bij is. Dat vind ik een troost waar ik niet zonder kan."

Sandrine knikte sprakeloos. Het klonk zo eenvoudig, zoals Afra het zei.

Afra ging naar binnen en kwam weer naar buiten met een blad met twee mokken.

Sandrine keek naar het pad waar het maanlicht grillige schaduwen van de struiken tekende. Het leek heel normaal om hier in het holst van de nacht te zitten en met een buurvrouw die ze nog niet goed kende over God en levensvragen te praten.

Van nature was ze terughoudend. Met anderen praten over iets dat haar werkelijk bezig hield, deed ze niet gemakkelijk. Eigenlijk alleen met Ronny en Ben, ontdekte ze met een kleine schok en ze weigerde daar verder over na te denken.

Met kleine slokken dronken ze hun thee op.

„Het zal mij benieuwen," zei Afra Davelaar.

„Wat?"

„Of de pioenen het echt beter doen omdat ik ze met volle maan heb geplant."

„Ik heb wel eens gehoord dat er een piek in geboorten is bij volle maan. Of is dat bij nieuwe maan?", zei Sandrine. Haar slaap was helemaal verdwenen. Ze veranderde van onderwerp.

„Hoe lang woont u hier al?"

„O, zeg toch gewoon jij en Afra," zei Afra. „Zo stokoud ben ik nu ook weer niet. Ik woon hier al twintig jaar. Oorspronkelijk waren dit arbeidershuisjes. De huur was toen laag. Ik kon het destijds precies betalen in mijn eentje. Het is trouwens nog niet overdreven duur. Ik heb dit een tijd geleden gekocht. Het komt altijd naar je toe. Enfin, jij ook, dat weet ik toevallig, want we hadden dezelfde makelaar, ik herkende hem. Originele staat van het huis… daar had hij het de hele tijd over. Dat betekent dat er niets aan gedaan is.

Hij komt nog wel eens hier en probeert een appartement of een etage in een gegoede buurt aan me te slijten… 'De jaren gaan tellen, mevrouw Davelaar', zegt hij dan. Dat klopt en ik pieker er dus niet over om tussen de snobs in te gaan zitten. Verder werk ik hard, dus ik pas hier precies. Een echte arbeidster!"

Sandrine lachte.

Ze spraken nog een poosje door over het dagelijks leven in de buurt. Sandrine voelde de slaap weer opkomen.

„Kom ook overdag eens langs," zei Afra en gaapte hartgrondig.

Sandrine stond op. „Ik zal de pioenen met argusogen gadeslaan," zei ze plechtig en ze verdween naar haar bed. Binnen vijf minuten sliep ze en droomde van reuzenpioenen die langs een brede weg stonden. En opeens kwam Jasper eraan met een hakmes. Hij lachte en zei dat hij niet hield van overdreven gedoe bij planten. Daarna bracht hij zijn gezicht vlak bij dat van Sandrine en siste dat hij ook niet hield van overdreven mensen.

Het enige dat Sandrine daarop wist te doen was lachen en zeggen dat ze dat altijd al had geweten.

3

Een week later liep Sandrine samen met Ronny het huis door om een plan de campagne te maken. Lotje was een dagje bij Ronny's moeder ondergebracht en Ronny had ook een paar vrije dagen opgenomen. Ze begonnen boven in het huis en bekeken iedere verdieping. Ronny's gezicht betrok hoe langer hoe meer.

„Ik begrijp niet hoe dat allemaal zo is gekomen. Dat kamertje boven de keuken staat bomvol en ik weet niet eens met wat," zei ze mismoedig.

„Geeft niet. Daarvoor ben ík er nu." Sandrine kneep haar vriendin hartelijk in een arm. „Ik heb het wel zo'n beetje gezien. Dingen waar je echt aan gehecht bent, moet je houden. Maar als je even aarzelt, ben ik onbarmhartig. Weg ermee. Zie zo. We beginnen helemaal boven."

Op zolder stonden dozen die nog niet uitgepakt waren na de verhuizing van Ronny's kleine flat naar dit huis.

Ze liep naar de zoldertrap.

„Boven? Ben je mal? Laat toch staan," zei Ronny luchtig.

Sandrine trok haar mee. „Nee. Hier beginnen we. Wat zit hierin?" Ze opende een doos.

„Oude schoolboeken. Wiskunde... Duits!"

„Doe je daar nog iets mee denk je?"

„Nee," zei Ronny hartgrondig.

„Weg dan." Sandrine zette ze bij het trapgat neer.

„Maar als ik nog eens iets na wil kijken?" Ronny aarzelde opeens. Boeken zo maar weggooien.

„Dan is het achterhaald en heb je een hele bibliotheek tot je beschikking. Vijf minuten fietsen en je bent er," merkte Sandrine nuchter op terwijl ze de volgende doos pakte. „Oude maandbladen."

„Later worden ze geld waard, zegt mijn moeder," zei Ronny haastig.

„Hoe lang moet je daar op wachten en hoeveel brengen ze dan op? Tot je grijs bent? Zet ze op het internet. Misschien heeft iemand er belangstelling voor. Of ben je eraan gehecht. Of Ben?"

Ronny zuchtte. „Nee... maar..."

„Afstand doen, is slikken. Het is maar wat voor keuze je maakt. Een leefbaar huis of een hol met blad." Sandrine ging onvermoeibaar verder. Ondertussen keek ze schuin naar Ronny's gezicht.

„Heb je er al spijt van dat je me gevraagd hebt?" vroeg ze.

„Ben je mal. Je hebt helemaal gelijk. Ik ben net een hamster. Wacht, ik zet die jaargangen meteen op het internet. Of misschien weet Ben er een opkoper voor."

Ronny liep naar de trap en nam meteen een doos mee.

„En vraag meteen of hij hout bestelt voor een paar kasten onder het schuine dak. Je zult zien wat voor een ruimte dat oplevert. Ken je een timmerman of iemand die graag klust?"

Ronny draaide zich om, hees de doos op haar heup en zette een wijsvinger tegen haar slaap.

„De neef van de zwager van mijn broer. Dat moet een hele handige jongen zijn. Ja, we hadden altijd al plannen om daar planken te maken, maar het kwam er gewoon niet van," peinsde ze.

„De neef van de zwager van de broer...? Nou ja, laat maar... Ingewikkelde relatie dus. Bel je broer meteen om zijn adres." Sandrine hield niet van vage plannen. Uit ervaring wist ze dat het dan bij plannen maken bleef.

Het verraste Ronny niet dat Sandrine zonder enige aarzeling de touwtjes in handen nam. Ze deed dat op haar werk ook. Bijna onmerkbaar... Altijd geweten dat het erin zat, dacht ze tevreden en pakte de telefoon.

Ze had geluk. Haar broer was thuis en wist het telefoonnummer van de timmerende neef van zijn zwager.

Ronny belde, terwijl ze op een doos ging zitten. Waar moest ze in vredesnaam met al die rommel naar toe? In de schuur zetten was geen optie. Ze hoorde Ben vanavond al mopperen over de bende. Dat schoot natuurlijk ook niet op.

„Moet ik soms eerst een grofvuilcontainer bestellen, Sandrine?" schreeuwde ze naar zolder.

„Prima idee," riep Sandrine terug. Daar zou ze in het vervolg zelf om moeten denken, dacht ze. Een volgende keer? Hoezo een volgende keer?

„Zie je wel, ik ben zo stom nog niet," zei Ronny voldaan toen ze weer bovenkwam. „Vuilcontainer geregeld. Zwager geregeld... Hij komt over een uur langs. Daarna heb ik gevraagd of we allemaal bij mijn moeder kunnen eten. Nou?"

„Niemand zegt dat je stom bent. Je bent een geweldenaar," stemde Sandrine toe. Toen een uur later de bel ging liep ze naar de deur om de neef van de zwager...hoe was het ook al weer...? binnen te laten.

Coop Lingers lachte breed naar de jonge vrouw die de deur voor hem opende. Hij stak zijn gereedschapskoffer vooruit en boog licht.

„De timmerman, mevrouw!"

„Ha, de neef van de zwager..." zei Sandrine en deed een stap opzij om de lange man binnen te laten.

„Coop Lingers."

Zijn hand was stevig. Sandrine dacht dat dat ook wel mocht voor een timmerman. Een zachte hand zou haar wantrouwig gemaakt hebben.

„Sandrine Rombouts." Ze ging hem voor naar de zolder. Het was er schemerig en nog niet leeg genoeg naar haar zin

„Het gaat om ruimte," legde ze zakelijk uit. „Flink wat planken en kasten."

Hij keek langs de stevige balken boven zijn hoofd.

„Pas op dat je je niet stoot," zei Sandrine met dezelfde nuchtere stem.

Hij knikte. Ruimte. Er was hier best wat van te maken. Jammer om alleen maar kasten te maken. Als je het een beetje handig aftimmerde, kon je hier een flinke kamer van maken. De bergruimte maakte je onder de schuine balken.

Hij zette een hand tegen de muur. „Is dit jouw huis...? Ik dacht dat ik iemand anders aan de telefoon had?"

„Klopt. Daar is Ronny al. Ik ben alleen maar een vriendin," legde Sandrine uit.

„Alleen maar een vriendin. Geloof dat maar niet. Ze is onze huishoudexpert. Met haar moet je zaken doen." Ronny was de trap opgekomen met haar handen vol.

„Koek voor de koffie of cake voor de thee... voor elk wat wils. Hallo Coop. Ik geloof toch dat wij elkaar al eens eerder hebben ontmoet. Bij mijn broer Arend."

Sandrine keek keurend naar de lange man met het brede gezicht. Zijn schouders hingen een beetje naar voren en zijn donkere haar was te lang. Hij moest nodig naar de kapper. Het haar krulde in zijn nek en hing op de kraag van zijn jasje… Vreemd dat veel lange mannen een beetje gebogen liepen. Gerke, haar broer, had het ook. Of misschien kwam het omdat de zolder hier laag was.

„Ronny, wat vind je ervan om hier een kamer te maken? Je hebt straks de ruimte nodig. Een werkkamer is nooit weg. Zeker niet…" Als de nieuwe baby er is, wilde ze zeggen, maar zweeg. Ze wist tenslotte niet of Ronny haar familie al ingelicht had.

„Een kamer. Daar hebben we het al eens over gehad. Maar heb je dan geen dakkapel nodig? Het is hier niet echt hoog en erg donker," aarzelde Ronny.

„Natuurlijk een dakkapel. Daar ging ik van uit." Coop haalde een rolmaat uit zijn zak en mat de hoogte van de zolder van de vloer tot aan de nok. „Twee dertig. Hoog zat!"

„En dan kasten onder het schuine dak. Over de hele breedte, zou ik zeggen," stelde Sandrine voor. „Met schuifdeuren."

„Precies. Geen ruimteverlies. En je kunt er heel veel kwijt. Zal ik eens een kostenplaatje maken?"

Ronny knikte enthousiast.

Sandrine keek Coop aan. „Misschien dat je meteen een tafelblad kunt maken dat je op schragen zet. Als de kamer dan nodig is als logeerkamer, kun je hem zo weghalen. En een boekenwand. Als je toch bezig bent…"

Ze keerde zich naar Ronny. „Of moet je dat eerst overleggen met Ben?"

„Ben je gek? Ben springt een gat in de lucht als het hier overzichtelijker wordt. We zitten al tijden te snakken naar meer ruimte." Ronny stopte haar handen in de zakken van haar trui en stak haar kin vooruit.

„Hoeveel legplanken en hoeveel hangruimte wil je?" Coop wendde zich rechtstreeks tot Sandrine. Hij had al door dat bij haar de praktische ideeën vandaan moesten komen."

„Ik denk… Dit gedeelte leg en dit gedeelte zou ik helemaal zo laten. Geen planken. Dan kun je er iets groots in kwijt. Vind je niet Ronny? Koffers, kampeerspullen enzovoort."

Sandrine waakte ervoor om over Ronny 's hoofd heen te praten. Zij moest er in wonen…

Een uur later was Coop weer weg.

Toen Sandrine een week later weer achter haar bureau zat en nog een haastklus afmaakte, kwam Maria, de schoonmaakster, langs. Ze trok een stofzuiger achter zich aan en groette Sandrine monter. „Weer beter? Vakantie goed voor je!"

Sandrine knikte. Maria ging ijverig aan de slag en Sandrine, die huishoudelijk werk op waarde kon schatten, zag dit keer bewust hoe handig en vlug Maria schoonmaakte.

Geen gedoe en gefladder met een stofdoek, maar die felle halen over een tafel.

Precies iets voor Ronny. Als Maria daar twee keer in de week een morgen werkte, was ze van alle narigheid af.

Ze draaide haar stoel en keek met haar hoofd schuin naar de vrouw. „Maria?"

Maria keek op. „Ja?"

„Wat doe jij overdag? Behalve voor de kinderen zorgen... Niet dat dat niet genoeg is, maar..."

„Niets. Kinderen naar school. Kleine huis...Zo klaar! Beetje wandeluh... beetje boodschappuh... beetje koffie..." Ze bracht haar hand naar haar mond of ze een kopje vasthield. „Drinkuh...Beetje vervéluh... En dan als kinderen thuis zijn... ik weg. Naar kantoor. Wel jammer!" Haar gezicht stond bedrukt.

Sandrine aarzelde en vroeg toen: „Zou je er iets bij willen doen? Overdag?"

„O ja. Alstublieft." De donkere ogen keken verheugd naar het lange meisje achter het bureau. „Baan voor mij erbij?

„Ik denk het wel. Mag ik het vanavond even overleggen. Dan laat ik het je morgen weten," antwoordde Sandrine. Ze dacht dat dit precies was wat Ronny nodig had. Geen vrouw die kritisch door haar huis liep, maar iemand die van aanpakken wist en flink genoeg was om te vragen of Ronny een paar dingen zelf op kon ruimen.

Die avond kwam het in kannen en kruiken.

„Kind, ik heb hulp voor je georganiseerd. Tenminste... als je wilt."

Sandrine vertelde van haar gesprek die middag met Maria.

„Ik was er nooit opgekomen. Ik ken Maria ook niet zo goed als jij. Dat komt omdat jij veel te vaak overwerkt. Wat fantastisch. Geen gedoe met advertenties en een goede hulp."

Ronny huppelde naar de keuken die er in haar ogen nog steeds vreemd opgeruimd uitzag. „En zo blijft het nu, Ben. Ik weet nu waar ik op letten moet. Iets beter organiseren en alles wat ik gebruik meteen terug zetten op een vaste plaats," riep ze vanuit de keuken tegen haar echtgenoot die met zijn dochter op zijn knie op de bank zat.

Ben lachte tegen Sandrine. „Hartelijk bedankt. Het is een verademing om mijn spullen terug te kunnen vinden."

„Ben doet het nu ook. Meteen iets terug zetten, bedoel ik. Zelfs Lotje ruimt haar spulletjes op," zei Ronny trots. „Hè Lotje?"

„Opvoedkundig," prees Sandrine." Zal ik vragen of Maria morgenavond na haar werk hier langs komt? Het is wel verstandig om dat zo vlug mogelijk te doen. Dan kun je zelf de rest afhandelen. Wanneer komt die Coop eigenlijk om de dakkapel op het dak te zetten?"

„Hij begint morgen. Geschikte vent. Hij weet net zo van aanpakken als jij. Als ik hem z'n gang laat gaan, zijn we in een paar weken klaar. Hij zette me meteen aan het werk," antwoordde Ben voor Ronny. „Hij lijkt op jou, van karakter bedoel ik... Ik heb morgen een vrije dag genomen om mee te helpen."

Sandrine lachte en stroopte demonstratief haar mouwen op. „Een slavendrijver ben ik," pochte ze. „Morgenavond kom ik langs. Ik ben benieuwd hoe de zolder eruit gaat zien met een dakkapel. En als hij te weinig heeft gedaan?"

„Nou? Wat dan?"

„Dan tier ik," zei Sandrine. „Of iets dergelijks."

„Kom morgen in ieder geval eten," zei Ben haastig. Hij voelde zich nog steeds gegeneerd dat iemand anders hun rommel op had moeten ruimen. Het huis leek wel twee keer zo groot. Dit had hem voor ogen gestaan toen ze dit vooroorlogse huis kochten. Lekker ruim en een tuin. Maar op de een of andere manier had het geleken of het huis te klein was voor hun drieën. Nu was het overal ruim. En dan had hij het nog niet over de tijd die het scheelde om niet te hoeven zoeken. Sandrine had mappen gemaakt en hem een lijst gegeven waar alles lag. Ze moest een geweldige secretaresse zijn. Dat had hij van Ronny ook begrepen. Sandrine was bekwaam, had gevoel voor humor en ze was collegiaal. Hij geloofde het meteen.

„Eten? Ja. Graag," accepteerde Sandrine. Ze had morgen een vrije middag en moest naar haar ouders. Als ze hier een afspraak had, kon ze zonder bezwaar verdwijnen. Als ze thuis bleef eten, wist ze waar het op uitdraaide: opruimen, eten klaar maken en vervolgens weer opruimen, terwijl haar moeder om haar heen draaide en niet anders deed dan een kopje van de ene kant van het aanrecht naar de andere kant schuiven.

Ze had er even geen zin in.

„Als Jasper ook wil komen, is hij welkom," zei Ronny gastvrij. Ze was niet dol op Jasper Vreyland, al zag hij er geweldig uit. Dat wilde ze grif toegeven. En hij was charmant op de koop toe. Dat hij sportief was, telde ze niet. Een ongeluk en dan was het over. Maar dat was eigenlijk het geval met alle dingen van Jasper. Hij bezat allemaal eigenschappen die er in haar ogen niet toe deden. En haar grootste grief: ze vond dat hij Sandrine niet genoeg waardeerde. Volgens Ben draaide dat wel bij. Hij was verwend door zijn moeder. Als Jasper een paar maanden voor zichzelf moest zorgen was het in orde.

„En wanneer is dat?" had Ronny gevraagd. „Als je het over 'hotel mama' hebt, heb je aan Jasper een eng voorbeeld. Die man is achtentwintig. Dan mag je toch verwachten dat hij volwassen is? Ik zou helemaal gek van hem worden. Dat gedoe over sport, sport en nog eens sport en op de vierde plaats komt Sandrine."

„Ja, maar jij bent ook verwend met mij." Ben had zijn magere borst vooruit gestoken en Ronny had hem een por in zijn maag gegeven.

„Jasper moet morgenavond hockeyen," antwoordde Sandrine.

„Het kan ook overmorgen…"

„Dan moet Jasper naar een vergadering van de golfclub."

„Kom je morgen fijn alleen. Ik maak iets heerlijks. Maltezer ovenschotel of zo," stelde Ronny in het vooruitzicht.

Sandrine knikte.

Het regende de volgende dag pijpenstelen. Sandrine reed in haar felrode auto naar haar geboortedorp. Ze draaide het raampje open. Nog steeds vond ze het heerlijk om de geur van de zee te ruiken.

Ze was vroeg en zette de auto aan de boulevard. Even een stuk lopen. Ze stapte lenig uit en trok een paar slippers aan. Straks even met haar blote voeten over het zand.

Ze liep het houten plankier af naar beneden en rende naar de aanrollende golven. Het was vloed. Ze nam haar slippers in de hand en liep de branding in. Het schuimende water spoelde over haar voeten. Heerlijk vertrouwd was dit. Ze liep stevig door en maakte rechtsomkeerd bij de palen die klaarstonden voor het strandpaviljoen dat aan het eind van de maand weer opgebouwd zou worden. Dit was de tijd waarin het strand van haar was. Een leeg strand, een enkele toerist die de stilte zocht en wat dorpsbewoners. Dat verlaten strand had ze altijd fijn gevonden. Langzaam liep ze weer terug naar de strandopgang en bleef nog even staan om naar de wolken te kijken die aan de horizon de zee raakten.

„Wat ben je laat," zei haar moeder. „Als ik geweten had dat je zo laat zou komen, was ik bij je vader op de zaak gebleven."

„Ik ben er nu toch." Sandrine boog zich voorover om haar moeder een kus te geven.

„Ja. Maar toch... Ik heb al drie keer het gas onder het theewater uitgedraaid."

Er lag een pruilende trek op haar gezicht. Sandrine zag dat er rimpeltjes om haar moeders mond bij waren gekomen, maar ze was nog steeds mooi. Tanja, haar zusje, leek veel op moeder. Vroeger was dat niet zo duidelijk geweest, maar nu ze wat ouder was... sprekend.

Misschien was dat de reden geweest dat Tanja zo weinig in huis hoefde te doen, dacht ze zonder wrok terwijl ze de afwasmachine leeghaalde. Dat apparaat was gekocht zodra zij uit huis was gegaan. Tanja en moeder hadden er een hekel aan om af te wassen.

Sandrine deed schoon water in de ketel en zette thee. Haar moeder zat te wachten in de oude schommelstoel voor het raam.

„Nou, en vertel eens. Wat heb je zoal gedaan deze maand? Je bent bijna niet thuis geweest. Ik kon helemaal de bonnetjes voor de stomerij niet vinden. Erg lastig. Ik heb ze nu zo meegekregen, maar dat had wat voeten in de aarde. Belachelijk. Alsof er honderd vrouwen een grijze blazer maatje achtendertig hebben gebracht om te sto-men."

„Bonnen en zo leg ik altijd in het kleine laatje rechts. Moet u ook doen," zei Sandrine kalm.

„Dat kan ik allemaal niet onthouden. Ik ben nu eenmaal geen Pietje precies," zei haar moeder. „Volgens mij heeft mevrouw Zwart alles weggegooid. Dat doet ze erom. Die vindt het wel prettig als ik loop te zoeken. Nee echt..."

„Is Tanja nog geweest?" onderbrak Sandrine haar klacht.

„Nee, maar ze komt vanmiddag ook. Fred is weg voor zijn werk. Had ik dat niet verteld? Ze belt vaak. Attent is dat zusje van je toch."

Mevrouw Rombouts keek haar oudste dochter aan met een beschuldigende blik.

Sandrine ging er niet op in. Ander onderwerp, anders bleef moeder zeuren. „Ronny, weet u wel... die vriendin van mijn werk, krijgt weer een baby."

„O ja? Dan stopt ze zeker met werken," veronderstelde mevrouw Rombouts.

„Nee, ze neemt wat meer hulp, en dan redt ze het best."

„Ik kan je uit eigen ervaring vertellen dat het zwaar wordt. Heel zwaar," zei haar moeder. „Werk... én kinderen... én een huishouden... En minimale hulp. Het is een wonder dat ik nooit overspannen ben geraakt met alleen maar een werkster. Echt een wonder. Dat zeggen mensen zo vaak. Je vader had het nooit gered met de zaak als ik er niet was geweest. Dat zegt hij zelf ook. Ik kan verkopen. Je vader niet, al heeft hij een neus voor antiek en curiositeiten."

„Hoe gaat het op de zaak? Ik moet er eigenlijk even kijken. Ik heb een kastje nodig." Sandrine dacht aan haar hal waar ze iets wilde hebben om handschoenen en sjaals op te bergen.

„Doe dat. Er staat genoeg op het moment. Het is nog geen seizoen, al krijgen we hoe langer hoe meer klanten die alleen voor ons hier naar toe komen. We hebben in tien jaar echt een naam opgebouwd. Vader en ik denken erover om een ander huis te kopen. Alles gelijkvloers. Dat kan er nu wel van af. De makelaar zegt dat we hier heel wat voor krijgen. Fijn dat je voor al dat ploeteren toch nog iets terugkrijgt."

Voldaan schonk haar moeder nog een keer thee in en hield Sandrine een schaaltje bonbons voor. „Kom, je kunt het voor een keer best hebben, al moet je oppassen. Je krijgt brede heupen. Dat heb je van niet van mij. Ik word nooit dik."

Sandrine zweeg en keek uit het raam. „Eert uw vader en uw moeder... Eert uw vader en uw moeder," zei ze woordeloos tegen zichzelf en bedwong de neiging om haar moeder een schop tegen haar schenen te geven.

„En hoe zit het? Ik hoor je niet vaak meer over Jasper. Het is toch niet weer over?" informeerde haar moeder. „Je mag wel iets meer moeite voor hem doen. Een knappe vent en nog degelijk ook. Zie hem vast te houden. Dat afstandelijke gedoe van jou valt niet goed. Dat heb ik vorige keer al aan hem gemerkt. Heeft hij het al over trouwen gehad? Nee zeker."

Sandrine gaf haar geen antwoord.

„Nou?"

Sandrine stond op. „Ik ga nog even kijken bij vader. Misschien staat er in de zaak nog iets wat ik kan gebruiken."

Moeder was al afgeleid. „Wacht, ik ga mee. Dan kunnen we meteen beslissen wat we gaan eten. Ik heb op jou gewacht met boodschappen doen."

„O, maar ik eet niet mee. Ik heb afgesproken met Ronny," zei Sandrine. „Ik moet straks weer terug naar Amsterdam. Anders zit ik in de spits."

„Wat? Je bent er net!" Mevrouw Rombouts gezicht betrok. „En ik had nog wel gedacht dat we weer eens gezellig met ons vijven zouden eten. Gerke komt ook. Ik heb gezegd dat jij Tanja wel even thuis brengt. Anders was het zo lastig voor haar als Fred haar niet kan halen. Zeg het maar af bij die Ronny. Die zie je vaak genoeg."

Moeder gaf dochter de telefoon in de hand. De fijne rimpels rond haar ogen waren dieper geworden.

„Nee. Jammer, maar het kan echt niet. Ronny gaat haar zolder verbouwen en ik moet met een paar dingen helpen."

Aan één kant vond Sandrine het jammer dat ze haar broer en zusje niet zou zien, maar ze piekerde er niet over om de afspraak bij Ronny af te zeggen. Ronny rekende op haar.

„Moet jij dat doen? Je moet je niet laten exploiteren door die Ronny. Ik heb wel meer het idee gehad dat ze dat deed. Geef haar een vinger en ze neemt je hele hand. Leer mij de mensen kennen."

„Dat is waar. U weet hoe het werkt… " Het lukte Sandrine niet om het sarcasme uit haar stem te weren. „Gaat u nog mee naar de zaak?"

„En ons dineetje dan? Zo vaak zie je je broer en zus niet." Moeder gaf het niet op. Op het mooie gezicht had de pruilende trek zich verdiept.

„Ze komen maar eens bij me eten," antwoordde Sandrine luchtig. „Ik bel wel."

„Het is fraai. En wat moet ik dan met dat eten?"

Mevrouw Rombouts besloot dat ze, nu Sandrine niet voor het eten zou zorgen, er het verstandigst aan deed om iets bij die goede Italiaan in de Hoofdstraat te bestellen. Ze bezorgden thuis. Een voorafje en een schotel.

Zorgelijk zoog ze haar mond naar binnen. Ze moest dan wel het toetje nog klaarmaken. Lastig nu weer dat Sandrine wegging.

Onattent om haar plannen zo in de war te sturen. Mee naar de zaak zat er niet in. „Een andere keer dan maar.

Een uur later drentelde Sandrine door de antiekhandel van haar ouders. Langs de wand stonden servieskasten en twee halbanken. Er hing een Comptoiseklok boven met een zware koperen slinger. Naast vier Chippendale stoelen en een tafel met ballonvormige poten, stond een klein buikig kastje. Dat was precies wat ze bedoelde. „Dag kind." De stem van haar vader was hartelijk. „Hoe gaat het? Ik vind dat je er moe uitziet."

Zijn bezorgdheid deed Sandrine goed. „Dag vader. Ik wou even rondkijken. Ik heb een kastje nodig voor in mijn hal. Het is er nu nog een beetje kaaltjes en ongezellig. Dat kastje daar... Wat moet dat kosten?"

Hij keek naar het gezicht van zijn oudste dochter dat zoveel op het zijne leek. Ze werd ook gemakkelijk bruin. De ogen waren van hetzelfde donkerblauw als de zijne en ze had precies dezelfde tint haar. Als het Sandrine verging als hemzelf, zou ze laat grijs haar krijgen. Haar mond was breed en hartelijk en zag eruit of ze snel lachte. Dat was maar schijn. Je zag Sandrine niet vaak lachen.

„Niets. Ik hoef niet aan mijn kinderen te verdienen. Neem maar mee," zei hij.

Tanja had de hele inrichting van haar woonkamer hier vandaan gehaald. Hij had Tanja nog nooit over betalen horen praten.

„Waar staat je auto? Dan zal ik het erin zetten. En als jij dit dan alvast mee naar huis neemt, dan sluit ik een halfuur eerder. Gezellig weer eens, alle kinderen bij elkaar. Het komt er niet vaak van de laatste tijd. Tanja en Gerke leiden wel erg hun eigen leven.

Komt Jasper ook nog?"

Hij pakte het kastje op en droeg het naar de auto. Het speet Sandrine nu werkelijk dat ze niet bleef eten.

„En, wat ga je ons straks voorzetten?" vroeg haar vader. „Een zakenrelatie, die ik vertelde over jouw kookkunst, was jaloers. Moeder verheugt zich erop een dag vrij te hebben. We eten vaak iets in de stad, of ze laat iets komen, maar zelf klaargemaakt is toch lekkerder."

Sandrines gezicht betrok. „Ik heb een afspraak om bij vrienden te eten, vader," zei ze.

„Wat? Die ene keer dat wij bij elkaar zijn en dat je broer en zusje er zijn! Zeg maar af," zei haar vader en keek ontevreden. „Je zou Tanja ook thuisbrengen, had je moeder afgesproken."

„Het spijt me. Dat zal niet gaan." Sandrine dacht dat ze het toch wel goed ingeschat had. Er was op haar gerekend, maar op een andere manier dan ze gehoopt had: koken, klussen en thuisbrengen. Ach, dat was niet erg. Alleen had ze er nu geen zin in. Ze was moe.

Het afscheid van haar vader was een stuk koeler dan het welkom.

4

Op de terugweg begon het te regenen. Sandrine kwam toch nog in de spits terecht. Ze zette de radio aan, luisterde naar het nieuws en zong mee. Vastberaden zette ze de gedachten aan thuis uit haar hoofd. Het had geen zin om treurig te zijn. Moeder en vader waren zoals ze waren en ze bedoelden het niet slecht. Op hun manier zorgden ze voor hun kinderen. Klaar.

Even na zevenen parkeerde ze haar auto voor Ronny's huis.

Ronny verwelkomde haar met een glas rode wijn in haar hand.

„Ga lekker zitten en neem wat. Eén glas wijn moet kunnen. Ik weet dat je niet drinkt als je met de auto bent, maar over een paar uur is het alcoholeffect weg."

Sandrine nam het glas aan en ging zitten.

„Ik heb Lotje net naar bed gebracht. Dan kunnen we straks rustig eten. Coop blijft ook eten. Ze zijn doorgegaan tot zes uur. Die dak-kapel zit er op. Van binnen moet het nog afgetimmerd worden en ze moeten nog schilderen, maar dat is een fluitje van een cent. Ben heeft gewerkt als een paard. Hij vond het nog leuk ook. Weer eens iets heel anders, werken met je handen. Je moet straks even boven kijken. Het is een stuk lichter op zolder... En groot! Je weet niet wat je ziet. Goed idee van jou en die Coop. Ga je mee? Ik moet nog de laatste hand aan het eten leggen."

Sandrine liep achter Ronny aan naar de keuken. Het rook er heer-lijk. Ze snoof de geur op: tomaat, selderij, prei...en nog iets dat ze niet thuis kon brengen. „Heerlijk ruikt het hier," zei ze.

Ronny pakte een stukje zalm op toast en duwde het Sandrine in de hand. „Proef..."

„Verrukkelijk! Zeg, vreemde naam... Coop. Is het een afkorting van Jacobus?"

„Klopt. Meestal maken ze daar Jaap van. Zijn ouders 'Coop'. Wel origineel. Al denk ik wel telkens aan een voordelige aanbieding in de supermarkt als ik de naam hoor."

Ronny legde de gerookte zalm in een schaal waarop kleine stuk-jes wit brood lagen. Zorgvuldig schikte ze de vis en het brood om en om.

„Ik doe het een beetje gemakkelijk vandaag. Jullie moeten nog maar eens komen als alles klaar is. Om de verbouwing te vieren. Dan zet ik jullie iets geraffineerds voor... Daar zul je helemaal van achterover slaan," zei ze.

„Wat moet ik doen?" vroeg Sandrine. Op het aanrecht stond een glazen schaal met salade en een paar karafjes met olie en azijn, olijven en tapenade.

„Helemaal niets. Ik heb de tafel al gedekt en de schotel staat in de oven. Hier, proef dit eens."

Ze duwde Sandrine een stukje stokbrood met tapenade in haar hand. „Heerlijk, niet?"

Sandrine keek de keuken rond. Het was gezellig, al zouden er een paar dingen praktischer kunnen. De keuken was er een beetje bij ingeschoten bij de reorganisatie van het huis. Ze had alleen de kasten anders ingedeeld.

„Je hebt best een grote keuken," merkte ze een beetje verbaasd op.

„Ja, nu jij de rommel hebt geordend wel, maar ik heb nog steeds gebrek aan ruimte." Ronny keek om zich heen en zag de stapel schalen op het aanrecht.

„Ik denk dat ik zo'n grote keukenkast koop. Alleen, dat is zo log, denk je niet?"

Sandrine hield haar hoofd schuin. Er stond een tafel tegen de lange muur en daarboven hingen een paar losse keukenkastjes. Je kon niet goed aan de tafel zitten omdat je je hoofd stootte tegen de kastjes. Het verbrokkelde de ruimte.

„Je moet die Coop eens vragen of hij een kast met glazen deuren kan maken. Dan neem je er een van de vloer tot aan het plafond. Van hetzelfde hout, laat je hem een tafel maken. Dan is het één geheel. Dat zou heel mooi kunnen worden," voorspelde ze.

„Ik durf hem niets meer te vragen. Hij is al zo veel tijd kwijt met de zolder," zei Ronny.

„Doe niet zo gek. Het is zijn brood. Je betaalt hem toch. Die man is blij dat hij wat te doen heeft," merkte Sandrine nuchter op.

„Hij is geen echte timmerman. Hij is van beroep tekenaar en hij illustreert boeken," zei Ronny.

„Och heden. Geen droog brood mee te verdienen zeker. Dan zal hij helemaal blij zijn dat hij wat te doen krijgt van je."

„Ik weet niet," antwoordde Ronny vaag. „Ik dacht dat hij nog iets deed."

Sandrine stopte het stukje stokbrood in haar mond en vroeg onduidelijk. „Is die Coop niet getrouwd? Hij ziet eruit als een echte familieman. Ik zie zo een paar kleine kinderen aan zijn trui hangen."

„Nee. Er was iets mee. Hij zou gaan trouwen en toen ketste het af. Het precieze weet ik niet meer. Ze vond dat hij niet genoeg verdiende of zoiets. Toen liep ze een paar weken voor haar huwelijk iemand tegen het lijf die beter in de slappe was zat."

Ronny knipte haar duim en wijsvinger tegen elkaar en trok tegelijk een afkeurend gezicht.

Sandrine slikte het stokbrood weg. „Wat een ouderwetse tuttebel."

„O, hij is beter af zonder haar. Maar het schijnt dat hij er erg beroerd van is geweest. Hij houdt de vrouwen nu een beetje op afstand. Goeie vriendjes en verder niets, je kent dat wel."

Ronny verzette de salade. „Hier. Neem alvast een olijf."

Wel heerlijk om eens verzorgd te worden in plaats van zelf in touw te zijn, dacht Sandrine. Het voelde warm. Ronny was een schat.

Ach en dan die Coop. Wat ellendig om op zo'n manier in de steek gelaten te worden. En natuurlijk was hij beter af zonder zo'n vrouw, maar je stopte niet zomaar met 'houden van'.

Wat hadden Ronny en Ben het dan goed. Gelukkig getrouwd, een schat van een kind en een leuk huis.

Een halfuur later zaten ze aan tafel voor de openslaande tuindeuren. De kaarsen brandden en Ronny had rode placemats op tafel gelegd. Op de placemats stonden de crèmewitte borden. De glazen flonkerden in het kaarslicht.

„Gezellig," zei Coop. Zijn haar was nog vochtig van het douchen en krulde aan de onderkant.

Sandrine dacht aan het blonde hoofd van Jasper. Hij was veel knapper dan deze wat slungelachtige man met zijn knobbelige neus en zijn brede gezicht. Verder best een aantrekkelijk gezicht, al bezat het niet de regelmatige trekken die Jaspers gelaat typeerden. Maar dat zag je zelden. Ze was nog steeds verbaasd dat Jasper verliefd op haar was geworden. De meisjes zwermden om hem heen. Hij was sportief en had nog een goed inkomen ook. Een lot uit de loterij voor het type vrouw als dat mens dat Coop in de steek had gelaten voor een onzeker inkomen. En terwijl zij er niet veel om gaf. Ze kon met weinig toe. Dat zou je altijd zien.

Jasper werkte bij een grote bankinstelling en had 'goede vooruitzichten', zoals zijn moeder geregeld tegen Sandrine zei.

Jaspers moeder trok bij die woorden een gezicht of ze er niet zeker van was dat Sandrine bij de goede vooruitzichten hoorde.

Sandrine vroeg zich de laatste tijd wel eens af of Jasper dat met haar eens was. Ze zuchtte. Ze kon er zich iets bij voorstellen. Zo geweldig was ze ook niet. Een middelmatig stel hersens en een middelmatig uiterlijk. Coop Lingers keek haar even aan en knikte haar toe. Sandrine glimlachte terug. Wat gemakkelijk was dit. Iemand die niets van je verwachtte en tegen wie je niet voorkomend en aardig hoefde te doen. Ze gooide de neerslachtigheid van zich af.

„Je tekent, vertelde Ronny," zei ze. „Wat en voor welke uitgeverij?"

Terwijl ze de gerookte zalm naar binnen werkten, vertelde Coop dat hij strips tekende voor een paar dagbladen en dat hij kinderboeken illustreerde.

Ronny nam de lege borden mee naar de keuken en kwam terug met een grote ovenschotel. Onbewust streek Sandrine over haar heupen. Niet te veel van nemen, zou haar moeder zeggen. Wat was die kruidige tomatengeur verrukkelijk. Een Maltezer pastaschotel had Ronny gezegd. Sandrine schoof alle gedachten aan de lijn opzij. Morgenochtend zou ze op de weegschaal stappen.

„Wat een merkwaardige combinatie. Timmerman en striptekenaar," zei ze. „Ben je niet bang dat je op je vingers slaat en niet meer kunt tekenen?"

Coop lachte. „Valt wel mee. Ik heb één keer met mijn hand klem gezeten tussen een luik en een raam. Toen heb ik met mijn linkerhand getekend. Het effect was een beetje houterig mannetje. De schrijver was vol lof. Precies wat hij bedoelde, zei hij. Het was nog niet eens eenvoudig om met mijn rechterhand het figuurtje net zo te maken."

Sandrine lachte mee en sloeg naar een mug die om de kaarsen vloog. Van buiten dreef de geur van anjelieren en kamperfoelie naar binnen. Nog lekkerder dan rozen, dacht Sandrine en ze voelde zich gelukkig.

„Ik heb reclame voor je gemaakt," zei Ben toen ze aan het sinaasappelijs begonnen. „Een collega van me zit in hetzelfde schuitje als wij. Als wij zaten, moet ik zeggen. Allebei een baan en een of twee

44

kinderen. Als je eenmaal begint met de zaak te laten versloffen, gaat het van kwaad tot erger. Mag ik hem naar je toe sturen?"

„Is dat die Heringa?" zei Ronny met een bedenkelijk gezicht.

„Geen prettig iemand, Sandrien!"

„Dat is juist goed. Als Sandrine iemand aardig vindt, vraagt ze geen geld voor haar werk," merkte Ben op.

Sandrine lachte. „Daar baseer ik mijn tarieven op. Als ik een hekel aan iemand heb, krijgt hij of zij een torenhoge rekening."

„Wil je echt een bedrijfje beginnen?" vroeg Coop geïnteresseerd.

„Nee, natuurlijk niet. Hoewel…,volgens Ronny is er vraag naar. Maar ik weet het niet. Ik heb helemaal geen opleiding in die richting. Zo veel stelt mijn talent niet voor." Ze haalde haar schouders op. „Ach, het is ook maar onzin."

„Bestaat er een opleiding voor een adviseur op dat gebied? Volgens mij niet. Wat jij kunt, is een gat in de markt volgens mij. En als Coop je af en toe wil helpen met de verbeteringen op kastengebied en zo, kom je een heel eind." Ronny liep warm voor haar eigen voorstel. Ze pakte een blik koffie van de plank.

„Een Irish Coffee toe, San?"

Sandrine knikte en keek vragend naar Coop. „Wat vind jij?"

„Ik zie er wel iets in. Je moet natuurlijk zelf beslissen of je de overstap durft te maken… Maar ik zie er wel brood in," zei Coop. En wat mezelf betreft…Als ik het red met mijn tekenwerk doe ik het graag. Jij zou je baan bij het bureau op een gegeven moment moeten halveren. Het is wel handig een basisinkomen te hebben, dus een halve baan zou ik aanhouden als ik jou was."

Sandrine keek hem onzeker aan. „Maar wat moet ik voor een advies rekenen? Gesteld dat mensen er iets in zien."

„Daar kan ik je wel bij helpen. Je moet ook pensioenopbouw en zo in rekening brengen. En een extra ziektekostenverzekering voor het geval dat… Ik wil het je wel eens voorrekenen. Nog niet zo lang geleden heb ik het voor mezelf ook op papier gezet." Coop grabbelde in zijn zak en haalde een pakje papieren zakdoekjes tevoorschijn. Hij keek er verbaasd naar en stopte het weer terug.

„Loop jij altijd met je bedrijfsspullen op zak?" vroeg Ben geamuseerd.

„Nee. Ik dacht dat ik het telefoonnummer van iemand, die handig is om erbij in te schakelen, hier had," zei Coop.

Ronny lepelde het laatste restje ijs uit haar glas. Ze keek Sandrine wat zorgelijk aan terwijl ze een lik slagroom van haar mondhoek veegde.

„Toen ik op de zaak vertelde dat jij zo'n goede adviseur bent op huishoudelijk gebied en dat Maria ons huis schoon ging houden, maakte Van Grinten een rare opmerking. In de trant van: ik zou maar uitkijken met wat ik in huis haal. Weet jij verder nog iets van haar?"

„Van Grinten," Sandrine trok haar mondhoeken naar beneden. „Daar noem je iemand."

„Ik weet dat hij vervelend kan zijn, maar een dwaas is het niet," zei Ronny. „En ik heb te veel vertrouwelijk materiaal in huis om iemand die niet uit het goede hout gesneden is, over de vloer te halen."

„Maria? Met Maria is helemaal niets mis." Sandrine werd kribbig. Ze was er niet aan gewend om wijn te drinken en twee glazen hadden hun uitwerking op haar. Ze werd loslippiger dan normaal.

„Ik weet alleen dat ze twee kinderen heeft, dat ze zich 's avonds een slag in de rondte werkt en dat ze zich overdag een ongeluk verveelt. Geen contacten in de buurt, geen landgenoten, geen kinderen. Van Grinten moet zijn mond en zijn handen thuis houden. Als hij langs Maria loopt, strijkt hij precies iets te laag over haar arm. Dat deed hij ook eerst bij mij, maar ik heb hem flink op zijn voeten getrapt. Met mijn naaldhakken. Per ongeluk natuurlijk. Hij blijft mijn baas," zei ze voldaan. Haar ogen glinsterden.

De anderen keken glimlachend naar haar rode wangen.

„Ben je altijd zo gevaarlijk?" vroeg Coop vermaakt.

„Wel bij mannen die hun handen niet thuis kunnen houden."

„Dan ben je vast vaak in touw," veronderstelde Coop met een waarderende blik op Sandrines gezicht.

„Kom kom, zo vervelend zijn de meeste mannen niet. Het zal wel loslopen," suste Ronny. Ze had opeens moeite om haar lachen in te houden. Dat die nuchtere Sandrien al van twee glazen wijn een beetje tipsy werd. Grappig.

„Laten we als deze klus geklaard is maar eens om de tafel gaan zitten. Het zou wel fijn zijn als Ronny en Ben er bij waren, dan kunnen ze een beetje adviseren. Tenslotte is dat Ronny's beroep," opperde Coop.

„Ja. Kan ik meteen iets terug doen voor je hulp hier," zei Ronny.

Sandrine was vaag verbaasd. Dingen die bij haar thuis werden gerekend tot haar taak, werden hier zo gewaardeerd dat ze vonden dat ze er haar beroep van moest maken. Raar!

Het idee liet Sandrine niet los. Ze dacht er in de weken die volgden veel over na. Had ze dan toch meer van haar vader en moeder dan ze dacht? Ze had zich altijd voorgenomen om nooit een eigen zaak te beginnen. Veel te veel verplichtingen. Altijd die zorg dat het niet zou lukken.

Ze ging na haar werk naar Jasper, die net de training voor een toernooi achter de rug had. Ze belde aan en hoorde zijn snelle voetstappen op de trap.

Jasper kwam, opende de deur en sloeg zijn armen om haar heen. Hij rook fris en zijn haar was nog vochtig.

Precies een kleine jongen die in bad is geweest. Sandrine zag het met vertedering. Geen wonder dat vrouwen hem wilden verwennen.

„We moeten nu toch echt eens een sleutel bij laten maken. Dan kun je je er tenminste zelf inlaten." Jasper kuste haar in haar hals.

„Ik ben op. Een paar uur gespeeld. Maar we maken een goede kans te winnen, zaterdag."

Ze legde haar hand op zijn wang. Hij was blij dat ze er was, dacht ze voldaan. Zie je nu wel dat ze zich iets had ingebeeld. Hij was de laatste tijd niet minder attent. Het was gewoon de aard van het beestje. Ze legde haar handen rond zijn hoofd en drukte haar voorhoofd tegen zijn wang. „Dag Jasper," murmelde ze.

De kamerdeur ging open en Jaspers moeder kwam de gang in. Haar kleren onberispelijk als altijd. Het haar opgestoken in een grijze wrong. De krul op haar voorhoofd zat onbeweeglijk. Alsof hij erop gemetseld was, dacht Sandrine.

„Ha, daar is Sandrine. Gezellig. We hebben je al een tijd niet gezien," zei ze.

„Nee. Druk gehad. Ik heb een vriendin…" Geholpen wilde Sandrine zeggen, maar Jaspers moeder wachtte haar woorden niet af.

„Ik zeg nog laatst tegen een kennisje… Jasper boft met een vriendin die zoveel begrip heeft voor de tijd die hij in sport steekt. Dat hoor je wel eens anders."

Bedoelde zijn moeder nu dat Jasper haar verwaarloosde en vond ze dat Sandrine daar iets van moest zeggen, of vond ze het echt plezierig dat Jasper bijna al zijn vrije tijd aan de sport besteedde?

Onzeker keek Sandrine van Jasper naar zijn moeder. Nee, ze

meende het echt. Jasper leek ingenomen met de woorden.

„Ik heb het zelf ook druk," zei Sandrine. „Ik..."

„Natuurlijk, natuurlijk...Ik ben zelf secretaresse geweest van de voorzitter van het wijkteam en ik weet dat je het er aardig druk mee kunt hebben," zei mevrouw Vreyland vaag.

Sandrine verstrakte. Wilde Jaspers moeder haar baan vergelijken met het werk voor een wijkteam dat een keer in de maand vergaderde?

„Ik heb eigenlijk een nieuwe baan op het oog," hoorde ze zichzelf zeggen.

Nu had ze de aandacht. „Oh... echt? Vind je dat wel verstandig om nu nog iets nieuws te beginnen? Straks gaan jullie misschien wel trouwen, jullie gaan al een jaar met elkaar om. Dan werk je natuurlijk wel door, maar je krijgt meer om handen." Mevrouw Vreyland legde een hand op de trapleuning.

„Niet meer dan nu, lijkt me," zei Sandrine. „Ik heb nu toch ook mijn huis dat ik moet schoonhouden?"

„Ja, maar je krijgt er natuurlijk Jaspers dingen wel bij."

Met opgetrokken wenkbrauwen keek mevrouw Vreyland naar Sandrine.

„Jasper kan toch prima voor zichzelf zorgen?" zei Sandrine. Ze trok haar wenkbrauwen net zo hoog op als Jaspers moeder.

„Natuurlijk... natuurlijk." Jasper zette een hand in Sandrines rug en duwde haar in de richting van de trap. Zijn hand streelde haar schouder.

„O, gaan jullie naar boven? Ik dacht dat Sandrine wel beneden thee zou drinken. Ze is zo'n tijd niet geweest." Mevrouw Vreyland opende demonstratief de deur. „Kijk eens vader wie we hier hebben," zei ze.

Achter zijn moeders rug trok Jasper een gezicht.

Sandrine haalde haar schouders op en volgde haar vriend en zijn moeder naar de zitkamer.

Ze keek rond. Als ik nu hier was als adviseuse, zoals Ronny en Ben willen, dacht ze en nam de donkere meubelen kritisch op.

Wat zou ik hier dan veranderen? Helemaal niets. Deze meubelen passen bij deze mensen. Ze horen bij dit huis. Alleen jammer dat Jasper dezelfde smaak leek te hebben. Zij moest er niet aan denken om in deze stijl te wonen. Alles even donker en glimmend!

Ze gaf Jaspers vader een hand.

„Zo kind," zei hij en drukte haar hand bijna fijn. Die had vroeger vast gehoord dat een stevige hand op veel karakter wijst, dacht Sandrine vluchtig en wreef over haar pols.

Jasper had haar eens verteld dat zijn vader ook graag had gesport, maar dat hij er mee gestopt was toen Jasper was geboren. Maar op zijn vijftigste verjaardag had hij van zijn vrouw een cursus golfen gekregen. Soms samen met zijn zoon, op de avond dat zijn vrouw naar het wijkteam was, want, „moeder hield er niet van om alleen te zijn," legde hij Sandrine uit.

Aandoenlijk bijna, dacht Sandrine en ging in het lage fauteuiltje bij het raam zitten.

Terwijl ze thee in schonk, informeerde Jaspers moeder: „Wat zei je daarnet nu over nieuw werk?"

„Ik denk erover om een eigen zaak te beginnen."

Terwijl ze het zei, werd Sandrine verlegen. Ze kuchte en verschoof het kopje dat mevrouw Vreyland naast haar op een tafeltje had gezet.

De vader van Jasper knikte welwillend. „Een eigen zaak. Wel wel. En kind, wat zal het worden? Ga je iets van je vader overnemen of zo?"

„Een grap natuurlijk. Je weet wat je altijd over de zaak van je ouders hebt gezegd." Meesmuilend stond Jasper in het midden van de kamer.

Zijn moeder zette de theepot terug op het blad en zei met een zuinig mondje: „Jasper houdt niet van winkels."

„Geen winkel. Een adviesbureau op huishoudelijk gebied. Het is nog maar een idee." Sandrine keek onzeker van haar vriend naar zijn moeder. Ze had spijt dat ze er erover was begonnen.

„Malle meid. Een eigen zaak… Jij? Met dat onzakelijke karakter van je." Jasper glimlachte toegeeflijk en Sandrine kon hem opeens wel een mep geven.

„Zo onzakelijk ben ik anders niet," zei ze en ze stak haar kin naar voren.

„Jij niet onzakelijk? Kom nou… Je bent altijd in de weer voor anderen zonder er een cent wijzer van te worden. En dan zou je geld willen verdienen aan die mensen? Je zou het niet durven. Daar lijden veel vrouwen aan. Ik heb op de bank vaak advies moeten geven aan vrouwen die een eigen tokootje wilden beginnen." Hij schudde zijn hoofd. „Weet u nog wel moeder? Laatst dat vrouwtje uit de kerk. Een eigen handwerkzaak wilde ze opzetten in de Handboogsteeg. Het enige wat ze deed, was wol geven voor goede doelen."

Zijn moeder zei meewarig: „Een fiasco werd het! Terwijl wij haar allemaal steunden... Ik heb er nog wol voor een trui gekocht, maar omdat ik dat voor de zending deed, hoefde ik maar de inkoopprijs te betalen."

Sandrine dacht dat dit Jaspers moeder ten voeten uit was.

„Dus die vrouw steunde uw goede doel! Lekkere hulp hebben jullie dan geboden," zei ze en ze hoorde hoe kribbig het klonk.

„Ja gunst. Als iemand zo dom is. Jasper, eet jij vanavond thuis?" Het onderwerp had afgedaan voor Jaspers moeder.

„Nee, ik ga met Sandrien naar haar ouders. We eten wel een hapje in de stad of bij jou, niet Sandrien?"

„Ja," zei Sandrine strak.

Hij sloeg een arm om haar heen. „Kom Sanny." Zijn warmte drong door haar trui heen. Ze legde haar hoofd tegen zijn schouder en voelde zich weer gelukkig.

„Je schone kleren liggen op je bed klaar," zei zijn moeder.

Sandrine hoopte zorgelijk dat Jasper niet van haar zou verwachten dat zij hetzelfde voor hem zou doen. Ze vertikte het om een kindermeisje te spelen voor een volwassen man, al zag hij er soms uit als een kleine jongen. Al vertederde haar dat nog zo, ze begon er niet aan.

„Goed hoor, bedankt," zei hij en streelde zijn moeder nonchalant over haar arm.

Ze glimlachte. Jasper zou nooit nalaten haar te bedanken voor haar zorg. Dat hoorde je wel anders.

Over Sandrines plannen werd niet meer gesproken.

Pas bij haar ouders begon Jasper er weer over.

„Hebt u al gehoord van Sandrines toekomstplannen?" vroeg hij met een klein lachje om zijn mondhoeken.

„Wat voor plannen? Ach... Jullie gaan trouwen natuurlijk," zei Sandrines moeder enthousiast. „Ik wil best helpen met het organiseren van de trouwdag. Dat heb ik bij Tanja ook gedaan."

„Trouwen? Och heden nee. En voor ons hoeft u niets te organiseren. Van organiseren en dat soort dingen wil Sandrien juist haar baan maken. Ze wil een veredelde huishoudster worden voor hele volksstammen tegelijk. Mensen die zelf geen huishouden kunnen runnen, wil ze uitleggen hoe ze dat aan moeten pakken."

Zijn toon was minzaam en onder de hartelijke aai over Sandrines hoofd, wat neerbuigend.

Moeder Rombouts lachte: een hel, twinkelend lachje. „Uitleggen hoe iemand moet huishouden?"

Sandrines vader vroeg verbaasd: „Wat zeg je nu? Waarvan wil jij een beroep maken? Van adviseren hoe je een huishouding opzet? Maar mijn lieve kind!"

Hij herhaalde nadrukkelijk en sonoor: „Maar mijn lieve kind. Wat voor ervaring heb je daar eigenlijk mee? Je bent secretaresse. En zou jij dan anderen adviseren hoe ze een huishouden moeten runnen?"

Zijn lach mengde zich met die van moeder. Ook Jasper deelde mee in het plezier.

Sandrine zat verslagen op haar stoel. Ze keek naar haar uitbundig pret hebbende moeder… Naar haar vader die met een paar woorden uitvlakte wat zij in huis voor hen had gedaan.

Ze keek naar haar vriend die haar altijd had verteld dat haar vader en moeder misbruik maakten van haar talent om dingen in huis te ordenen…

Opeens kwam er een gevoel van onbehaaglijkheid terug dat heel lang had gesluimerd: vader en moeder die niets hadden gedaan toen meneer Veraert haar lastig viel. O, niet ernstig… ze was nooit echt aangerand, maar hij had haar vastgehouden op een manier waarop je een kind niet hoort aan te raken. Altijd die handen over haar borsten en over haar billen.

Ze kreeg het koud en rilde. Haar ouders vonden het toen te lastig om haar te geloven: de schuld bij Veraert was groot geweest. En uiteindelijk was er toch niets gebeurd? Ze moest vriendelijk zijn. Sandrine was ook zo ernstig en altijd aan het opruimen en poetsen…

Zo wilden haar vader en moeder het werk dat ze hier in huis had gedaan, zien: als een hobby van hun dochter…hand- en- spandienst. Ze was iemand van wie ze gemak hadden gehad, maar die ze daar geen erkenning voor wilden geven.

Op dat moment nam Sandrine een besluit. Vanaf nu zou ze geen hand meer uitsteken in het huis van haar vader en moeder.

Over en uit, dacht ze grimmig.

Morgen zou ze folders maken. Zelf maken. Ze had er niemand bij nodig. Alleen Ronny en Ben… die zou ze vragen om advies.

Kon ze die wel vertrouwen? Ze beet op haar lip.

„Die Sandrine," hikte haar moeder na. „Zet vlug koffie, kind. Ik heb heerlijke cake gehaald bij de banketbakker. Doe die er maar bij." Sandrine stond automatisch half op. Daarna zakte ze terug op haar stoel. Ze drong de tranen, die achter haar ogen op waren gekomen, terug. Daarna lachte ze ongedwongen naar haar moeder.

„Misschien kan ik van u dan leren hoe je je gasten vlug een kop koffie voorzet? Dan kan ik dat gebruiken bij mijn baan. Analyseren zal een van de belangrijkste dingen zijn. Voorlopig leg ik me daar op toe. Veel kijken naar hoe mensen hun werk doen."

„Kom kind, doe niet zo aangebrand," zei haar vader. „Wij menen het goed met je. Je weet niet waar je je in begeeft als je aan een zaak begint. Laat een ervaren iemand je dat vertellen. Bij een eigen bedrijf komt heel wat kijken."

„Weet ik. Ik heb het van dichtbij meegemaakt en ik werk op een organisatieadviesbureau," zei Sandrine. Onder haar trui, klemde ze haar handen in elkaar.

„Daar zou ik het dan maar bij houden," zei haar vader nuchter.

Het duurde even voor er koffie kwam. Moeder wachtte, Sandrine wachtte en vader werd narrig. „Kind, zou je Jasper nu niet eens iets voorzetten? Hij zal zo langzamerhand wel denken…"

„Hij denkt dat moeder hier de gastvrouw is," legde Sandrine uit. Haar gezicht was nog steeds wit. „Toch, Jas?"

Ze wist dat Jasper er een hekel aan had als iemand zijn naam zo afkortte.

Jasper wilde geen partij kiezen. Hij keek naar het plafond, strekte zijn benen en humde.

Mevrouw Rombouts stond op. Met een samengeknepen mond liep ze naar de keuken en keerde even later terug met een blad met kopjes.

„Aanstellerig zo'n reactie. Enfin…" zei ze koel. „Haal jij even de cake, vader."

Sandrine at de cake traag op. Haar mond was droog en hoewel hij er heerlijk uitzag, kon ze de goudbruine plak niet weg krijgen.

„Blijven jullie eten?" vroeg haar moeder.

„Ja, dat is goed," zei Jasper tegelijk met Sandrines 'nee'.

Hij keek haar fronsend aan. „We hadden toch afgesproken?"

„Nee. Ik heb bij mij thuis iets klaargezet dat ik alleen nog maar in de oven moet zetten." Sandrine seinde met haar ogen dat ze weg wilde.

Jasper veinsde het niet te begrijpen. Hij streek zijn blonde haar naar achteren. Er viel een krul om zijn vinger. „Wat bedoel je? We zouden hier toch eten en daarna nog even naar het strand gaan om een wandeling te maken? Doe die ovenschotel morgen maar. Die blijft wel goed."

Sandrine kon niet anders dan toestemmen. „Goed. Maar dan loop ik eerst nog even de stad in. En misschien kunnen we een beetje op tijd eten, moeder?"

„Ja, wat wou je eten?" vroeg haar moeder. „Als je nog de stad in gaat, zou ik maar niet iets bewerkelijks maken..."

Sandrine veel haar in de rede: „Gewoon, iets gemakkelijks mam. Ik vind alles lekker. Ik ben op tijd weer terug. Jasper, jij vermaakt je wel even met mijn vader?" zei ze.

Ze stond meteen op en liet drie mensen verbouwereerd achter.

„Gunst. Die San...Ik had gedacht...Ze kookt zo graag," zei haar moeder en haalde haar schouders op. „Nou ja, dan maak ik zelf wel wat. Spaghetti?"

„Weer spaghetti?" Vader Rombouts keek naar het plafond.

„Enfin... Spaghetti dus, Jasper."

Jasper keek wrevelig. Sandrine moest kleinigheden niet zo opblazen, daar had hij een hekel aan.

5

Op de terugreis liet hij haar dat merken.

„Wat deed jij idioot tegen je ouders," opende hij de aanval. „Gezellig hoor. Doe ik mijn best om aardig te zijn en jij zit er als een standbeeld bij."

Sandrine haalde geconcentreerd adem. In... Uit... In... Uit...

Dat had ze geleerd bij ontspanningsoefeningen: Als je jezelf onder controle wilde houden, moest je beginnen met het regelen van de ademhaling. In... Uit... In... Uit...

„Nou?" zei Jasper geprikkeld. „Je hoeft geen stommetje tegen me te spelen. Ik heb je niets misdaan. Dat jij jezelf altijd hebt uitgesloofd voor je vader en moeder? Best. Je wilt dat opeens veranderen? Ook best. Prima zelfs... Maar laat mij er buiten."

„Dat was duidelijk, ja." Sandrine keek strak voor zich uit.

Moest ze hem dit nu uitleggen of niet? Als iemand zelf niet door had hoe weinig solidair zijn houding was...

„Begreep je niet dat ik weg wilde?" vroeg ze.

„Jawel, maar dat konden we niet maken. Ze hadden er op gerekend dat we bleven."

„Dat weerhield je de vorige keer anders niet. Toen had mijn moeder zelfs iets in huis gehaald en jij wilde nog met alle geweld weg." Sandrine hoorde hoe kinderlijk dit klonk en zuchtte.

„Laten we het er maar niet meer over hebben," zei ze.

„Als je maar weet dat ik die bevlieging van je om een eigen zaak te beginnen, niet waardeer. Mijn moeder vond het ook bespottelijk. Straks trouwen we en wat wil je dan...Je eigen tokootje houden? Dat zal mijn moeder prettig vinden. Ze houdt niet van vreemden over de vloer. En als jij een kantoortje wilt houden, wordt het erg krap op mijn etage."

„Maak je niet ongerust. Ik weet om te beginnen helemaal niet of ik wel op die etage van jou wil wonen en ik zal zeker geen kantoor opzetten in je moeders huis. Tussen twee haakjes...Je hebt het altijd over 'je moeders' huis. Het lijkt net of je vader geen stem heeft. Volgens mij heeft hij het huis betaald, of vergis ik me?" zei Sandrine.

„Je bent nog steeds in een ruziestemming," zei Jasper. „Ik zet je bij je huis af, als je zo doorgaat."

„Dat moest je maar doen, ja," antwoordde Sandrine.

Jasper keek opzij. Sandrine kroop doorgaans in haar schulp als hij boos was. Ze nam dat ruzietje thuis wel erg zwaar op.

„Nou, kom, laten we stoppen met ruziemaken, het sop is de kool niet waard." Hij legde zijn hand op haar knie. Sandrine keek naar de hand. Zijn handen... dat was het enige aan Jasper dat ze niet mooi vond. Net een beetje té. De nagels net iets te lang... net iets te goed verzorgd. Precies de handen van zijn moeder in het groot.

„Zet me maar thuis af. Dat lijkt me beter," zei ze moe.

„Wees niet zo haatdragend Sandrine, dat is niets voor jou," merkte hij op en hij keek op de weg waar een rode auto vlak voor hem invoegde.

„Ezel..." schreeuwde hij. „Zag je wat ie deed?. Als ik iets harder had gereden, hadden we er bovenop gezeten."

„Als je iets harder had gereden, was je bovendien geflitst," wees Sandrine. Ze passeerden net een flitspaal. „Je mag op dit stuk maar honderd."

„Krijgen we dat weer! Een zedenpreek over mijn rijstijl. Ik ga nog eens met je mee naar je ouders..."

Jasper drukte het gaspedaal dieper in. Hij voelde zich geïrriteerd. Eerst die onzin over een eigen bedrijf, dan dat overgevoelige gedoe bij haar ouders. Hij keek op zijn horloge. Als hij Sandrine afzette, kon hij nog een paar uur trainen, of misschien wilde Joep nog een partijtje golfen...

Hij reed tot aan de rand van de stad waar Sandrine woonde.

Meesmuilend keek hij naar de lage, kleine huizen in de straat die eruit zagen of een kind ze had neergezet. Petieterig... Rode daken, bruinstenen muren en vierkante ramen. Als je dat vergeleek met zijn huis op de Beethovensingel.

Hij keek opzij naar het gezicht van Sandrine en zag de korte, stompe neus boven de gewelfde mond en de stevige kin. Sandrine had stijl, vonden zijn collega's Ze was ook bijna altijd lief en tamelijk meegaand. Dat kon zat slechter... Maar zijn moeder zei altijd dat hij niet over zich moest laten lopen. Dan maakten mensen misbruik van je. Niet dat hij daar bij Sandrine bang voor hoefde te zijn, maar toch... Die moeder van haar zette de hele wereld naar haar hand als ze de kans kreeg. Sandrines vader had, met zijn hele air van 'hier komt de baas van het spul', geen snars in te brengen. Dat zou hem niet gebeuren.

„Bel me maar als je weer in een beter humeur bent," zei hij en hij stopte voor de deur.

Sandrine stapte uit en keek neer op het blonde haar van haar vriend. Het had kleine golven bij zijn slapen. Het gaf hem het uiterlijk van een Romeinse patriciër. Ach, eigenlijk had hij zoveel niet misdaan. Misschien overdreef ze wel en was ze een beetje overgevoelig."

Ze bukte zich en gaf hem vluchtig een kus op zijn smalle mond.

„We zien wel," zei ze.

Afra Davelaar stond in de avondzon. Ze knipte met een kleine snoeischaar een stokroos af die geknakt was doordat het jongetje van drie huizen verder er met zijn fietsje tegenaan was gereden.

„Dag Sandrine," zei ze hartelijker dan normaal tegen de jonge vrouw die met een betrokken gezicht uit de auto stapte.

„Dag Afra." Sandrine glimlachte moeizaam tegen haar buurvrouw en keek naar de bloemen.

„Wat heb je de tuin toch netjes. Een plaatje is het."

„Als ik het in mijn huis net zo goed voor elkaar had, was het hier volmaakt ja," beaamde Afra met een brede lach. „Als ik zie wat jij doet in een paar uur…"

Ze keken elkaar met waardering aan.

Jasper die de auto gedraaid had, toeterde een paar keer.

Sandrine wuifde even naar de vertrekkende auto. De uitdrukking op haar gezicht was bedroefd. Toen vermande ze zich en stapte op het tuinpad.

„Het is zo simpel. Je hoeft maar een paar dingen in de gaten te houden nadat je het een keer grondig hebt opgeruimd," verklaarde ze.

„Maar voor het zo ver is." Afra legde het snoeischaartje op het muurtje naast de voordeur.

„Ik wil je best…" Sandrine zweeg.

„En ik wil jou best…" zei Afra voorzichtig.

Sandrine bedacht dat dit een goede oefening zou zijn als ze inderdaad een zaak wilde starten. Bij haar vader en moeder kende ze de situatie en was het logisch dat ze orde kon scheppen in de chaos. Bij Ronny was het niet veel anders. Ze wist van tevoren hoe Ronny het wilde hebben. Ze kende haar smaak. Maar als ze echt een zaak wilde beginnen, moest ze ook rekening houden met de manier waarop mensen wilden wonen. Ook al ging dat lijnrecht in tegen haar smaak. „Afra…" begon ze. „Luister eens."

Binnen tien minuten waren ze tot overeenstemming gekomen.

Afra was enthousiast, maar ze wilde als tegenprestatie Sandrines tuin ordenen.

„Jij mijn huis… Ik jouw tuin," stelde ze voor.

Sandrine knikte. „Prima. Best. Maar dan moet jij mij laten helpen, net zo als ik jou inschakel met opruimen. Anders leren we er niet genoeg van."

Afra wees naar de verflenste campanula's in Sandrines voortuin. „Je moet die uitgebloeide bloemen eruit halen. Anders gaat alle kracht van de plant in zaadvorming zitten."

Ze gaf Sandrine het schaartje in haar hand. „Les één. We starten meteen. Intussen zet ik een kop koffie."

Sandrine knipte de uitgebloeide bloemen weg en gooide ze op een hoop op het tuinpad. Ze streek over de stam van een tuinhibiscus. Vorig jaar had deze struik uitbundig en lang gebloeid. Nu was hij nog kaal.

„Die afgeknipte bloemen gaan op de composthoop achter in de tuin. Je moet een composthoop hebben. Daar heb je ruimte genoeg voor. Heb je niet even een vent bij de hand die drie bakken voor je in elkaar timmert?" Afra verdween door de voordeur, die schreeuwde om een gordijntje en was twee tellen later weer terug.

„Nog even wachten, de koffie loopt door. Een handige timmerman heb je nodig. Ken je er een?

Sandrine wilde al nee zeggen, toen haar Coop, de 'neef van de zwager van de broer' te binnen schoot. Coop… dinges… Hoe was zijn achternaam ook alweer?

„Ja. Ik ken wel iemand die dat misschien wil doen," zei ze.

„Goed. Zo vlug mogelijk in orde maken, want op compost groeit alles in je tuin als een tierelier. Zelfs gras kan geen kwaad op zo'n hoop. Dat gazon van jou lijkt nergens op. En er zitten te veel rommelige takken in je forsythia," zei Afra voortvarend.

„Zal ik dan nu een blik in je woonkamer werpen?" Het leek Sandrine het verstandigst om meteen te beginnen.

„Natuurlijk. Maar schrik niet." Afra liep voor Sandrine uit.

Door de donkere gang betraden ze een kleine woonkamer waar in het midden een stofzuiger stond. De kamer was nog een kamer en

suite. Net als die van Sandrine was geweest voor ze het tussenge-
deelte eruit had laten slopen om de kamers bij elkaar te trekken. Ze
was er, nu ze deze ruimte zag, weer blij mee. Het maakte erg hokke-
rig, twee van die kleine kamers.

„Wilde je net gaan zuigen?" informeerde ze met een blik op de
stofzuiger.

Afra schudde haar hoofd. Haar grijze haar schudde mee en de
lichtblauwe ogen lachten. „Nee, ik hoopte al dat je dat zou denken,"
zei ze voldaan." Ik heb dat ding altijd in de kamer staan. Als er
bezoek komt, denken ze dat ik net de rommel op wilde gaan ruimen.
Dan is het niet erg als het hier een troep is."

Sandrien schoot in de lach.

Terwijl ze buiten de koffie opdronken, keek ze door de struiken
naar haar eigen tuin. Wat dom van haar dat ze zich daar niet eerder
mee bezig had gehouden. Wat was dit heerlijk ontspannen: zitten in
een tuin…Het was er nog wel een wildernis, maar vooruit. Dat zou
er over een maand anders uitzien.

Een kwartier later vertelde ze Afra uitgebreider over haar plan om
een zaak te beginnen als huishoudadviseuse: „Ik leer ook nog, als ik
jou help om je huis anders te organiseren," zei ze.

„Hè ja, laten we afspreken dat je me geld toegeeft," zei Afra ironisch.

Sandrine keek haar van opzij aan.

„Gekke meid! Grapje!" zei Afra en lachte. „Als ik jou zo hoor, zul
je nooit rijk worden." Ze had haar bril op haar hoofd geschoven en
bekeek Sandrine, terwijl ze een hand in haar zij zette, met oplettende ogen.

„Is het niet iets voor jou om er binnenhuisarchitectuur bij te
doen?" stelde ze toen voor. „Ik heb jouw kamer een keer gezien…
De inrichting…"

Ze bracht twee vingers naar haar lippen en tuitte haar mond.
„Mmmm… Heel apart en toch gezellig. Als je mij, naast het ordenen
van mijn troep, ook wilt vertellen hoe ik mijn huis wat leuker in kan
richten, spring ik een gat in de lucht. Maar dan wil ik er wel voor
betalen."

Sandrine voelde weerstand bij het woord betalen en dacht: daar
had je het weer. Misschien was ze toch niet geschikt voor een eigen
bedrijf als ze het zo vervelend vond om geld te krijgen voor haar

ideeën. Alleen vond ze dit toch een andere situatie.

„Maar Afra… Jij krijgt toch ook niets voor de tuin?" zei ze redelijk.

„Klopt, maar ik ben er zeker van dat het ontwerpen van een tuin minder werk is dan wat jij gaat doen," was het besliste antwoord van haar buurvrouw.

Sandrines vermoeidheid en teleurstelling van die middag waren op de achtergrond gedrongen. Oplettend keek ze rond in het huis van Afra Davelaar. Het zag er allemaal een beetje aftands en haveloos uit. Een beetje smerig ook. Maar, wat verstopt achter een beeldige antieke kast met glazen deurtjes, stond een stoel waarvan ze zeker was dat het een Van Gispen was. Heel modern oogde hij nog steeds. Het paste wel bij haar buurvrouw.

„Wanneer zullen we afspreken… En vind je het goed als ik iemand vraag om hier een paar middagen schoon te maken?" stelde ze met een lichte aarzeling voor.

„Als je dat nodig vindt en voor me wilt regelen… graag," accepteerde Afra blijmoedig. „En denk niet dat ik geen cent te makken heb. Inmiddels gaat het goed met de pecunia."

„Oh?" Sandrine was verrast door de opmerking. Grappig openhartig was Afra toch.

„Ik ben op het moment beleidsmedewerker bij de gemeente. Niet dat ik nu in het geld zwem, maar pootjebaden lukt best," zei Afra.

Samen liepen ze het huis door.

„Ik maak een plan en bereken de kosten die ik denk te maken. En ik wil die timmerman laten komen om je zolder af te timmeren. Het is niet te geloven hoe weinig mensen hun ruimte boven benutten," verbaasde Sandrine zich hardop.

„Dat klopt… uit zicht, is uit zicht." Afra liep naar de zoldertrap. „Heb je gezien dat het daar lekt?" Ze wees naar een hoek in de zolder waar een paar emmers stonden. „Ik had er al veel eerder iets aan moeten laten doen."

Dat had Sandrine inderdaad gezien. Het eerste dat verholpen moest worden. Lekkage was slecht voor een huis. Misschien had die Coop nog een loodgieter in zijn kennissenkring…

„Dat komt vast in orde, daar weet hij wel een mouw aan te passen," prevelde ze en volgde Afra naar beneden. Afra opende een tuindeur naar het terras dat omgeven was door een overvloed aan bloemen. In het hart van het blad van de vrouwenmantel lagen een paar regendroppels.

„Is die jongen die je thuisbracht de timmerman over wie je het hebt?" vroeg Afra terwijl ze verder de tuin in liepen.

„Nee, dat is mijn vriend. Ik geloof dat Jasper helemaal niet handig is. Hij werkt bij een bank." Sandrine had Jasper nog nooit een klusje zien doen. Zijn vader en moeder deden alles in huis.

„Hmm... wel een knappe jongen," stelde Afra vast.

„Ja," zei Sandrine trots. Dat was in ieder geval waar. Jasper was uitgesproken aantrekkelijk om te zien.

„Hij is vast de gouden uitzondering, maar meestal vind ik dat een man niet te knap moet zijn," verkondigde Afra. Ze bukte zich en trok wat onkruid uit de border. „Ik denk op de een of andere malle manier dat mannen met zulke knappe gezichten er op uit zijn om het zilveren avondmaalstel uit een kerk te jatten en te verpatsen.

Of dat ze hun vrouw of vriendin bedriegen. Maar ik weet zeker dat jij een witte raaf hebt getroffen. En niet iedereen kan handig zijn, al vind ik het een minpuntje. Een man moet op zijn minst een schilderij op kunnen hangen. Kom laten we weer naar binnen gaan. Het is toch te fris om buiten te zitten."

Sandrine schoot in de lach en volgde Afra naar de kamer. Het kerkzilver... Gek mens, die Afra.

„Een schilderij ophangen...Dat zal Jasper wel kunnen," zei ze en hoopte dat ze daarin gelijk had.

Afra pakte een exemplaar van een indrukwekkende serie tuinboeken uit de boekenkast en vroeg Sandrine waar ze het meest van hield. Een tuin met haagjes en strakke lijnen, of hield ze van een Engelse tuin?

Ze keek met haar hoofd schuin naar Sandrine. „Een beetje cottagetuin. Ik denk dat dat het meest bij je past."

„En wat past het meest bij het huis?" vroeg Sandrine. „Of doet dat er niet toe? '

Afra knikte goedkeurend. „Je zult het vlug onder de knie hebben."

Ze knipte een schemerlamp aan die weinig licht gaf. Sandrine realiseerde zich dat ze daar nog niet genoeg over na had gedacht, terwijl het heel belangrijk was voor de sfeer in huis: verlichting.

Aan het eind van de avond, had Afra het begin van een tuinontwerp in haar hoofd. Met de belofte dat ze Coop Lingers zou vragen of hij een paar houten compostcontainers wilde maken voor haarzelf en een vaste boekenwand voor Afra, verdween Sandrine naar haar eigen huis.

Toen Sandrine in bed stapte, ging de dag aan haar voorbij en kwam het loodzware gevoel van die middag weer terug. Haar vader en moeder...en haar vriend. De drie mensen die haar het meest na stonden en die haar met z'n drieën uitlachten, terwijl een toevallige buurvrouw, een vriendin en een vreemde man haar steunden in haar plannen. Ze voelde zich opeens erg ongelukkig en wreef een paar tranen weg. Ach, misschien bedoelden ze het niet verkeerd, dacht ze bedroefd en ze vouwde haar handen.

„Al zou uw moeder u verlaten, God zal u niet verlaten. Waar stond dat nu ook al weer precies?"

Ze knipte het licht weer aan. Het gedeelte uit haar bijbel dat ze wilde lezen, kon ze niet vinden, en daarom las ze haar lievelingspsalm: Het werk van onze handen, God, bevestig dat...

Ze had de gordijnen opengelaten en ze keek naar de hemel waar een paar sterren zich als heldere stippen aftekenden tegen de zwarte lucht.

„Bevestig dat..."

Maar haar vader en moeder hadden haar toch niet verlaten...?

Als het erop aankwam, zouden ze er zijn voor haar. En Jasper ook natuurlijk. Ze moest de dingen niet zo zwaar opnemen.

Toch werd ze de volgende dag wakker met een terneergeslagen gevoel.

Ze was nog laat ook. In recordtijd kleedde ze zich aan en fietste naar het kantoor.

De opgewekte groet van Maria Reyes die net wegging toen zij haar fiets in de stalling zette, vrolijkte haar op.

„Je bent vroeg, Maria."

„Gisteravond nog vergadering en die man... Zij zijn net kleine kinder. Ze koeien... en rotzooi!" zei Maria. Ze had met sommige letters nog steeds moeite.

„Knoeien," verbeterde Sandrine.

„Zeg ik... knnnoeien," knikte Maria. „Dag Sandrina. Goede dag!"

„Dag Maria."

Tijdens een pauze tussen twee vergaderingen ging Sandrine naar de kamer van Ronny. Ze sloot zorgvuldig de deur achter zich en vroeg: „Ron, even heel serieus… meende je echt wat je zei over een bedrijf voor huishoudadviezen? Want ik denk dat ik het ga doen. Wil je me helpen om het op te zetten. Ja, alleen adviseren hoor. De rest doe ik zelf."

Ronny leunde achterover in haar bureaustoel en wees naar haar met een vinger.

„Kijk nou eens hoe bang je bent om geholpen te worden. En je bent zelf altijd voor een ander in touw.

Ziezo, dat was mijn eerste advies: ook iets accepteren van een ander. Kom op, wat kan ik op dit moment voor je doen."

Sandrine haalde de tekst voor de folder die ze had ontworpen, tevoorschijn en legde hem op het bureau.

„Wat vind je hiervan?"

Ronny keek geïnteresseerd. „Prima. Alleen dit…" Ze streepte een woord weg. „Zou ik veranderen. Voor de rest," ze stak een duim omhoog. „Zo! Ik maak een ontwerp voor de lay-out. Dat komt helemaal goed. Laten we het in het weekend hebben over de manier waarop je het aan moet pakken."

Ze bruiste van enthousiasme. „Is het iets om Coop Lingers te vragen of hij ook langs komt? Want je wilt met hem samenwerken, denk ik."

„Met hem en Maria."

„Met Maria…?"

„Ja… met Maria."

Er werd geklopt en zonder op antwoord te hebben gewacht, stapte Frank van Grinten binnen. Hij ving nog net de naam van Maria op en liep verder de kamer in.

„Maria. Hebben jullie het over Maria?"

„Ja, we willen haar vragen of ze met Sandrine wil samenwerken."

Ronny herinnerde zich de honende manier waarop Van Grinten over Maria had gesproken en ze toonde hem een enthousiasme, waar ze zelf lichtelijk aan twijfelde.

Frank keek om zich heen, lachte smalend en liet zijn stem toen dalen. „Dan moet ik jullie, al doe ik dat niet graag, iets over haar vertellen."

Sandrine zag, naast afkeuring, een heimelijk genoegen op zijn gezicht. Ze voelde de huid in haar hals prikken.

„Maria," Van Grinten kuchte. „Maria heeft... hoe zeg ik dat netjes... Maria is een... Ze is niet van onbesproken gedrag. Ze heeft zich jaren laten onderhouden door een ouwe vent. Eigenlijk een soort prostituee dus, want er was er nog een."

„Oh," zei Ronny. Iets in de sfeer deed haar kleuren. De sproeten op haar gezicht tekenden zich bruinrood af tegen haar blanke huid.

Sandrine was even verslagen. Toen keek ze naar haar baas. Dat neuzelige in zijn manier van praten. Ze had liever gehad dat hij gewoon had gezegd dat Maria een del was. Maar deze prietpraat...Bah...

Frank streek met zijn handen over de rand van Ronny's bureau. Dat langzame strijken deed Sandrine opeens denken aan de hand van meneer Veraert. De hand die langzaam over haar been had gestreken. Had ze al niet eerder gevonden dat Van Grinten iets van meneer Veraert weg had?

Ze griezelde.

„Hééft laten onderhouden... Vroeger dus. En nu werkt ze al een hele tijd voor een schoonmaakbedrijf. Een eerzaam beroep volgens mij." Uitdagend zette ze een hand op haar heup.

„Ja... maar ja... je weet nooit... Als je leest over de impact die zoiets heeft op het karakter van die vrouwen." De mondhoeken van Van Grinten gingen naar beneden en hij glimlachte.

„Je bedoelt... Ik zou haar dus niet bij een gezin moeten laten werken? Bedoel je dat er mee?" drong Sandrine aan.

Van Grinten knipperde even met zijn ogen door de ijzige toon in haar stem.

„Ik bedoel dat ik er mijn gezin niet aan zou wagen."

„Maar wat voor kwaad zou ze je gezin dan kunnen doen. En waarom vertel je dit eigenlijk. Ze is toch een werkneemster van dit kantoor? Jullie hebben haar toch aangenomen. Heeft ze hier al voor een bordeelsfeer gezorgd?"

„Nou...nou. Kan het wat minder Sandrine..." begon hij geërgerd.

Er werd weer geklopt. Frank van Grinten en Ronny zeiden tegelijk: „Ja."

Ronny trok haar wenkbrauwen op en herstelde zich. Nota bene... 'ja' zeggen in haar kamer...

„Ronny, ik wil even je mening over dat project bij de AVIA."

Richard Gruyter, de directeur, kwam binnen. „Zo. Een kleine vergadering?" vroeg hij welwillend en hij keek zijn personeel aan. Hij

zag het verbeten gezicht van Sandrine. „Wat kijk je boos, Sandrien."
Frank van Grinten stak zijn handen in zijn zakken. „Een privé-
kwestie. Niet de moeite waard om over te hebben," zei hij luchtig en
draaide zich op zijn hakken om.

Sandrine besefte op dat moment dat Frank van Grinten niet wilde
dat de baas hoorde wat hij had verteld over Maria.

„Frank was ongerust over ons zedelijk welzijn. Hij vindt het nodig
om ons een paar dingen over een collega te vertellen," zei ze.

„Over een collega. Sinds wanneer is Maria een collega?" hoonde
Van Grinten.

Richard Gruyter trok zijn borstelige witte wenkrauwen op en
negeerde de laatste woorden.

„Maria Reyes…" vroeg hij. „Wat is er met haar? Ik dacht dat het
heel goed ging?"

„Ronny wil Maria aannemen als huishoudelijke hulp en… eh…ik
heb haar verteld dat Maria daarvoor misschien niet zo geschikt is,"
mompelde Frank van Grinten slecht op zijn gemak.

Het gezicht van de directeur verstrakte. „Hoezo? Wat is er op haar
werk aan te merken? Gaat dat niet goed?

„Nee. Ze heeft haar zaakjes goed voor elkaar. Het is meer haar
achtergrond."

Richard Gruyters gelaat kreeg een dreigende uitdrukking. „Ik
geloof dat we op mijn kamer even verder moeten praten, Frank. Ik
hoop niet dat je dingen naar buiten hebt gebracht die ons strikt vertrouwelijk ter ore zijn gekomen?"

„Ik heb Ronny alleen verteld wat ik dacht dat ze moest weten als
ze Maria in huis haalt," verdedigde Van Grinten zich. „Jij bent veel
te soepel met dit soort dingen, dat heb ik je al eerder gezegd."

„Te soepel? Terwijl je weet in wat voor omstandigheden Maria
verkeerde? Je moest je…" Richard Gruyters brak af.

„Dames… eh… Sandrine, Ronny…Ik ga er van uit dat deze onge-
lukkige loslippigheid van Van Grinten binnen deze vier muren blijft?
Ik verzeker je dat jullie, als je de geschiedenis van Maria kende, geen
moment aan haar karakter of betrouwbaarheid zouden twijfelen en ik
vind het zeer laakbaar dat jij hierover praat, Van Grinten. Wil je me
even volgen?"

De rug van Richard Gruyters was kaarsrecht van verontwaardiging toen hij zijn adjunct-directeur voorging. Frank van Grinten
wierp een woedende blik op Sandrine. Het verbaasde Ronny niet dat

hij Sandrine als oorzaak zag van de uitbrander die hij ongetwijfeld zou krijgen. Een afgang voor het oog van mensen die hij als zijn ondergeschikten beschouwde. Frank was niet iemand die zijn fouten onder ogen zag.

„Die ellendeling," zei Sandrine, warm van boosheid, toen de deur achter de beide heren was gesloten. „Hij vond het heerlijk om het ons te vertellen. Merkte je dat? Die arme Maria."

Ronny knikte. Hun directeur was door en door integer. Als hij zo over Maria sprak, liet ze haar huis met een gerust hart aan haar over.

„Wat bezielde Van Grinten om dit te vertellen?" vroeg ze een beetje ontdaan.

„Ron, jij hebt bepaalde mensen niet door. Je bent zo onschuldig als wat," verklaarde Sandrine. „Een griezelige interesse voor dat soort zaken natuurlijk. Dat beluste gezicht van die man!"

Ze huiverde.

„Je kon wel gelijk hebben," prevelde Ronny. Ze realiseerde zich dat ze van haar beschermde opvoeding in een warm gezin in een beschermd huwelijk was terechtgekomen. Sandrines jeugd was moeilijker geweest. Die vervelende, verwende moeder... en die vader die alleen maar oog had gehad voor de belangen van zijn zaak en zijn vrouw...

Sandrine sprak er niet vaak over, maar uit haar verhalen had Ronny genoeg opgemaakt om te weten dat ze geen onbezorgde jeugd had gehad.

Ze keek naar de blauwe ogen van Sandrine.

„Hopelijk heeft Van Grinten het met niemand anders over Maria gehad," zei ze. „Ach, die arme Maria."

Ze deed of ze de tranen in Sandrines ogen niet opmerkte.

„Kom vanavond langs," zei ze. „Dan bespreken we de manier waarop jij te werk moet gaan." Ze tipte een paar toetsen op haar computer aan. „Ik moet nu verder met het advies aan een vereniging van naaimachinehandelaars."

„Werken in een team. Met Maria," zei Sandrine vastbesloten en stak haar neus in de lucht. „Nu ik dit weet, wil ik haar zeker meer werk bezorgen."

Het was moeilijk om terug te keren tot de gewone bezigheden. Sandrine zag telkens Maria's vriendelijke gezicht voor zich: de

behulpzaamheid waarmee ze mensen tegemoet kwam en haar meeleven met haar, Sandrine, toen ze in de lappenmand had gezeten. Wat
had Maria meegemaakt dat ze in die kromme, rotte wereld terecht
was gekomen? Sandrine voelde een intens medelijden met de jonge
vrouw.

Een uur later moest ze een vergadering notuleren waarbij Frank van
Grinten voorzitter was en Sandrine betrapte zich erop dat ze het buitengewoon plezierig vond dat een cliënt hem een paar keer zo scherp
in de rede viel, dat hij van zijn apropos raakte.

Hij ontweek haar blik en liet, tegen zijn gewoonte in, zelf de klanten uit. Hij keerde niet terug.

Die heeft van Richard Gruyters op zijn falie gehad, dacht Sandrine
voldaan.

Nog in dezelfde strijdlustige stemming weigerde ze om naar een
wedstrijd van Jasper te gaan kijken toen hij haar opbelde.

„Waarom niet? Heb je nog steeds zo'n slecht humeur?" vroeg
Jasper misnoegd en ook wat verbaasd.

„Het komt erg slecht uit dat je niet meegaat. De kans is groot dat
we eerste in de competitie worden. We zouden na afloop nog even
naar de Harlekijn gaan. Ik heb gezegd dat jij ons zou rijden. Jij drinkt
toch nooit iets."

„We hadden niets afgesproken." Sandrine haalde de kronkels uit
het snoer van haar telefoon. De haak viel uit haar hand op de grond.

„Wat is dat voor lawaai? Nee, we hadden niets afgesproken, maar
je wist dat het onze laatste wedstrijd was. Ik had wel iets meer interesse van je verwacht," snauwde hij.

„Dat begrijp ik. Maar ik heb een paar dingen die nu voorgaan," zei
ze beslist.

„Goed. Zoals je wilt. Dan zie ik je zaterdag wel. Misschien!"

„Wie weet... tot dan." Sandrine legde zacht de hoorn op het toestel.

Hij vroeg niet eens wat er zo belangrijk voor haar was. Nee,
logisch. Hij was gewend dat zijn bezigheden het belangrijkst werden
gevonden. Niet eens gek. Voor zijn ouders waren de zon, de maan en
de sterren nog niet goed genoeg voor hem.

Ze zuchtte even van zichzelf. Het was ook nooit goed bij haar.
Haar ouders hadden nooit veel oog gehad voor hun kinderen, al tel-

den Gerke en Tanja wat meer mee dan zijzelf. Maar de toewijding van de ouders van Jasper, vond ze ook eng.

Ach, die Jasper. Zou ze hem nog even bellen? Ze pakte de hoorn al op en legde hem weer neer.

Maar niet. Ze veranderde toch haar plannen niet.

6

Die avond werden er spijkers met koppen geslagen. Ben dacht dat mond tot mondreclame het best zou werken in het begin.

Sandrine zou in eerste instantie een dag in de week moeten vrijmaken. Dan had ze die dag en de zaterdag om adviezen te geven. De aanwezigheid van haar klanten in hun huis was vereist, als ze de dingen grondig aan wilden pakken. Haar doelgroep bestond toch uit gezinnen waar beide partners werkten, schatte Ronny.

Ze had dan de avonden om een plan te schrijven voor haar cliënten.

Sandrine herinnerde zich opeens de opmerking van Afra.

„Mijn buurvrouw zegt dat ik me eigenlijk zou moeten verdiepen in binnenhuisarchitectuur," zei ze.

„Uitstekend," zei Coop goedkeurend. „Dat is een opleiding die je ook 's avonds kunt volgen. Ik heb er wel een folder over. Ik zal er een bij je in de brievenbus gooien."

Sandrine keek naar het trouwhartige gezicht met de lichtgrijze ogen.

„Niet in de brievenbus. Kom meteen even langs, want ik heb een klus voor je... als je wilt natuurlijk. Die buurvrouw waar ik het net over had, wil dat ik haar huis verander. Het is eigenlijk een ruilhandeltje. Zij doet voor mij de tuin, want die is bij mij nog een wildernis...en ik geef haar advies voor haar huis. O, ja... heb jij onder je bekenden niet een loodgieter, Coop. Het lekt op zolder. Ik denk dat er een dakpan verkeerd ligt. En nog wat. Ik moet twee containers voor compost achter in mijn tuin hebben. Afval van groente en zo is goud voor de tuin, zegt Afra. Kun je die voor me maken?"

Ronny schoot in de lach. „Een hele weektaak voor Coop."

„Is het te veel?" vroeg Sandrine verschrikt. „Je moet het zeggen als je in de knoop komt met je werk hoor. Het hoeft niet op stel en sprong."

Coop glimlachte tegen haar bezorgde gezicht. „Helemaal niet," stelde hij haar gerust. „Als ik met mijn handen werk, kan ik ondertussen denken aan de tekeningen die ik moet maken. Dat soort dingen doe je in je hoofd. Heb jij dat niet?" Ondertussen noteerde hij: loodgieter. Martijn bellen.

Sandrine knikte. Bij haar werkte dat ook zo.

Toen bogen ze zich over de tekst van de folder.

„Als ik eens een cartoon maakte op de voorkant," stelde Coop voor. „Zoiets," Hij keek even naar Sandrine en zette in een paar lijnen een figuurtje neer dat treffend leek.

Ze keek hem verbluft aan. „Hoe doe je dat zo vlug? Dat je dat kunt!"

„Hoe gaat je bureau heten?" vroeg Ronny. „Het moet een naam hebben. Dat praat gemakkelijk."

„Helder zien," stelde Ben voor.

„Helder zien... mmm. Het is nog net niet helderziend," zei Ronny kritisch.

„Hè ja, dan krijg ik een horde mensen bij me die iets over hun toekomst willen horen," zuchtte Sandrine. „Of die willen weten waar hun hond gebleven is."

„Leuk. Dat heb ik altijd willen worden: een helderziende. Met van die kralen en gouden kettingen en een kristallen bol." Ronny zag zichzelf al zitten. „In een tent, op de kermis. En dan met een mysterieuze hese stem wat kletsen."

„Het lijkt me een straf om helderziend te zijn," merkte Sandrine op.

„Zie je alle rampen en de narigheid van mensen voordat ze gebeuren. En waarschuwen heeft geen zin natuurlijk."

Ben zei: „Mijn vader was leraar. Hij vertelde smakelijk hoe koning Saul naar de heks van Endor ging. De kinderbijbels waren tam bij het verhaal dat hij ervan maakte."

„Jouw vader kon prachtig vertellen," beaamde Ronny. „Je zag het gewoon voor je. Saul die in het holst van de nacht naar de heks sloop. En die vrouw herkende hem nog ook. Moet je je voorstellen. Hekserij was verboden in Israël en dan komt uitgerekend de koning die die wet heeft uitgevaardigd, bij jou om advies."

„Aha. Jullie hebben bij elkaar in de klas gezeten," merkte Sandrine op.

„Klopt. En ik vond Ben vroeger een vreselijk joch," zei Ronny voldaan.

„En zij was een kat, dat wil je niet weten. En haar tanden stonden schots en scheef in haar mond." Ben streek Ronny over haar wang.

„We dwalen af. 'Helderzien' gaat dus niet door. Wat denken jullie van Clean House?" stelde Coop voor.

„Dan denk ik aan vlooien of wespen," zei Ronny. „Net of je in een discreet autootje voor komt rijden om ongedierte te verdelgen. De hele buurt staat dan naar je huis te turen: bang dat ze overspringen. Nee, het moet iets propers, of helders uitstralen."

"*Clear House?*" stelde Sandrine aarzelend voor.

Ronny herhaalde het en liet daarbij de woorden over haar tong rollen... "*Clear House*... Helder huis... mm... ik vind het wel klinken."

"Het klinkt in ieder geval optimistisch," zei Ben.

"Laten we even aannemen dat dit het wordt," zei Coop. Hij vond dat er te veel tijd verloren ging met het zoeken naar een naam. "Verder... Hoe haal je klanten binnen? Die collega van jou. Die Heringa... Was dat serieus, Ben?"

"O ja beslist. Hij zou je het liefst van de week nog door zijn huis willen jagen. Je moet niet te veel letten op zijn manier van praten. Hij is een beetje bot af en toe, maar hij heeft een bijzonder aardige vrouw. Ze is alleen nog chaotischer dan Ronny. Hij was enorm jaloers toen ik vertelde hoe ons huis erop vooruit is gegaan."

"Zo chaotisch ben ik niet." Ronny trok een lelijk gezicht tegen haar man.

"Maakt niet uit." Coop keek op zijn horloge. "Kun je hem nog bellen?"

"Tien uur. Natuurlijk, die vent is een nachtbraker."

Ben belde zijn collega. Ze hoorden Heringa aan de andere kant van de lijn schetteren: "Wanneer kan dat mens komen? Ja, ik ben een heel dossier kwijt en Marianne heeft geen idee waar het is gebleven. Mijn grote angst is dat Giel en Jetje er vliegtuigjes van gevouwen hebben."

Ben hield de hoorn wat verder van zijn oor vandaan en trok zijn wenkbrauwen op. "Is het een erg belangrijk dossier?"

"Ja." Er volgde weer een stortvloed van woorden.

Na een paar minuten legde Ben neer. "Nou, hebben jullie alles gehoord?"

"Luid en duidelijk," zei Coop tevreden. "Morgen dus Sandrine."

"Nog een ding... helpen jullie me even met wat ik kan vragen?" smeekte Sandrine. Dat vond ze nog steeds het moeilijkst.

"Goed. Kijk." Ben pakte een stuk papier. "Dit worden je kosten... denk eraan dat je alles moet rekenen... zelfs een verzekering die je af moet sluiten voor Maria."

"Ik werk freelance. Ik heb mijn eigen verzekeringen en breng alleen in rekening wat ik op een gegeven moment voor iemand doe. Laat Ronny nog eens alles voor je nalopen."

Opgelucht knikte Sandrine.

„Morgen krijg je een uitdraai en een paar kopieën." Ronny haalde glazen. „Ben, maak eens een fles open. We drinken op de oprichting van Clear House." Ze pakte een glas sinaasappelsap voor zichzelf.

„Ik geloof best dat zwangere vrouwen in Frankrijk een glas wijn mogen hebben, maar ik doe het toch maar niet," zei ze opgeruimd.

„Ik ben solidair met je, want ik moet nog rijden." Coop hield zijn hand boven het glas toen Ben in wou schenken."

„Sandrine wel. Vooruit meid! Ik heb die fles niet voor niets open-getrokken… Het gaat om jouw bedrijf."

Het was tegen twaalven toen Sandrine opstond. Ben pakte haar korte jasje. „Kun je alleen? Je woont wel in een veilige buurt geloof ik?"

Coop kwam ook overeind.

„Het regent. Ik leg Sandrines fiets achter in de auto en ik breng haar thuis. Goed?"

Sandrine knikte. Ze was in een beste stemming.

Coop hield de deur voor Sandrine open. „Nou, mensen… tot mor-gen."

„Ja, je komt morgenavond toch verslag uitbrengen?" vroeg Ronny en gaapte geweldig. „Sorry mensen."

„Jij moet naar bed." Ben was opeens bezorgd.

„We zijn te lang gebleven," zei Sandrine berouwvol en sloeg haar armen even om Ronny heen. „Dank je wel, Ron… tot morgen."

Ze reden zwijgend door de verlaten straten. Sandrine leunde achter-over en doezelde half. De ruitenwissers zwenkten heen en weer en ze werd er nog slaperiger van. Coop minderde vaart bij een kruising. „Er wordt hier soms zo idioot hard gereden. Kijk nou, wat een gek." Van rechts kwam met grote snelheid een zilverwitte auto aan. Sandrine zag het door haar half gesloten ogen en was opeens hele-maal wakker. Ze schoot overeind. Die auto? Dat was de Peugeot van Jasper. Hij zat achter het stuur en naast hem zat een meisje. De kop-lampen van Coops auto schenen in de auto en verlichtten de inzit-tenden alsof er een foto gemaakt moest worden. Het meisje leunde met haar hoofd tegen Jaspers schouder. Jasper keek opzij en lachte.

Sandrine hield haar adem in.

„Toe maar. In een stad zo scheuren en dan naar je liefje kijken. Het valt me mee dat hij stopt." Coop schold binnensmonds en merkte toen Sandrines verwarring.

„Wat is er? Ken je de lui in die auto?"

„Niets. Nee, er is niets."

De auto trok al weer op. Jasper had een rare manier van wegrijden. Hij gaf heel veel gas in een keer en noemde dat: even een streep op het asfalt trekken. Sandrine keek de auto na. Jasper met een ander meisje.

„Denk je aan je afspraak morgen? Je redt het best. Niet zenuwachtig zijn. Denk erom, jij bent degene die ze te hulp roepen."

Sandrine glimlachte flauwtjes. „Ik zal er aan denken," zei ze.

Tien minuten later parkeerde Coop zijn auto voor Sandrines huis.

Hij stapte uit, opende het portier voor haar en liep naar de achterkant van de auto om haar fiets te pakken. Sandrine nam de fiets van hem over en keek hem aan. „Dag, welterusten. En nog bedankt. Voor alles." Sandrine zag zijn gezicht niet goed in het donker.

„Geen dank. Ik kom morgenavond ook even horen hoe het is afgelopen. Tenslotte kan het voor mij ook werk betekenen als je die opdracht in de wacht sleept."

Ja, natuurlijk, dat moest ze niet vergeten. Het was niet alleen vriendelijkheid van Coop. Hij had er ook belang bij.

„Toch bedankt," zei ze.

Hij wachtte tot ze haar fiets voor het raam op slot had gezet en ze de voordeur achter zich sloot en reed weg.

Sandrine leunde met haar rug tegen de voordeur. Ze zag weer het gezicht van Jasper voor zich in het licht van de koplampen. De manier waarop hij zijn hoofd naar het meisje had toegebogen.

Langzaam liep ze de trap op. Natuurlijk hoefde dat niets te betekenen, zei ze tegen haar ogen die haar in de spiegel treurig aankeken. Zij had zelf niet meegewild naar dat feest na de wedstrijd. En zij had toch ook bij Coop in de auto gezeten? Als Jasper haar had gezien, had hij dezelfde conclusie kunnen trekken.

„Maar Jasper had haar niet gezien, want hij was een en al aandacht geweest voor zijn passagier' zei een klein stemmetje in haar hoofd.

Toen rolde ze in haar bed en tegen haar verwachting in, sliep ze als een blok.

Peinzend stond Sandrine de volgende avond voor haar garderobe-kast. Wat moest ze aandoen? Wat droeg Ronny als ze naar een cliënt moest? Meestal een mantelpak of een broek met bijpassende blazer. Ze pakte een grijs pak uit de kast en hield het keurend voor zich.

Ze haakte met haar nagel een ladder in haar kous. „Wel verdraaid," mompelde ze. Als ze nu maar een reserve had liggen.

De telefoon ging. Ze keek er naar, stak een hand uit, maar bedacht zich. Geen tijd. Ronny had ze vandaag nog even gesproken en ze had met haar doorgenomen welke condities ze moest stellen.

„Duidelijk zijn," had Ronny gezegd. Iemand anders dan Ronny wilde ze op dit moment niet spreken.

Gejaagd pakte ze een panty uit een laatje. Ze dacht opeens aan haar moeder. Dit soort dingen vergat haar moeder nooit. Ze wist altijd waar ze haar kleding, sieraden en haar kousen had gelaten. Heel vreemd.

Een halfuur later stond Sandrine voor het huis van de familie Heringa. Het lag in een rustige buurt met veel groen. Op het grasveld voor het huis lagen een step en een voetbal.

Die Heringa's hadden dus kinderen. Sandrine belde aan.

De deur werd geopend door een kleine mollige vrouw die wat beducht naar Sandrine opkeek en haar hand uitstak. „Dag, Marianne Heringa. Kom erin en struikel niet over de rommel."

Ze ging Sandrine voor naar een grote L-vormige zitkamer.

Vlug wierp Sandrine een blik door de kamer. Het eerste dat opviel waren porseleinen en houten beeldjes van katten. Ze stonden overal. Voor de boeken, op de vensterbank tussen de planten, op de rand van de lambrisering. Wat zou dat een geweldige hoeveelheid stof opleveren. Wie zou er zo gek zijn op kattenbeeldjes? Vast die Marianne.

Verder leek hier oppervlakkig gezien niet veel aan de hand, al had haar geroutineerde blik de trap naar boven gezien: volgestouwd met allerlei troep. De kamer was opgeruimd. Alleen in een hoek lagen boeken, kranten, tijdschriften en wat kleding op een hoop. In de andere hoek speelden een jongen en een meisje van een jaar of acht met een spelcomputer.

Een man stond op van een lichtgrijze bank. Hij was van gemiddelde lengte en net zo mollig als zijn vrouw.

„Derk Heringa. Giel... Jetje! Zeg even dag tegen deze mevrouw," zei hij met verheffing van stem.

Bereidwillig groetten de kinderen. De ontvangst viel Sandrine mee.

„Koffie?"

Sandrine merkte op dat Marianne Heringa veel nerveuzer was dan zijzelf. Dat stelde haar gerust. Ze dacht aan Coops woorden gisteravond: zij hebben jou nodig! Hij had nog gelijk ook.

Na de koffie pakte ze met een blik op de Heringa's haar blocnote.

„Wat verwacht u precies van mij?"

„Ja," zei Marianne onzeker en keek hulpzoekend naar haar man. „Wat verwachten we...?

„Dat u zorgt dat de zaak hier op de rails komt. En dat u mijn vrouw leert hoe ze moet huishouden. Ze heeft het nooit geleerd en dat breekt haar nu op," blafte Derk Heringa.

„Alles valt te leren." Sandrine begreep waarom Ronny hem niet bijzonder sympathiek vond. Waarschijnlijk heel erg 'ruwe bolster, blanke pit'.

„Vroeger gingen meisjes naar een huishoudschool, of ze moesten, voor ze gingen trouwen in de leer bij een tante of hun moeder," troostte ze. „Er waren hele volksstammen die niet handig waren."

„Nou, dat is dan wel heel vroeger," zei Derk. Hij trok aan de strop van zijn das alsof hij het warm had. Sandrine vond dat hij leek op een buldog met die wangen die naast zijn mond neer hingen.

„Dat klopt en daarom is er tegenwoordig behoefte aan een bedrijf als het mijne."

Hij legde haar de woorden prettig in de mond, vond ze en ze knikte tegen haar gastheer.

„Maar als iemand me op weg helpt, wed ik dat ik het onder de knie krijg," zei Marianne blijmoedig.

Derk legde een hand op haar schouder. „Dat weet ik zeker, liefje," zei hij onverwacht vriendelijk en bukte zich over zijn kinderen. „Jongens, Het is acht uur. Douchen... Daarna mogen jullie nog even beneden komen en dan kunnen jullie Sandrine jullie kamer laten zien."

Na die woorden vond Sandrine hem toch weer aardig. Hij was in ieder geval vriendelijk tegen zijn vrouw en kinderen.

„Zullen we eerst een rondgang door het huis maken en als laatste de kinderkamers doen?" Sandrine besefte dat zij het initiatief zou moeten nemen.

Het huis was groot. Er waren vier slaapkamers, een grote keuken, een zaal van een badkamer en een vliering die alleen door een vlizo-trap te bereiken was.

De ouderslaapkamer werd gedomineerd door een enorme wit geverfde kast die tot de zolder reikte. Er zaten twee spiegeldeuren in.

„Ja, hier zit heel veel ruimte in, maar ik kan nooit iets vinden," zei Marianne klaaglijk.

Derk was achter hen aangekomen en trok een deur open. Er viel een stapel ondergoed uit die er kennelijk lukraak ingeduwd was.

„Kijk, dit bedoel ik nu." Wrevelig pakte Derk een paar onder-broeken op en stopte ze terug op een plank.

In haar hoofd tekende Sandrine op dat ook Derk een paar dingen aan zou moeten leren.

„Nou, ik laat jullie maar alleen. Ik zorg wel voor de kinderen, Marie." Derk pakte een paar grote badhanddoeken.

In de logeerkamer stonden enkele kleine kasten terwijl er overal sta-pels kleren en speelgoed lagen. Sandrine vroeg zich opeens af waar-om er in nieuwe huizen nooit meer kasten werden ingebouwd. Dat was toch ideaal geweest. Ze keek door het raam naar buiten in een vierkante tuin. Achterin stond een schuurtje. Sandrine vroeg zich af of er meer dan twee fietsen in konden.

Jetje kwam aanlopen. Haar haar was nog vochtig en ze trok Sandrine aan haar mouw mee. „Wilt u nu mijn kamer zien?

„Best." Sandrine liep achter haar aan. Marianne, die hoe langer hoe somberder keek, volgde.

„Kijk, mijn tekeningen." Jetje wees naar de wand waar een rij kleurige tekeningen hing. Op de vloer lagen haar kleren verspreid en ze schopte een sok in een hoek waar een paar T-shirts lagen. Sandrine bekeek de tekeningen aandachtig. „Mooi Jetje," zei ze.

„Ja hè?" zei het kind trots. Ze hoorde haar broertje en rende de trap af. De twee vrouwen keken elkaar glimlachend aan.

„Als je zo kijkt, is het wel een zootje, maar ik heb van het begin af aan te weinig kastruimte gehad," zei Marianne tenslotte wat bedremmeld. Ze viste een doosje onder het bed van haar dochter vandaan.

„Valt best mee. Ik heb het erger gezien," troostte Sandrine.

„Echt?" Marianne keek ongelovig.

„Echt!"

„Gelukkig."

Ze liepen naar beneden en Marianne riep: „ Hoor je dat, Derk. Het valt best mee hier…"

„Hmm," zei Derk en trok een wenkbrauw op.

Marianne hield het doosje omhoog. „Kijk, Jetje…je kleurpotloden. Zie je wel. Ze lagen onder je bed."

Het meisje stak blij haar hand uit en trok neuriënd een tekenblok onder een stapel boeken vandaan.

„Jetje," zei haar vader hoofdschuddend. „Jetje begint met een paar kleurtjes te zingen als een kanariepiet die een broodkorst krijgt."

Sandrine staarde naar zijn wangen die mee schudden en keek terug naar het meisje."

„Ze kan goed tekenen, dat Jetje van ons." Marianne streek trots over het haar van haar dochtertje. „En Giel is een rekenwonder. Dat heeft hij van Derk."

„Zo kan het wel weer, Marie…" De norse trek verdween van Derks gezicht en hij glimlachte vertederd naar zijn vrouw.

Sandrine haalde diep adem en stak van wal. „Hebben jullie wel eens gedacht aan een kastenwand in die grote logeerkamer? Ik heb de indruk dat jullie bergruimte extra nodig hebben. Verder weet ik niet wat er op de vliering ligt. Als die stevig is, biedt die loze ruimte ook mogelijkheden. Ik moet het thuis eerst eens alles op papier zetten, maar ik moet ook weten wat jullie wensen zijn."

„De vliering is bevloerd, maar we komen er niet vaak. Die trap is zo lastig," zei Marianne peinzend.

„En als er nu eens een vaste trap kwam? Dan zou je daar een ruimte kunnen benutten om winterkleren, regenspullen en hobbydingen die je niet dagelijks gebruikt, op te bergen. Verder heb ik vroeger van mijn oudtante een lijfspreuk mee gekregen: beter om verlegen dan mee verlegen."

„Beter om verlegen dan mee verlegen. Daar zit wat in." Marianne pakte een goudkleurige schaal met zwarte ruitmotieven van tafel en bekeek hem.

„Derk, vind jij dit een mooie schaal?

„Dat is een cadeau van tante Annet dat we bij ons trouwen kregen. We kunnen haar niet voor het hoofd stoten," zei Derk haastig.

Sandrine stelde haar mening over Derk weer bij. Hij was teerhartig, dacht ze. Wat grappig. Dat zou je helemaal niet zeggen.

„Ik heb dat ding altijd afschuwelijk gevonden," verklaarde Marianne nadrukkelijk. „En er zijn nog wel wat dingen die ik kwijt wil. Dat gekke telefoontafeltje bijvoorbeeld."

„Dat is nog van mijn opa geweest," zei Derk verontwaardigd.

„Maar het is niet mooi. Geef toe dat het niet mooi is. Niemand anders wilde het hebben en het moest naar het grof vuil als wij het niet meenamen."

Marianne stak haar lip vooruit. „En als er niets weg mag, schieten we er niet veel mee op dat Sandrine hier is."

Derk keek woedend en leek meteen weer sprekend op een grote boze hond. Straks begint hij te blaffen, dacht Sandrine.

„Opruimen is voor iedereen een beetje inleveren," suste ze toen.

„We verzinnen er wel wat op." Daarna bogen ze zich met z'n drieën over de plannen.

Een uur later stapte ze zingend in haar auto en reed naar Ronny. Ze had bij de familie Heringa afgesproken dat ze volgende week met een offerte en een uitgewerkt plan zou komen. De donderdagen daarna zouden ze in principe besteden om Marianne te leren wat effectiever te werken.

Toch best een leuk gezin, dacht Sandrine. Ze waren aardig voor hun kinderen. Die Derk was een beetje bars, maar op zijn manier net zo lief als Marianne. Wat een verschil met haar eigen vader en moeder.

Verschrikt hield ze haar adem in. Dat kon ze natuurlijk niet met elkaar vergelijken.

Haar vader en moeder hadden de zaak die hen als een molensteen om de hals had gehangen. Ze hadden gewoon minder tijd voor hun kinderen gehad.

„Is dat wel zo?" zei het stemmetje in haar dat haar de laatste tijd telkens kritisch naar haar verleden en naar mensen deed kijken.

Ze stopte voor het huis van Ronny en Ben, zonder het antwoord gegeven te hebben.

Ben deed open en ging haar voor naar de woonkamer. „Vertel!" zei hij.

„Wachten... ' gilde Ronny. „Eerst wachten tot ik er ook ben." Ze kwam de kamer in met een blad met mokken.

Op de bank, onderuit gezakt, zat Coop Lingers. Sandrine ging naast hem zitten.

„Hoi," zei hij een beetje loom.

„Onze eerste opdracht is binnen." Haar stem klonk opgetogen. „Onze...Want hier heb jij net zo veel werk aan als ik. Weet je wat er daar ontbreekt? Een flinke schuur. Ze hebben nu een soort badhokje in de tuin staan, waar een schoffel en een hark in kunnen. Kun je dat eigenlijk, een schuur maken?" Ze weifelde en keek hem bezorgd aan. Hij was tenslotte geen timmerman.

„Dat komt wel goed. Ik heb nog een broertje dat erg handig is," zei hij luchtig. „Hij doet HBO bouwkunde en zo kan hij meteen oefenen."

„Oh fijn," Sandrine had veel vertrouwen in Coop gekregen. Ze ging ervan uit dat het, als hij zei dat het in orde kwam, ook inderdaad in orde kwam.

„Nou. Hier...Koffie." Ronny zette het blad op tafel, ging in een rieten stoel zitten en leunde voorover. „Hoe was Heringa. Was hij nog zo boze buldogachtig?"

Sandrine lachte. „Ja. Daar moet je even doorheen prikken. Hij is erg aardig voor zijn vrouw en zijn kinderen. En ze zijn daar dol op kattenbeeldjes. Ik heb er in de gauwigheid zeker honderd gezien."

Ronny grinnikte. „Het past niet bij zijn uitstraling. Waarschijnlijk houdt zijn vrouw van katten. Wanneer is je volgende afspraak?"

„Volgende week dien ik een offerte in. Maar dat komt wel goed." Sandrine was opeens vervuld van zelfvertrouwen.

Ronny zag het met genoegen. Ze gunde haar vriendin zo dat ze zou slagen met het opzetten van een eigen adviesbureau.

„Denk erom, niet te goedkoop," waarschuwde ze nog.

Sandrine was tegen elven thuis en zag in het venster van haar telefoon dat ze die avond vaak gebeld was. Vluchtig bekeek ze de nummers. Drie keer Jasper, twee keer haar ouders en twee keer haar zusje Tanja. Ze besloot dat het te laat was om terug te bellen.

Toen de telefoon ging, liet ze hem rinkelen. Ze ging naar boven. Ze was in een tevreden stemming die ze door niemand wilde laten bederven. Niet door haar moeder of Tanja, die vast karweitjes voor haar hadden liggen en niet door Jasper met wie ze ruzie had. Ze zag weer het gezicht van het meisje in het licht van de koplampen voor zich.

Ze zou er morgen over nadenken. Nu hield ze alle nare gevoelens op een afstand, besloot ze en trok de gordijnen van haar slaapkamer half dicht. Ze keek nog even in de tuin van haar buurvrouw. Was dat een vlier, die zo heerlijk rook…? En zag ze Afra Davelaar op het pad staan?

Sandrine schoof het gordijn terug, opende het raam verder en leunde wat naar buiten.

„Afra… Weer pioenen aan het planten?" vroeg ze gedempt.

„Nee. Die doen het al geweldig. Ik kijk naar de lucht." Afra wees met haar arm naar boven. „Moet je zien wat een schitterende wolkenpartij."

Sandrine keek omhoog en zag het wollige, donkere grijs afsteken tegen de zwarte lucht. Vanachter een wolk kwam de maan even tevoorschijn en verdween vrijwel meteen weer achter de volgende wolk die lichter werd.

„Mooi. Erg mooi ja." Geboeid staarde ze in het donker naar de hemel.

„Hoe gaat het met ons project?" vroeg Afra even later.

„Ik kom morgen even langs," beloofde Sandrine. „Ik heb mijn timmerman gecharterd. Hij komt over drie dagen hier… met een loodgieter."

„Toe maar. De hele bouw op mijn stoep. Welterusten dan maar," wenste Afra.

7

„W aar was je telkens?" opende Jasper een paar dagen later het
gesprek toen Sandrine haastig de telefoon opnam.

Sandrine keek op haar bureau, dat vol lag met papieren en een ordner.

„Bij een toekomstige cliënt en bij Ronny," zei ze en verwenste de verontschuldigende klank in haar stem. Stom. Zou ze het nooit leren? 'En gisteren en eergisteren…"

„O…nou ja, maakt niet uit…" Jasper hoefde haar antwoord niet verder te horen.

„Wil je vanavond even meegaan naar het clubgebouw van de hockeyclub? Het moet opgeknapt worden. Alles gaat er een beetje haveloos uitzien. Nu we kampioen geworden zijn, moet het op korte termijn een beetje representatiever worden. Ik heb gezegd dat jij er nogal oog voor hebt en er was een vent die van je gehoord had. Hij is een connectie van die Ben van je vriendin Ronny. Je mag die mensen wel dankbaar zijn."

Sandrine beet op haar lip. „Ik heb vanavond al een afspraak. Ik zou bij mijn buurvrouw de zaak reorganiseren," zei ze ongemakkelijk.

„Zeg maar af. Je vriend gaat voor. Dat zal ze wel begrijpen." Er was geen spoor van twijfel in zijn stem.

„Als het alleen om mij ging zou dat wel kunnen. Maar er zijn ook een paar anderen bij betrokken. Dus…"

„Ja. Dat is bij mij ook het geval. Je denkt toch niet dat ik in mijn eentje over dat soort dingen ga," snauwde hij.

„Tja."

Jasper zweeg afwachtend. „Nou?" vroeg hij toen.

„Wat nou?"

„Dat komt dus wel goed," stelde hij vast en veranderde van onderwerp. „Je hebt nog niet gevraagd hoe het is afgelopen met de finale."

„Jullie hebben gewonnen, dat zei je al," zei Sandrine. Ze zag weer het gezicht van dat meisje voor zich en overwon haar aarzeling om toch maar te doen wat Jasper van haar vroeg.

„Je mag tegen je vrienden zeggen dat ik volgende week dinsdagavond even kom kijken. Maar… voor alle zekerheid Jasper… uitsluitend om een paar tips te geven."

„Tips," smaalde hij. „Dacht je echt dat wij alleen op tips zaten te wachten?"

„Nou, dat is dan gemakkelijk. Kom ik niet!" Sandrine sprak luchtig, maar haar hart bonsde in haar keel.

Jasper was even stil en barstte toen los: „Zeg, wat mankeert jou? Nou denk ik dat ik er goed aan doe om je een beetje op weg te helpen. Je krijgt heus niet vlug weer de gelegenheid om een clubhuis in te richten... en nu is het weer niet goed. Dit was een kans voor je."

„O, word ik er dan voor betaald?" zei Sandrine verbaasd.

„He? Nee, natuurlijk niet. Dat is vrijwilligerswerk."

„O, en timmerlui en zo... ook allemaal vrijwilligerswerk?"

„Nee, die niet. Dat zijn vaklui tenslotte. Doe niet zo vermoeiend, Sandrine," zei hij en legde een verveelde klank in zijn stem.

Sandrine beet op haar onderlip. „Misschien is het beter om ook voor tips en een ontwerp een vakman te laten komen," zei ze. „Dat is ook voor jou beter, Jasper. Dan kun jij je er ook geen buil aan vallen. Stel je voor dat ze mijn voorstellen niet goed vinden...Om je dood te schamen. Dat wil ik niet op mijn geweten hebben."

„Doe niet zo hatelijk, Sandrine. Wil je per se ruzie maken? Dan hang ik op. Bel maar weer als je een beetje redelijker bent," zei hij en wachtte op haar verontschuldigingen en de toezegging dat ze langs zou komen. Sandrine ging altijd overstag als hij dreigde dat hij voorlopig niet meer kwam. Het bleef stil.

Aan de andere kant van de lijn legde Sandrine zacht de hoorn op het toestel en keek zonder iets te zien naar het scherm van haar computer.

Jasper. Ze was altijd verbaasd geweest dat hij iets in haar had gezien. Hij was populair bij haar vriendinnen en knap om te zien. Dat hij uitgerekend haar had uitgekozen, had haar altijd een beetje nederig en...ze gaf het zichzelf toe... onderdanig gemaakt. Waarom in vredesnaam? Ze was soms te weinig hartstochtelijk naar zijn zin.

„Kleine koele kikker," had hij haar eens genoemd.

Het had haar diep gegriefd. Ze wist heel zeker dat ze niet koel was. Ze reageerde warm en vol overgave als hij haar stevig tegen zich aandrukte en kuste. Maar soms, als hij heel langzaam langs haar benen streek, zag ze de weke handen van Meneer Veraert voor zich en dan duwde ze hem weg. Hij was er eens erg boos om geworden. Eigenlijk had ze hem toen moeten vertellen over Veraert...

Maar dat was het niet alleen, wist ze. Dat kwam ergens bij. Bij wat? Daar zou ze een keer werkelijk over na moeten denken. En zou liefde genoeg zijn om haar dat stuk van haar verleden te laten vergeten? Toen ze net met Jasper was, had ze het gedacht. Nu wist ze het niet meer.

Ze beet haar kiezen op elkaar, schudde haar hoofd en keek weer intens naar haar scherm.

„Vooruit… Weg met dat soort gedachten. Je zit hier niet om vliegen te vangen… aan het werk," zei ze hardop en ze werkte de notulen van de laatste directievergadering uit. Met genoegen zag ze dat Ronny haar werk goed deed. Er werd lovend over haar gesproken door een paar cliënten.

Het telefoongesprek met Jasper bleef Sandrine dwars zitten.

Tijdens de lunchpauze liep ze met Ronny door het park dat achter het kantoor lag.

„Ik heb zo'n katterig gevoel overgehouden aan een ruzie met Jasper," zei ze, terwijl ze een laatste broodkorst naar de eenden in de vijver gooide.

„Vertel. Heb je nog ruzie, of is het al weer goed?" Ronny keek naar de bruinzwarte eenden die snaterend en vechtend achter het brood aangingen.

De vleugels hadden zilvergekleurde randen en ze verhieven zich half boven het water uit om elkaar een stuk van het brood afhandig te maken.

„Hier, stomme beesten," riep Ronny en gooide een boterham in stukken naar ze toe. „Ik heb weinig honger op het moment. Altijd nog een tikje misselijk! Nou ja, dat gaat ook wel weer voorbij. Waarover ging de ruzie?"

Sandrine vertelde over haar kribbige reactie op Jaspers voorstel. Ze had al half spijt gekregen in de loop van de morgen. Toch had ze hem niet gebeld. Het stak haar dat hij de timmerlui vakmensen noemde en haar beschouwde als een goedwillende amateur. En dat was ze natuurlijk ook nog, dus dat had ze zich niet aan hoeven trekken.

„Had ik nou gewoon moeten zeggen dat ik vanavond wel even tijd voor hem zou maken?" vroeg ze. „Maar het is toch raar dat hij zomaar afspraken voor mij maakt."

Ronny aarzelde geen moment. „En je buurvrouw afzeggen? Ben

je mal? Natuurlijk kan hij niet zomaar over jouw tijd beschikken. Het is te dwaas voor woorden. En dat jij nog denkt dat het jouw fout ook is." Ze kon er niet over uit en stompte in de lucht.

„Sandrine… Eend! Word wakker! Je moet een beetje meer zelfrespect krijgen. Je moet tegen je familie en je vriend een beetje meer zijn zoals je bij ons en op kantoor bent."

„Ja, maar… ben ik dat dan niet?"

„Nee!" snauwde Ronny en legde meteen berouwvol haar hand op Sandrines arm.

„He bah… nu zit ik nog tegen jou te bekken ook! Het is alleen dat ik het niet kan uitstaan dat je zo slecht voor jezelf opkomt. Dat is toch raar! Juist tegenover mensen van wie je houdt."

Het bleef stil. Sandrine liet de woorden van Ronny tot zich doordringen.

Ze liepen langzaam om de vijver heen. De eenden volgden langs de kant, in de hoop nog een stuk brood te krijgen.

„Is dat zo?" vroeg Sandrine na een paar minuten.

„Ja, dat is zo. Tenminste…Ik vind dat het zo is. Je kunt uitstekend voor een ander opkomen. Denk aan Maria Reyes… Dan ben je helemaal niet te benauwd om flink uit te halen…Maar voor jezelf… hopeloos!" zei Ronny met klem. „En juist tegenover mensen om wie je veel geeft. En dat zou niet moeten, San…"

Sandrine zuchtte en gooide een prop papier in de overvolle prullenbak die naast een boom stond.

„Misschien heb je wel gelijk."

„Misschien? Reken maar dat ik gelijk heb!" verzekerde Ronny haar.

Tegen vijf uur, toen Sandrine haar computer uitzette, ging de telefoon. Haar hand zweefde boven het toestel. Ze trok hem weer terug. Ze werd nog laf ook, dacht ze. De laatste tijd liet ze de telefoon telkens overgaan, zonder op te nemen. Alleen kon ze zich dat op haar werk niet permitteren. Ze wilde hem oppakken, maar het gerinkel stopte al. Dan was het niet dringend ook, dacht ze en ze liep naar de kamer van haar directeur. Ze opende de deur half en stak haar hoofd om de hoek.

„Tot morgen, Richard."

„Tot morgen, Sandrine… Eh, Sandrine…"

Hij wenkte. „Doe die deur eens dicht."

Sandrine sloot de deur, liep naar het bureau toe en keek de directeur vragend aan.

Hij verschoof een paar papieren. „Even over Maria. Ik hoop dat je geen lagere dunk van haar hebt gekregen door wat je hebt gehoord van Frank over haar verleden. Ik ben blij dat jij haar inschakelt bij dat bureau van je. Dat je aan het oprichten bent, bedoel ik. Ze moet zich overdag niet te eenzaam voelen. Als ze in de uren dat haar kinderen naar school zijn, werk heeft, zoveel te beter. Misschien kan ze dan 's avonds wat meer thuis zijn. Voor die kinderen ook belangrijk. Nou ja..., genoeg hierover. Ronny heeft me een paar dingen verteld over je ambities. Als je echt minder wilt gaan werken, dan kan dat. We willen je voor de rest graag houden." De stapel papier ging weer terug.

Sandrine keek hem aan. „Ik ken Maria als iemand die hard werkt... die meeleeft met een ander en ik mag haar graag. Wat Frank van Grinten me heeft verteld, verandert daar niets aan. Verder vind ik het prettig om haar in te schakelen. Ze is heel efficiënt. Dat is een goed voorbeeld voor mijn toekomstige cliëntèle."

„Goed." Hij knikte haar toe en glimlachte.

„En ik blijf hier graag werken, als dat kan. Alles staat nog in de kinderschoenen, wat dat adviesbureau betreft," voegde Sandrine er aan toe.

Richard Gruyter stond op en stak zijn hand uit. „Zo ben ik ook begonnen, Sandrine. En kijk nu eens. Ik wens je alle succes."

Ze pakte verheugd zijn hand. „Fijn. Bedankt."

Zingend ging ze de trap van het kantoor af en grabbelde ze naar haar fietssleutel. Ze keek op toen een bekende claxon klonk.

Jasper. Ze wist niet of ze blij was of niet.

Hij opende het autoportier. „Laat die fiets maar staan. We gaan eerst een hapje eten. Ik wist dat je eraan kwam, want je nam de telefoon niet op. Dat duurde anders nog lang."

Dat laatste telefoontje was dus van hem geweest. Aan haar intuïtie mankeerde niets, dacht ze gedeprimeerd.

„Geen goed idee Jasper. Ik heb om half negen afgesproken bij mijn buurvrouw. En ik heb mijn fiets morgenochtend nodig, dus..."

„Dat komt goed uit. Ik heb met mijn vrienden afgesproken dat we er om kwart over zeven zullen zijn. Dat kan allemaal net," zei hij.

„En die fiets leggen we achter in de auto. Nog meer bezwaren?"

Hij vertrok zijn gezicht tot een komische grijns.

Ze weifelde even en schoot toen in de lach. „Nou vooruit dan maar."

Ze hoefde de zaak ook niet op de spits te drijven, dacht ze en gaf hem haar fiets. Daarna stapte ze in.

„Dag Sandrientje van me," zei hij en hij gaf haar een kus. Ze keek opzij naar het gezicht met het blonde caesarhaar. Ze legde haar hand langs zijn gladgeschoren wang en rook de bekende geur. Ze hield van hem, dacht ze en ze zei voorzichtig: „Dag Jasper."

Vanmiddag was hij uit zijn humeur geweest. Wat zou zijn stemming veranderd hebben?

Dat zij niet meer had gebeld? Had ze zoiets eerder moeten doen? Tanja zei wel eens tegen haar: „Hoe meer je het mensen naar de zin wilt maken, hoe meer ze de vloer met je aanvegen."

Sandrine constateerde dat haar jongere zusje van bepaalde dingen meer verstand had dan zijzelf. Als dat de reden van de omslag was, tenminste.

Ze aten in het nieuwe Italiaanse restaurant. „Osso buco moet je nemen. Dat is hier heerlijk," zei Jasper. „Het zijn echte Italianen. Van de kok tot de kelners. En dat merk je hoor."

„Wanneer ben je hier geweest," vroeg Sandrine argeloos.

„Vorige week of zo. Eh, toen jij bij Ronny moest eten." Jasper sprak net iets te gehaast.

„Dat is al weer een paar weken geleden." Sandrine sloeg de menukaart open en keek niet naar haar vriend.

„Nou ja, dan moest je met dat timmermannetje van je ergens naar toe. Enfin… maakt niet uit. Ik was hier met een paar vrienden. Tevreden… mevrouw de grootinquisiteur?"

Verwonderd keek ze over de rode spijskaart naar Jasper. „Ik vroeg niet eens met wie je hier was," zei ze. „Maar nu je zo gek reageert…"

Sandrine maakte de zin niet af. Ze zag weer het blonde meisje voor zich en de manier waarop Jasper zich naar haar had toe gebogen. Ze slikte en duwde het verontruste gevoel dat in haar opkwam, weg. Misschien was dat kind gewoon een nieuw lid van de club en had hij haar naar huis gebracht omdat het slecht weer was. Ze moest nu niet overal iets achter zoeken.

„Osso buco?" vroeg ze." Wat is dat?"

„Kalfsschenkel," zei de ober die net langskwam. Hij ging er op

zijn gemak voor staan. „Osso Buccho alla Milanese. Onze speciali-
teit!"

„Schenkel...Het klinkt zo bottig," aarzelde Sandrine.

De ober lachte. „Mevrouw, u zult verrukt zijn," zei hij. „Het
is...zo!" Hij maakte een gebaar met twee vingers naar zijn mond.

„Op uw verantwoording," schertste Sandrine. De ober knikte
tevreden.

„Duurt het erg lang allemaal? We hebben nogal haast." Jasper
keek omhoog naar de ober.

„Het meeste is al voorbereid. Een goed kwartier. U wilt eerst iets
drinken?"

„Een wijntje?" Jasper keek Sandrine vragend aan.

„Nee, dan word ik doezelig en ik moet vanavond helder zijn. Doe
maar mineraal water."

De ober liep weg. Oer-Hollands was hij. Sandrine keek hem na.
„Als hij een Italiaan is, eet ik dit papieren servetje op," zei ze.

Jasper haalde zijn schouders op en keek rond. Het was nog niet
druk. Alleen in de hoek van het restaurant zat een echtpaar met twee
kleine kinderen die smakelijk in een punt pizza prikten.

„De sfeer moet nog komen. Als je nu gewoon de avond vrij had
gehouden, hadden we gezellig uitgebreid kunnen eten," zei hij ontevreden.

„Ik vind het prima zo." Sandrine lachte tegen het meisje dat een
olijf van haar pizza pakte en op haar servet legde. De moeder wierp
een blik op haar dochter en keek toen samenzweerderig naar
Sandrine. Ze draaide haar ogen omhoog en weer terug. Sandrine
knipoogde.

„Die kinderen... Ik zou nooit kinderen meenemen naar een restaurant. Gedoe. Ze weten zich negen van de tien keer niet te gedragen."

„Deze kinderen zijn zo lief als wat," zei Sandrine.

„Nou ja... Laten we ons niet bezighouden met anderen." Hij pakte
over de tafel haar hand, keek haar in haar ogen en gaf haar over tafel
vlug een kus op haar mond. „Dag liefste."

Sandrine voelde haar hart kloppen. Dit was weer de man op wie
ze verliefd was geworden.

„We doen dit niet genoeg. We zouden vaker met z'n tweeën moeten zijn," fluisterde Jasper.

Sandrine knikte. Waarom kwam daar zo weinig van? Ze wist het antwoord: zijn etage in het huis van zijn ouders, waar ze zelden alleen werden gelaten. Als ze er een kwartier was, kwam zijn moeder naar boven. Lief vragend of ze thee of koffie wilde hebben. En of ze dat beneden bij hen kwamen drinken of dat ze het boven moest brengen. Sandrine wilde niet de indruk wekken dat ze zijn moeder als een soort hospita beschouwde, dus ze stemde daar altijd in toe.

Dan de sport... de sport en nog eens de sport waar Jasper dol op was. Er bleef ook niet zo veel tijd over. Hij kwam zelden naar haar huis. Waarschijnlijk omdat zijn moeder dat niet fatsoenlijk vond... Of zoiets... Sandrine wist het niet precies. Ze keek naar het knappe gezicht dat nu vol aandacht naar haar was toegewend. Misschien zou het anders zijn als ze getrouwd waren... Vast wel.

Een kwartier later kwam de ober met een grote schaal gekruid vlees in een rode tomatensaus. Hij zette de schaal naast de rijst op tafel. Sandrine had inmiddels flink trek gekregen. Het waren niet de botten die ze zich had voorgesteld bij het woord schenkel en ze knikte goedkeurend naar de ober. „Het ziet er heerlijk uit."

„Wist ik toch," zei hij en hij vulde haar glas bij.

Tegen half acht kwamen Jasper en Sandrine aan bij het clubhuis van Jaspers hockeyclub. De deur was geopend en er zaten wat mannen en een paar vrouwen in een hoek van de sjofel ingerichte sportkantine. Sandrine keek met kritische ogen.

De kleine, vierkante tafels hadden formicabladen en de stoelen waren van oranje plastic. Het geheel had het uiterlijk van een snackbar. Het verschil werd gevormd door de zilveren bekers en medailles en oorkondes die langs de wanden hingen en op de planken stonden.

Sandrine had regelmatig iets in de kantine gedronken, maar na wedstrijden waren de stoelen grotendeels bezet geweest en dan zag je de inrichting niet zo. Het was inderdaad nogal pover.

Jasper duwde Sandrine naar voren en riep joviaal. „Nou lui... Ze doet het hoor. Hier is Sien de adviseuse. Ze weet dat we geen miljoenen hebben, maar dat we een beetje goed voor de dag moeten komen, nu we kampioen geworden zijn. Laat es horen aan de mensen hier... wat gaan we doen om het hier een beetje meer cachet te geven?"

Een lange man stond op en kwam op hen af. Het was de voorzitter van de vereniging, Peter Varenhorst.

„Sandrien, fijn dat je ons wilt helpen. Heeft Jasper uitgelegd wat de bedoeling is?" Hij schudde haar hand.

Sandrine knikte behoedzaam. „Het mag niets kosten, het moet vlug klaar zijn en het moet er uitzien alsof het de lounge van de golfclub is."

Hij lachte. „Als je dat voor elkaar zou kunnen krijgen?

Nee, dat is onzin. Natuurlijk weten we dat het ons iets gaat kosten. We zijn alleen niet zo rijk als de andere club van deze man." Hij gaf Jasper een klap op zijn schouder.

Jasper grinnikte verheugd. „Peet, ze weet er alles van. Ook dat het niet van de armen gaat."

Sandrine vond dat hij op dat moment precies een kleine jongen was die met de grote jongens uit de buurt mocht meedoen en ze vond hem aandoenlijk. Haar reserve tegen de mensen van de hockeyclub verdween. Vanzelfsprekend zou ze meehelpen.

Ze liep langs de verveloze kozijnen, nam een plastic stoeltje met drie vingers op. Het woog niets. Dat was waarschijnlijk ook het enige voordeel. Ze bekeek de foeilelijke tafeltjes.

Wat was daar nog van te maken? Schilderen misschien? Nee. Klaar om bij het grofvuil te zetten, besloot ze.

Er voegden zich een paar jonge vrouwen bij hen. Een ervan haalde haar hand door haar blonde haar en Sandrine kreeg even een schok: dit was het meisje dat bij Jasper in de auto had gezeten. Ze was knap, met haar hazelnootbruine ogen bij het blonde haar.

Dat kleurtje was vast niet echt, dacht Sandrine met lichte voldoening en ze vroeg zich meteen af waar dat kind die prachtige kleur lippenstift vandaan had. Daar had zijzelf tijden naar lopen zoeken en ze had het niet gevonden.

Het meisje stak haar hand onder de arm van de voorzitter en legde haar hoofd tegen zijn bovenarm en keek Sandrine en Jasper aan. Het andere meisje had haar handen in de zakken van haar spijkerbroek gestoken en knikte Sandrine gemoedelijk toe.

„Dag Sandrine."

Sandrine knikte terug. „Dag Karin."

Jasper had een handgebaar voor Karin en begroette het blonde meisje geestdriftig. „Hoi Barbara."

„Hoi, Jasper." De bruine ogen namen Sandrine op van top tot teen op en er verscheen een kleine glimlach rond de roze mond. De ogen bleven koel.

„Dit is dus Sandrine. Jij kunt goed huishouden en zo, heb ik gehoord van Jasper. Hoort schoonmaken daar ook bij?" vroeg ze liefjes.

„Dan weet ik nog wel een paar adresjes voor je en als het je helpt, wil ik best hier en daar je naam laten vallen. Alle begin is moeilijk. En een tante van me heeft ook een werkster nodig."

Het klonk neerbuigend en bijna venijnig. Haar vijandigheid verbaasde Sandrine. Ze zei niets terug.

Het andere meisje zei: „Doe niet zo gek, Babs..."

„Barbara. Gedraag je," zei Peter. „Let maar niet op dit vervelende nichtje van me, Sandrine. Ze weet niet goed wat je werk inhoudt."

„Oh, maar ik zou me er helemaal niet voor schamen om ergens schoon te maken hoor," zei Sandrine luchtig. „Integendeel. Soms knappen mensen er zo van op: schone huizen, schone hersens, volgens psychiaters. Dus als het werkelijk zo'n bende bij je is, weet ik wel iemand die je helpen wil."

Verbluft staarde Barbara naar Sandrine. Dit was een antwoord dat ze niet verwacht had. Volgens Jasper was Sandrine altijd vriendelijk

„Tja. Wie kaatst... moet de bal verwachten." Peter Varenhorst maakte zijn arm los, legde losjes zijn hand om Sandrines pols en nam haar mee naar de koffiebar. „Eerst een kop koffie?"

„Nee, het spijt me. Ik heb om half negen ergens een afspraak. Een andere keer graag. Nu graag de zaken. Wat is jullie budget?"

Sandrine verheugde zich in de sneer die ze Barbara terug had gegeven. Normaal wist ze nooit wat ze zeggen moest.

Het gaf haar een triomfantelijk gevoel en ze glimlachte opgewekt naar de voorzitter.

„Zo'n haast kun je niet hebben dat je niet even een kop koffie kunt nemen. Hier." Hij hield zijn hoofd schuin, keek neer op de bruine krullen en reikte naar achteren om een kop te pakken. Leuk kind was die Sandrine. Beetje stil. Bijzonder mooie ogen. Peter had haar nooit veel aandacht geschonken. Na de wedstrijden was hij meestal omgeven door medespelers en hun vriendinnen en Sandrine hield zich altijd een beetje afzijdig.

Omgekeerd beantwoordde Peter Varenhorst voor Sandrine volledig aan het beeld dat ze van een sportman had. Lang, gebruind en een vierkante kin.

„Nee, echt niet. Jullie budget dus," hield Sandrine vastberaden vol.

Peter wist wanneer iemand iets meende. Hij noemde een bedrag dat ze bestemd hadden voor de opknapbeurt van hun honk. Het was niet veel. Sandrine keek bedenkelijk de kantine rond. „Laten we maar eens kijken," zei ze en ze liep op haar gemak door de zaal. Haar ogen dwaalden van vloer naar plafond. Onnodig haveloos. De ruimte was groot en het clubgebouw lag iets buiten de stad, in het groen. Eigelijk ideaal voor het doel.

Er zou nieuwe vloerbedekking moeten komen, andere stoelen en tafels en een lik verf deed ook wonderen. Een andere kleur dan die bruinige tint die de muren goor deed lijken, zou al een beter effect geven, dacht ze terwijl ze een notitieblok uit haar tas pakte. Vlug telde ze het aantal tafeltjes. Waarom in vredesnaam al die kleine tafeltjes? Rommelig en chaotisch. Enfin, daar vond ze wel iets op.

„Jullie hebben waarschijnlijk mankracht genoeg. Als jullie flink wat mensen kunnen mobiliseren, is er veel mogelijk. Laten we het zo afspreken... ik maak een plan en waarschijnlijk wordt de grootste post de verf. Gordijnen heb je ook nodig, en iets anders op de vloer, want dat maakt het erg armoedig. Wat zit er eigenlijk onder dit zeil?"

„Hout." Peter liep naar een hoek en tilde een stuk van het zeil omhoog. Er werd een stuk van de oorspronkelijke vloer zichtbaar.

Sandrine keek. „Niet praktisch," zei ze. „Vloerplaten. Daar kun je niets anders mee doen dan bedekken. Hebben jullie niet een aannemer bij de club, of iemand die connecties heeft met een woningtextielzaak of zo?"

„Wel iemand met een houtmarkt," herinnerde Peter zich. „Kom dinges,... hoe heet die kerel ook al weer, Jasp? Maar hij verkoopt geen linoleum."

Sandrine herinnerde zich de verbouwing van hun kantoor en de hoeveelheid hout die toen in de afvalcontainers was verdwenen.

„Hoeft niet. Als je voor een zacht prijsje planken kunt kopen, bof je. Informeer maar eens. En voor die tafels verzinnen we iets anders. Ze dacht aan de openbare verkopingen waar ze bij was geweest als haar vader naar veilingen ging. Grote tafels gingen soms voor een habbekrats weg.

„Ik neem je een keer mee naar een kringloopwinkel," stelde ze voor. „Je weet niet wat je ziet als je daar rondkijkt."

„Een kringloopwinkel?"

„Ja, waarom voor veel geld rommel kopen terwijl er genoeg dingen te koop zijn die het hier goed zouden doen. Je moet er even doorheen kijken."

Peter keek haar peinzend aan. „Kringloopwinkels. Nooit aan gedacht," prevelde hij.

„Gunst, tweedehands spullen?" snoof Barbara en ze wierp een samenzweerderig lachje naar Karin, die niet teruglachte.

„En..." Jasper kwam er weer bij staan en sloeg zijn arm om Sandrine heen. „Wat denk je Peter? Hebben we iets aan haar?"

Peter keek hem vergenoegd aan. „Ze heeft me in deze vijf minuten al meer ideeën aan de hand gedaan dan jullie in de afgelopen maand. Dat was alleen maar irreëel geklets dat bakken geld kost."

„Ik zei het toch?" Jasper kneep iets harder in Sandrines schouder.

Barbara haalde haar schouders op en zei halfluid: „Allemaal erg voor de hand liggende voorstellen, niet?"

Sandrine knikte. „Klopt. Maar het grappige is dat mensen over de meest voor de hand liggende ideeën heenkijken."

Karin keek Barbara fronsend aan. Ze wendde zich tot Sandrine en zei: „Zeg, Barbara vertelde me net van je baan. Wanneer ben je met dat woonadviesbureau begonnen? Ik wist helemaal niet dat er zoiets bestond. Het is een gat in de markt, hè?"

Sandrine was dankbaar dat er een normalere sfeer ontstond bij deze woorden. Wat een vreemde meid was die Barbara. Je zou denken dat Sandrine in een innige situatie met háár vriend was aangetroffen in plaats van andersom. Toen realiseerde ze zich dat Jasper en die Barbara er geen idee van hadden dat zij hen gezien had.

„Ik begin net. Ik heb mijn eerste opdrachten binnen, maar ik had al eerder adviezen gegeven en dat pakte wel aardig uit," zei ze tegen Karin.

Sandrine vond het meisje aardig en vervolgde. „Jij speelt toch ook hockey? In het eerste team? Of?"

„Ben je?" Karin wees naar haar voorhoofd. „Ik speel, maar ik zit in een pretteam. Leuk... leuk...leuk..., weet je wel, en ik blijf in conditie."

„Dat lijkt me nu wel wat." Sandrine stopte haar notitieblok weer in haar tas. „Dat fanatieke gedoe zou voor mij ook niets zijn."

Peter trok een pijnlijk gezicht. „En deze opmerking tegen een team dat kampioen geworden is. Schande. Wat jij, Jasp..."

Sandrine lachte. Ze vond Peter en Karin aardig. „Ik zal wat rondkijken en een berekening voor jullie maken. Dan weet je ongeveer wat je op tafel moet leggen voor een opknapbeurt. Je hoort van me."

Jasper verstevigde zijn greep om haar schouder. „Maak meteen een afspraak, San, anders schiet het niet op," drong hij aan.

„Nou ja, zo'n haast hebben we toch niet?" remde Peter zijn clubgenoot af.

„Nee. Ik wil niet dat het een slepende zaak wordt."

„Als je rekent dat ik vanmiddag voor het eerst van het plan hoorde en dat ik hier al loop, valt dat wel mee, zou ik zeggen," mompelde Sandrine.

„Had hij het niet eerder gevraagd?" Peter Varenhorst keek Jasper verbaasd aan.

„Het bleef er telkens bij," antwoordde Jasper luchtig.

„En dan wil je dat je vriendin meteen aan de slag gaat. Da's een goeie," merkte Peter op.

„Nou ja. Meteen…" Jasper keek de kantine rond. „Er moet zo vlug mogelijk iets aan gebeuren," zei hij bazig. „Het begint op te vallen dat het zo'n haveloos zootje is."

Peter knipoogde naar Sandrine. „Vergeet niet je eigen werk in rekening te brengen, Sandrine," zei hij.

Jasper hoorde zijn woorden. „Niet nodig voor Sandrien… Ze doet dat graag voor ons."

Karin hield haar hoofd schuin en keek hem aan. „Maar het wordt toch haar werk? Ze is tenslotte geen lid van de club, dus waarom zou ze gratis voor ons werken?"

„Omdat ik hier lid ben natuurlijk." Jasper keek haar verbaasd aan.

Karin schudde haar hoofd. „Echt? Zou jij voor haar vriendinnen gratis een hypotheek afsluiten," vroeg ze.

Jasper keek haar aan. „Dat is iets anders. Dat is mijn we…"

„Werk. Juist! En ik begreep dat het ook haar werk werd," vulde Karin aan.

Sandrine glimlachte en keek op haar horloge. „Breng me maar vlug naar huis. Dan ben ik op tijd bij m'n volgende afspraak," zei ze.

Jasper wilde iets zeggen, maar bedacht zich.

„Al goed…mevrouw de adviseur. Al goed," zei hij spottend en nam met een zwaai in het rond afscheid. „Lui, tot ziens. We gaan."

8

„A ardige vent, die Peter," zei ze terwijl ze terugreden. „Een geschikte vent. Je zou eens wat langer in het clubgebouw moeten blijven. Jij wilt altijd zo vlug weer weg na de wedstrijden. Het is er echt geschikt," antwoordde hij geestdriftig. „Aardige kerels."

Hij toeterde voor een fietser die teveel midden op de weg reed.

„Aardige meisjes ook," kon Sandrine niet nalaten te zeggen.

Jasper keek wantrouwend opzij. Bedoelde ze daar iets mee? Maar Sandrine keek blank voor zich uit.

Gelukkig, dacht Jasper. Hij hield niet van scènes.

Dat was ook niets voor Sandrine: altijd zo vredelievend. Soms een beetje té. Hij hield toch wel van een beetje meer pit.

Sandrine viel in de smaak bij Varenhorst. Dat vond hij prettig. Vervelend dat Barbara daar nu net was. Hij had erop gerekend dat ze er niet zou zijn. Niets aan te doen. Hij lachte zorgeloos. Er was verder ook niets aan de hand. Al was die Barbara me er eentje...

Sandrine was net op tijd thuis. Toen Jasper de auto voor de deur parkeerde, kwamen Coop en zijn jongere broer net aanrijden.

Sandrine stapte tegelijk met de broer uit en ze stonden tegenover elkaar. De broer was nog langer dan Coop en hij lachte.

Een brede grijns lag op zijn sproetige gezicht. „Aha... dit is dus mijn toekomstige werkgeefster."

Hij stak zijn hand uit en schudde die van Sandrine enthousiast. „Martijn Lingers."

Jasper pakte Sandrines fiets uit zijn auto en zette hem tegen de heg. Hij nam Coop en zijn broer op. Hij beroemde zich erop dat hij mensen goed kon inschatten. Het was een deel van zijn werk bij de bank. Gewone lui, beetje erg gewoon, besloot hij en hij knikte.

„Nou, lekker aan de slag, mensen?" Hij slingerde zijn autosleutels aan zijn wijsvinger in het rond.

Sandrine beet op haar lip.

„Ach ja. Het houdt ons van de straat." Coop zette een gereedschapskist op de stoep en laadde een paar planken uit de bestelwagen.

„Als je erg ruim in je tijd zit, kunnen wij jullie misschien wel gebruiken. Nietwaar Sandrine. En dat hoeft niet voor niets. We hebben nog wel wat in kas," zei Jasper.

Sandrine zag de verbaasde blik op het gezicht van de broer van Coop en ze wilde dat Jasper vertrok. Waarom moesten zijn opmerkingen nu zo neerbuigend klinken?

„Ze hebben het erg druk. Dus…" zei ze vlug.

Jasper knikte. „Ja, jullie moeten verder en ik ga nog even terug naar de club. Misschien hebben anderen ook al een idee over wat we doen met de kantine. We zijn wat dat betreft amateurs onder elkaar hè?"

Sandrine keek om. Hoorde ze het nu goed? Het was toch net geregeld?

„Jas… wat is nu de bedoeling. Moet ik nu wel of niet een plan op papier zetten," vroeg ze een beetje kribbig. „Ik begreep van Peter Varenhorst dat ik dat moest doen."

„Natuurlijk. Maar dat houdt niet in dat een ander ook niet een plan kan hebben. Barbara is behoorlijk creatief. Dan kunnen we kiezen. Of we voegen alles bij elkaar en dan maar eens zien."

Coop laadde de auto verder uit. Hij hoorde de opmerking van Jasper en trok daaruit zijn eigen conclusies. Zijn gezicht stond ondoorgrondelijk. Dat van Martijn, zijn broer, niet.

Etterbak van een vent, was te lezen op het sproetige gelaat. Hij wendde zich tot Sandrine, wees met zijn hoofd naar Jasper en zei laconiek: „Nou, baas, dat is dan weer een extra vrije dag. Dat klusje bij hem lijkt niet door te gaan."

Sandrine voelde zich terneergeslagen. Wat had ze het afgelopen uur nu eigenlijk gedaan?

„Voorlopig doe ik dus even niets?" informeerde ze.

„Wat is dat nou weer, meisje? Natuurlijk maak je een plan. Dat hadden we toch afgesproken met Peter? Het gaat er om dat je niet de enige bent die iets op papier kan zetten. Dat neemt de druk een beetje weg. Ik wil niet dat je te veel doet. Het is tenslotte vrijwilligerswerk." Jasper legde beschermend een hand op haar arm.

De bedoeling is dat zij een plan maakt en dat een ander met de eer gaat strijken, dacht Martijn achterdochtig en zwiepte bijna een plank tegen Jaspers rug.

Jasper trok zijn hand terug. „Zeg knul, wel een beetje uitkijken alsjeblieft."

„Sorry, sorry, amateurs onder elkaar," zei Martijn schamper en hij stampte door. Hij zette alles bij Afra in de gang.

Jasper lette niet meer op hem. Hij wendde zich tot Sandrine, sloeg zijn armen om haar heen en kuste haar op haar mond. Langs Sandrines bruine haar zag hij Coop naderen en hij omarmde Sandrine nog steviger. Niet dat hij Coop op welke manier dan ook als een bedreiging zag. Sandrine was té dol op hem, maar hij wilde die sjofele vent duidelijk maken dat Sandrine van hem was.

„Ik bel je in ieder geval voor zaterdag. Misschien morgen nog wel."

„Goed." Ze duwde hem zacht weg en wierp een halfbeschaamde blik op Coop. Demonstraties maakten haar verlegen.

Even vroeg ze zich af of Coop Jasper had herkend toen ze bijna tegen elkaar gebotst waren bij dat kruispunt.

Dat zou wel niet. Het regende zo die avond en hij had Jasper nooit eerder gezien.

Jasper glimlachte zelfgenoegzaam, streek Sandrine langs haar wang, stak zijn hand op en reed weg.

Sandrine keek hem na. Ik ben de laatste tijd zo vlug uit mijn evenwicht, dacht ze bedrukt. Ik lijk wel een puber. Mijn ouders kunnen niets goed doen en mijn verloofde verdenk ik ook telkens van dingen die misschien niet eens waar zijn. Ik mag wel uitkijken, anders kan ik dat eigen bedrijf op mijn buik schrijven. Met zo'n baan moet je kunnen incasseren.

Daarna ging ze bij Afra naar binnen, die haar verwelkomde met een opgeheven hand waaraan twee emmers hingen die ze van zolder had gehaald. De emmers stonden daar klaar voor het geval het ging regenen. Afra zou al gelukkig zijn als dat tenminste opgelost werd. Wat had ze toch dwaas lang gewacht met reparaties.

„Op zolder beginnen. Eerst het lek dichten, Mart." Coop pakte zijn brander en liep voor zijn broer uit naar boven.

Even later zat Martijn op de hoek van het dak. Hij zong. Het was beneden hoorbaar.

Afra glimlachte. „Aardig stel jongens. Je kunt goed zien dat het broers zijn."

„Ja, dat zijn ze. Aardig, bedoel ik. En nu wij. Aan de slag." Sandrine liep naar de ingebouwde kast. Ze zou het startsein zelf maar geven, anders bleven ze zitten. Het was wel iets dat Ronny, Afra en die Marianne Heringa gemeen hadden: ze bleven bij de troep zitten, terwijl haar handen jeukten om te beginnen. Ze opende de kastdeur en was verbaasd toen ze de overdaad aan serviesgoed zag. Er stonden stapels borden, schalen, kopjes en beeldjes door elkaar. Goedkoop hotelporselein stond naast een paar prachtige Makkumer aardewerken schalen.

„Is dit écht Afra? Wat prachtig!" Sandrine pakte een schaal uit de kast. De kleuren waren teer en het porselein tinkelde toen ze tegen de rand tikte.

„Kind, het zou best kunnen. Heb ik geërfd van een oudtante. Er staat hier rommel van generaties," zei Afra onverschillig.

„Wil je die kast daar niet gebruiken voor het mooiste sierwerk?" Sandrine stond te watertanden bij de porseleinen kopjes die naast emaillen kroesjes stonden. „Die is er precies geschikt voor. Er staan nu boeken in. Doodzonde."

„Als jij denkt dat het handig is?"

„Ik denk dat het mooi is," zei Sandrine.

„Mij best, kind. Ik verlaat me helemaal op jou. Ik heb die folders doorgekeken van de meubelwinkels. Zo simpel mogelijk. Alsjeblieft."

Een paar uur later was het lek in het dak gedicht en lagen de dakpannen weer op hun plaats. Inmiddels was het gaan regenen.

Tevreden keek Martijn naar het resultaat van zijn werk. „Geen druppel komt er door, Coop. Geen spat," zei hij tevreden.

De eerste planken hingen aan de muur en Coop verstevigde het hekje om het trapgat. Dat was te wankel naar zijn smaak.

Sandrine had samen met Afra de kast schoongemaakt en schalen en borden afgewassen. Ze keek naar buiten. Het spetterde nog steeds. Dat werd niets om nog in Afra's tuin te zitten.

„Zullen we bij mij even iets fris drinken?" stelde ze voor.

Afra lachte breed. „Dan zitten we netjes, wil je zeggen. Goed kind. Als je mij de drank maar mee laat nemen."

Met een arm vol flessen, in haar hand wat glazen en een stuk kaas, volgde ze Coop en Martijn naar Sandrines huis.

Martijn liep met zijn handen in zijn zakken door Sandrines met liefde ingerichte kamer. „Leuk staat dat, die blauwe wand met die witte deuren en kozijnen. Weer eens iets anders," prees hij.

„Dank je wel." Sandrine kreeg er een warm gevoel van. Wat was het prettig als mensen het zeiden als ze iets mooi vonden.

Ze opende de achterdeur. De vochtige avondlucht rook licht naar de kamperfoelie naast de deur.

„Coop, wil je eens kijken? Zou van dat schuurtje daar het dak kunnen blijven staan, zodat het een soort afdak wordt?" vroeg ze.

Coop keek naar het schuurtje dat tegen het huis was aangebouwd. De dakpannen waren begroeid met mos en muurpepers. Als je een halve zijmuur liet staan kon het best.

„Best te doen."

„Dan zet ik daar een tuinbank en een tafeltje onder," bedacht Sandrine. „Echt landelijk."

„Nee, niet landelijk, Daar doen ze dat niet. Daar staat een tractor of iets dergelijks onder een afdak. Dan zit je tenminste droog in je tuin als het regent," merkte Afra op en ze opende een fles.

„Tonic voor Sandrine. Bier voor jou, Martijn? En je zet er een hop, een paar clematissen en een blauwe regen bij," vervolgde ze tegen Sandrine terwijl ze de glazen volschonk.

„Volgende project," zei Martijn en nam een lange teug uit zijn bierglas. Verbaasd keek hij naar de bodem. „Wat is dit nu?"

Hij wees naar de witte laag met een paar zwarte vegen onder in zijn glas.

„Ach…" Afra pakte het hem uit zijn hand en hield het glas tegen het licht. „Daar heb ik vorige week een grote kaars in gehad. Die woei telkens uit in de wind toen ik hem op een schotel had neergezet. Het werkte wel. De vlam bleef tenminste aan. Hij is niet helemaal opgebrand zie ik nu. Het kaarsvet is er met de afwas niet uit gegaan. Excuus jongen."

Martijn keek vergenoegd naar de kleine vrouw met het sluike, grijze haar. Ze was al oud, maar had iets weg van het meisje dat een kamer had in het studentenhuis waar hij ook woonde. Net zo onverschillig en vrijheidslievend.

„Ik zet de kaarsen altijd in oude mosterdglazen. Is dat niet wat voor u?" stelde hij voor.

Sandrine schudde meewarig haar hoofd. „Mosterdglazen? Afra heeft prachtige kaarsenstandaards en ik heb ook een windglas gezien waar dat soort kaarsen in thuis hoort."

Ze stond op en haalde een ander glas voor Martijn uit haar eigen kast.

Afra leunde tegen de deur en keek naar buiten waar de regendroppels zwaarder werden. „Fijn dat ik geen emmers naar boven hoef te brengen. Dat was soms wel een heel werk. Zeker als ze nog overliepen ook."

„Dat is verleden tijd. Er komt geen druppel door als ik een dak heb gerepareerd," zei Martijn zelfverzekerd.

„Nou, daar vertrouw ik dan maar op." Ze pakte een flesje en wipte de dop er behendig af.

Afra leek niet op andere oudere dames, dacht Martijn voor de tweede keer die avond. Hij vond haar een origineel mens en hij hief zijn glas omhoog. „Proost mevrouw."

„Ach, doe niet zo gek. Zeg toch gewoon Afra," verzocht ze achteloos.

„Proost Afra." Hij grinnikte.

Als haar moeder dit hoorde, dacht Sandrine. Ze was blij dat dat niet het geval was. Haar ouders… Ze moest ze nodig bellen, dacht ze schuldig. Na het bezoek samen met Jasper, was ze er niet meer geweest. Bellen ja, maar niet vanavond.

„Volgende week komt Maria om de kamers schoon te maken. Ik ga er van uit dat die tussenmuur er dan uit is. Ze wil ook vast wel helpen met schilderen. Ik ben er zelf ook. Ik heb twee vrije dagen genomen. Ik moet voor die tijd alleen nog naar Heringa om ze de offerte te geven. En dat plan voor die sportkantine, daar moet ik ook mee aan de slag."

Sandrine stippelde haar programma verder uit. Ze vond het bijna jammer dat ze stoppen moesten.

„Ik heb nog vakantie. Als je wilt, kan ik volgende week helpen," bood Martijn aan. „Coop kan niet, want die moet eerst een stripverhaal afmaken."

„Graag," accepteerde Sandrine. Ze bedacht dat het verstandig zou zijn om het adres van een paar schilders in het telefoonboek op te zoeken. Maar eens rondvragen hier en daar.

„Vertel eens, welke strip teken je?" vroeg Afra geïnteresseerd.

„Freddie en Erica. Voor een kinderblad. En hij heeft er net nog een verzonnen. Voor het Noord-Hollands Nieuwsblad."

Martijn negeerde de blik die zijn broer op hem wierp. „Een goeie. In het huis waar ik een kamer heb, vinden ze hem geweldig. Het wordt volgende maand voor het eerst geplaatst, maar we hebben het in mijn huis uitgeprobeerd."

„Laat eens een keer zien," vroeg Afra.

„Ik moet hem nog verder uitwerken," weerde Coop af.

Martijn wierp een blik op Sandrine. Hij wilde iets zeggen, maar sloot zijn mond.

„Ik ben ook een kinderboek aan het illustreren. De tekeningen moeten volgende week af zijn."

De telefoon ging. Sandrine had het antwoordapparaat er nog op staan. De luidspreker stond hard aan. Het was Gerke, haar broer.

De stem klonk vervormd. Hard en metalig klaroende hij. „Hoi, San. Ik heb gehoord dat je een adviesbureau op wilt starten. Laat je er niet van afhouden door moeder en vader. Het lijkt me precies iets voor je. Bel me als ik je helpen kan. Als ik niets kan doen, moet je me evengoed bellen, want ik ben erg benieuwd naar wat je uitspookt op het moment."

Sandrines gezicht lichtte op. „Mijn broer. Hij vindt het leuk," zei ze verheugd.

„Had je hem niets verteld?" Afra keek verbaasd naar het gezichtje dat opeens zo veel levendiger was geworden.

„Wel dat ik plannen had, maar nog niet dat ik ben begonnen. Nu ja, zo ver ben ik tenslotte nog niet. De folders moeten nog gedrukt worden en ik moet een beetje publiciteit weten te krijgen. Dit zijn pas de eerste stappen."

Sandrine wist vaag waarom ze Gerke en Tanja niet meer had verteld dan dat ze een adviesbureau zou beginnen. Ze was bang voor spot. De reactie van haar ouders en Jasper had haar pijnlijk getroffen. Dat Gerke er zo positief op reageerde, deed haar goed.

„Het begint nu vorm te krijgen. Ik ben begonnen aan een draaiboek voor de advisering," vertelde ze. „Dingen waar mensen op moeten letten als het huis eenmaal in orde is."

„Dat moet je bij mij ook nog doen. Een soort beplanting en bemestingsschema om in tuintermen te blijven. Alleen dan in huis." Afra leunde achterover en keek Sandrines tuin in.

De regen was gestopt, maar droop nog steeds van de boom die achterin stond. Het werd donker. De langste dag was al weer voorbij.

Coop stond op. „Sandrine, ga je nog even mee naar de zolder? Ik wil weten wat je vindt van het systeem dat ik gebruik bij die planken en ik kan meteen kijken of het droog is gebleven. Ga je ook mee, Afra?"

Afra schudde haar hoofd. Ze was moe en ze wilde de rommel in haar huis even niet zien.

Sandrine liep achter Coop aan naar de zolder. Het was schemerig in de gang. Hij opende de deur naar de zolder. Het laatste licht viel door het dakraam naar binnen en wierp schaduwen op de trap. Coop stak zijn hand naar achteren. „Houd me vast, want je struikelt over de rommel. De elektriciteit leg ik morgen aan."

Sandrine legde haar hand in de zijne en stapte op de planken vloer. Hij nam haar mee naar de muur en wees. „Je had eigenlijk net nog moeten kijken. Nu is het al te donker. Nou ja, ik moest toch dat raam wat meer sluiten. Anders komt er een plens door naar binnen."

Sandrine tuurde naar de muur. De lichthouten planken waren verstelbaar en hingen stevig aan de staanders. Er was ruimte voor alle boeken die Afra op stapeltjes in huis had liggen.

Coop keek naar buiten. „Kijk, vleermuizen..." zei hij. Rond de boomtoppen cirkelden de beesten.

„Waar?" Sandrine kwam naast hem staan. Ze stak haar hoofd naar buiten. Vanaf de bovenkant van het raam vielen er een paar droppels op haar haar.

„In die boom daar. Nee, daar."

Hij duwde haar voor zich, pakte haar hoofd tussen zijn handen en hield het zo dat ze, naast de boom aan de zijkant van Afra's huis, de vleermuizen zag zwenken en dwarrelen rond de top.

Zijn armen waren langs haar lichaam. Hij was zo dichtbij haar dat het haar verwarde. Toch voelde ze niet de afkeer die ze vaak voelde als iemand ongevraagd dicht bij haar kwam staan. Als iemand haar rug streelde, kreeg ze nog steeds kippenvel. Zelfs als Jasper haar vasthield, had ze er last van.

„Erfenis van Veraert," had ze bitter voor zichzelf vastgesteld. Ze had Jasper nooit verteld over Veraert en zijn avances. Er viel ook zo weinig te vertellen. Ze vond het ook nog steeds gênant om er over te praten. Het was alleen het gevoel van onveiligheid dat haar af en toe hinderde.

Bij Coop had ze daar geen last van tot haar verbazing. Dat kwam omdat zijn handen haar een vertrouwd gevoel gaven. En hij hoefde niets van haar. Dat was het natuurlijk, dacht ze en ze leunde een paar tellen tegen zijn schouder.

Hij hoefde niets van haar en zij hoefde niets van hem. Ze hoorde hem ademhalen en voelde de warme lucht in haar hals. Ze deed een stap naar voren en keek omhoog naar zijn gezicht.

„Ik kom morgen na mijn werk kijken. Weet je dat ik het jammer vind dat ik er niet de hele dag kan zijn?" Ze sprak vlug en liep voor hem uit naar het hekje bij de trap.

„Voorzichtig Sandrine." Hij pakte haar vast en ging haar voor. Zijn hand hield de hare nog steeds vast. „Er ligt hier nog gereedschap. Straks struikel je."

Ze liep achter hem aan naar haar eigen huis, waar Afra en Martijn in een geanimeerd gesprek waren.

„We gaan, broertje," zei Coop kort. Zijn ogen leken erg donker.

Martijn stond op. Hij gaapte, rekte zich uit en zei vrolijk: „sorry, Afra, Sorry Sandrine."

In de week die volgde, hoorde Sandrine als ze thuis was, voortdurend de beide broers die sloopten, timmerden en boorden. Af en toe kon ze het niet laten om even poolshoogte te nemen en ze zag met genoegen hoe ruim en licht de kamer was geworden nadat de tussenmuur weg was.

's Avonds dronken ze bij haar koffie, omdat dat gemakkelijker was dan bij Afra. Het gruis verspreidde zich door het hele huis en belandde ook in de kopjes. Martijn zei dat hij wel stenen wilde bikken, maar dat hij niet zo ver ging om ze op te drinken.

Op een avond toen Jasper er was, kwamen ze ook.

Sandrine zette koffie en riep naar het buurhuis.

Jasper haalde zijn wenkbrauwen hoog op. „Als je met iedere toekomstige werknemer en klant koffie gaat drinken in de avonduren, is je privé-leven er vlug aan," zei hij kritisch. „Wat moet die vent hier telkens, die Coop? Wat voor soort man is dat?"

Sandrine hield haar hoofd schuin en keek hem met heldere ogen geamuseerd aan. „Jaloers?"

„Och heden, nee," zei Jasper. „Maar het valt me op dat je het nog al eens over hem hebt. En over die Afra. Ik vind het nog steeds een vreemd mens. Als je zo oud bent en dan midden in de nacht plantjes in de grond zet, is er volgens mij iets mis met je.

Mijn moeder heeft haar wel eens ontmoet. Ze zaten in een werkgroep voor opvang van buitenlanders. Ze vindt haar ook typisch."

Hij gooide in een gewoontegebaar zijn autosleuteltjes in de lucht en ving ze weer op.

„Tja, een goede buur is heel wat waard," zei Sandrine wijsgerig. Ze zette de kopjes op het blad en pakte een pak stroopwafels.

„Jouw ouders bridgen toch met de buren?"

„Dat ligt anders. Dat zijn mensen van dezelfde leeftijd en ze hebben dezelfde achtergrond als mijn ouders."

„Tja," herhaalde Sandrine. En daarna zweeg ze, want Afra en Martijn kwamen door de achterdeur binnen.

Ze kon aan Jasper niet merken dat hij haar buurvrouw een gek mens vond. Hij was charmant en vroeg belangstellend naar de verbouwing.

Toen Coop binnenkwam bood hij hem een stoel aan en gedroeg zich als gastheer. Hij informeerde naar Coops werk, naar de studie van Martijn en naar Afra's baan. Toch wilde het gesprek op de een of andere manier niet vlotten.

Sandrine werd er onrustig van. Ze voelde zich in het gezelschap van haar buurvrouw en de broers op haar gemak en op de een of andere manier was de vanzelfsprekendheid waarmee ze de andere avonden koffie hadden gedronken, weg.

Afra bekeek haar met pientere, oplettende ogen en stond na tien minuten op met de mededeling dat ze nog veel te doen had.

Binnen een kwartier waren de andere twee ook verdwenen.

Jasper sloeg zijn ogen naar boven en zei: „Wat een saai stel. Ik beklaag je. Kijk nog eens goed rond naar mensen met wie je samen kunt werken en die een beetje inspirerender zijn. Barbara Huisman, dat zou een goeie voor je zijn. Is ook erg creatief. Je zou boffen als ze met je in zee wilde gaan. Ze had best aardige ideeën over de kantine. Heel stijlvol en chique. Maar daar zijn ze nog niet aan toe bij de club."

Sandrine keek hem aan. Haar ogen verraadden niets. „Ik ben heel tevreden met de gebroeders Lingers," zei ze alleen maar.

Jasper kwam op haar toe en sloeg zijn armen om haar heen. Zijn mond was warm in haar hals.

„Sandrine. Sannie van me," murmelde hij.

Het was al laat toen hij vertrok.

Sandrine maakte het plan voor de familie Heringa klaar en tot haar opluchting maakte Derk Heringa geen aanmerkingen op haar berekening van de kosten. Hij bekeek haar offerte vluchtig en zei: „Akkoord. Wanneer kun je beginnen?"

De afspraak werd gemaakt en Marianne bekende dat ze er aan de ene kant tegenop zag, maar aan de andere kant heel benieuwd was of het iets uit zou halen.

„Ik ben wel erg rommelig. En de kinderen ook." Haar gezicht stond schuldig.

„En Derk ook een tikkeltje," vulde Sandrine aan.

Derk staarde haar verbaasd aan. „Ik?"

„Ja. Jij!"

Dat denkbeeld stond hem niet aan. „Ik denk dat je je vergist," zei hij bars en zijn wangen schudden heen en weer.

Sandrine knikte hem vriendelijk toe. Hij zou het nog wel merken, dacht ze.

De laatste zaterdag van augustus wilde Sandrine besteden aan administratieve zaken. Ze moest een lijst samenstellen met dingen waarop ze moest letten bij Marianne Heringa.

Jasper ging op pad met een golfvriend, nadat hij eerst had geïnformeerd of Sandrine het erg vond dat hij niet, zoals meestal, bij haar kwam en of ze de renovatie voor de sportkantine al rond had.

Ze zei 'nee' op allebei de vragen.

„Dat is zo heerlijk met jou. Je claimt me niet," verklaarde Jasper.

Sandrine knikte. Ze herinnerde zich maar al te goed wat Jasper gezegd had over een ex-vriendin: "Als iemand me mijn vrijheid niet gunt, ben ik weg. Daar kan ik niet tegen."

Ze had het in haar oren geknoopt. Als ze Jasper wilde houden, zou ze hem los moeten laten. Het was af en toe moeilijk, maar ze had zich altijd groot gehouden als hij aankondigde dat hij een vrije dag niet bij haar, maar op een sportveld door zou brengen.

Wel veel vrije dagen de laatste tijd, dacht ze. Maar morgen kwam het alleen maar heel goed uit.

Als bevestiging dat ze op de goede weg was, omhelsde hij haar onstuimig.

„Jij schat van een Sandrine. Peter Varenhorst zegt dat je te goed voor me bent. Hij kon zelf wel een oogje op je hebben."

Jasper vond het prettig dat Sandrine zo'n goede indruk op zijn sportvriend had gemaakt. Hij streek haar haar naar achteren en drukte zijn lippen op haar mond.

„En niet te hard werken. Als je de tekeningen voor de sportkantine klaar hebt, doe je eerst eens lekker een tijdje niets. Je bent ook constant in touw voor die oude buurvrouw van je," zei hij en zijn mond gleed naar haar hals. „Straks eerst eens tijd voor mij reserveren."

Sandrine streek met haar hand over zijn haar en lachte.

„Of jij voor mij," zei ze. „En mijn buurvrouw is niet oud. Die wordt nooit oud. Daar is haar geest te jong voor."

Hij negeerde de laatste woorden. „Tijd reserveren voor jou. Doe ik," beloofde hij vlot en hij liep met verende passen op zijn auto toe.

9

De dag begon stralend. Sandrine sloeg de dubbele deuren naar de tuin open en drentelde er in haar pyjama doorheen. Het was een wirwar van bloemen. Er stonden knaloranje goudsbloemen pal naast paarse en lila gekleurde floxen.

Het vorige jaar was die combinatie Sandrine niet opgevallen. Ze had het druk gehad met het renoveren en opknappen van haar huis. Of misschien waren die goudsbloemen dit jaar pas aan komen waaien. In ieder geval stond het lelijk. Ze zou er iets aan doen. Maar niet nu.

Vlug douchte ze zich en na een haastig ontbijt liep ze naar het buurhuis, waar Afra in met verfvegen besmeurde kleren het raam stond schoon te maken.

„Maria komt ook straks," riep ze en ze zwaaide met een dweiltje naar Sandrine.

Maria was eerder in die week al bij Afra aan het werk geweest en ze had Sandrine toevertrouwd dat ze Afra een 'senora muy amable' vond. Amable, dat zou wel zoiets als aimabel zijn, dacht Sandrine. Afra was ook aardig.

Ze werkten hard door en aan het eind van de morgen was de kamer klaar. Sandrine was opgetogen over het resultaat. De kamer was ruim geworden en de witte wanden versterkten het effect.

„Precies wat ik hoopte," zei Afra en ze legde haar verfkwast op het parket. Sandrine en Maria grepen hem tegelijk.

„Geen verfvlekken op de nieuwe vloer," riep Sandrine ontzet en Maria foeterde: „Es loco."

Afra knikte schuldig. Dat had ze eerder gehoord die morgen en ze gaf Maria gelijk. Het was dwaas van haar.

Even later belde Gerke. Zijn stem klonk opgewonden. „San, ik probeer je al een tijdje te pakken te krijgen, waar zat je? Als je direct hier naar toe kunt komen, is er iemand die je wil interviewen voor de krant. Het is wel een provinciale krant, maar het is een begin. Wie weet hoe het verder loopt."

Gerke was altijd optimistisch. „Hij moet het stuk vanavond nog schrijven. Er viel een interview uit en hij moet de ruimte vullen. Lastig voor hem op zaterdag. Een wereldkans voor je. Ik heb een afspraak voor je gemaakt om drie uur."

„Wat leuk! Waar heb je afgesproken?" riep Sandrine warm van enthousiasme terwijl ze op haar horloge keek. „Komt hij hier naartoe?"

Ze keek om zich heen. Haar huis was opgeruimd als altijd en er stond een grote bos zonnebloemen op tafel.

„Nee, hij vraagt of je hier naar toe kunt komen. Bij ons thuis is niet handig." Hij lachte: „Niet voor het soort adviesbureau dat je begint tenminste. Ik heb de winkel voorgesteld. Vader en moeder weten het al. Ik heb ze net gebeld. Prima achtergrond voor een foto ook. Je hebt nog een uur. Stap in de auto."

„Ik kom." Sandrine zong de woorden.

Ze rende naar het buurhuis en legde struikelend over haar woorden uit dat ze meteen wegmoest.

„Trek dat mooie lichtgele pak aan," adviseerde Afra. „Zakelijk en toch heel fleurig."

„Dat je dat weet." Sandrine was verrast.

„Precies de kleur van mijn nieuwe helianthus," zei Afra.

„Dat had ik kunnen weten," zei Sandrine. Ze had gemerkt dat Afra alle kleuren vergeleek met bloemen.

Tegen drieën parkeerde Sandrine haar auto en liep door de Oude Kerkstraat naar de winkel van haar ouders. Het was nog druk op straat. Het toeristenseizoen was nog in volle gang. Ze stond even stil voor de etalage. Die zag er smaakvol uit. Een kroonluchter met geslepen kristallen glazen hing boven een kleine Engelse pendule die op een notenhouten tafel stond. Een antiek schaakspel stond er naast. De koning lag horizontaal. „Mat," mompelde Sandrine. Alle kleine dingen vielen haar opeens op. Het raamkozijn was donkerblauw en zat goed in de verf. Het waren allemaal bijkomstigheden die haar nu pas opvielen.

Ze deed haar best om zo kalm mogelijk te zijn en opende de deur.

De bel rinkelde melodieus.

Gerke kwam op haar toe. Hij wierp een snelle blik op zijn zuster en knikte goedkeurend.

„Je ziet er prima uit. Kom. Hij is er al. Ik zal je even voorstellen," zei hij zacht en hij liep voor haar uit naar de achterkant van de winkel, waar een man van middelbare leeftijd in gesprek was met mevrouw Rombouts.

„Sandrine Rombouts." Hij keek trots van zijn moeder naar zijn zuster. Ze zagen er allebei goed uit, vond hij.

„En dit is Edwin Verdonk. Journalist bij Het Kennemer Nieuwsblad.

Sandrine gaf een hand en haar moeder gaf ze een kus.

„Dag mam."

„Dag Sandrien."

Aan de hoge klank van haar moeders stem hoorde Sandrine dat ze in een stralend humeur was. Leuk. Haar moeder vond het fijn voor haar, dat ze geïnterviewd werd.

Verwachtingsvol keek Sandrine de journalist aan. Hij pakte een blocnote uit zijn zak en keek de winkel rond.

„Ik heb al verteld dat het een beetje in de genen zit," zei haar moeder. „Dat 'weten hoe een huis eruit moet zien'. En dan vertegenwoordig jij de praktische kant en ik meer de creatieve. Sandrine is echt een Pietje precies... ruimt alles op, is een beetje een boekhouder en ik moet het hebben van," ze knipte met haar vingers, „van invallen. Van ideeën. Dat kunt u aan de winkel natuurlijk wel zien."

Verdonk knikte. Charmante vrouw die Irma Rombouts.

„Ik vind Sandrine juist zo creatief," zei Gerke en hij wierp een waarschuwende blik naar zijn moeder.

Haar lach tinkelde door de winkel. „Voor jou is iets al vlug creatief lieverd. Ik vind ook dat Sandrine iets buitengewoon goed kan ordenen. Dat heeft ze echt van je vader... Die is ook zakelijk. En gelukkig maar, want twee van die warhoofden als ik, dan hadden we geen bloeiende zaak opgebouwd in twaalfenhalf jaar."

„Ach, zo lang al weer. En viert u dat over...?"

Edwin Verdonk keek haar aan. Zijn pen in de aanslag.

Sandrines vader kwam erbij staan. Hij keek vertederd naar zijn vrouw, die met glanzende ogen naar de journalist opkeek.

„Twaalfenhalf? Dat is al geweest, Irma?" zei hij glimlachend. „Vorig jaar toch?"

„Dat was niet de officiële opening. Het jubileum is pas over drie weken," verbeterde zijn vrouw hem.

„Toevallig. En wat gaat u daar aan doen?" De winkeldeur ging weer open en een jongeman met verwaaide haren kwam binnen. Hij had een tas over zijn schouder hangen en groette de aanwezigen met een achteloze zwaai.

„Hallo." Hij zette zijn tas neer en pakte er een camera uit.

„Plaatje met dit spul op de achtergrond?" Hij wees naar een kast die rood en geel glansde in het licht van een Tiffany lamp. Mevrouw Rombouts liep al in de richting en legde bevallig een hand op een stoel. „Zo?"

Hij knikte en drukte af. Het flitslicht zette de winkel even in een helle gloed. „Nog zo een?"

„Wacht even. Dit is niet helemaal de bedoeling," zei Gerke en deed een stap naar voren. „Sandrien?"

Onzeker keek Sandrine van Gerke naar de journalist.

Die wees met zijn pen naar Sandrine. „Ga er maar even bij staan meisje. Dat levert wel iets goeds op. Moeder en dochter. De één een geslaagde zakenvrouw en de dochter die in haar voetsporen wil gaan. Neem er eerst maar een paar, Thijs, dan kunnen we daarna verder."

De fotograaf zette Sandrine naast haar moeder en keek door een lens.

„Als u nu wijst met uw rechterhand, net alsof u iets uitlegt…"

Mevrouw Rombouts strekte haar ene hand uit, legde de andere op Sandrines arm. „Jammer dat je dat gele pak aanhebt. Het kleurt niet mooi bij mijn turkooizen jurk." Intussen glimlachte ze naar de fotograaf.

„Juist, precies. Als de dochter nu even door de knieën zakt en omhoog kijkt? '

„Zakken," zei moeder en ze duwde Sandrine naar beneden.

Ze zakte door haar knieën, overbluft door de situatie.

„Helemaal goed. Heb je dat Thijs?" riep Edwin Verdonk.

De fotograaf stak een duim op.

Sandrine keek op naar haar moeder, die tevreden naar de camera bleef kijken.

„Nog een. Goed zo, die blik. Heel treffend," prees de journalist.

Gerke voelde zich onbehaaglijk bij het tafereeltje. Dit was werkelijk de omgekeerde wereld. Sandrine, die alles voor haar moeder had geregeld en nog regelde, werd hier neergezet als een dochter die haar talent aan haar moeder had te danken. En zijn moeder was degene die dat verkeerde beeld neerzette.

„Je zou toch mijn zus interviewen? Het gaat om een nieuw soort adviesbureau," probeerde hij de situatie recht te trekken.

„Dat komt, dat komt." De journalist keek op zijn horloge.

„Nog even een plaatje van de winkel. Meneer er ook bij. En wanneer was dat jubileum?"

Mevrouw Irma Rombouts dacht even na en zei toen beslist: „Eind september. Niets bijzonders. Een etentje met degene die altijd achter ons heeft gestaan en de hele dag koffie met gebak voor de klanten."

„Moeten ze dan nog wat kopen?" Edwin Verdonk keek schalks.

„Het liefst wel," lachte Sandrines vader. „Maar het hoeft niet."

„Juist. Dat heb ik. Dan nu nog even… Hoe heet je? Sandrine was het?

Sandrine, vertel eens." Hij keek weer op zijn horloge. Als hij opschoot, had hij de zaterdagavond vrij. Het viel hem mee dat hij gemakkelijk een vervanging had gekregen voor de populaire zanger die opeens niet beschikbaar bleek te zijn.

Sandrine zocht naar de juiste zinnen om vlug het doel en de opzet van haar bureau uit de doeken te doen, maar de woorden bleven in haar mond steken. Ze hakkelde, bloosde beschaamd en zweeg.

„Gunst Sandrine," Mevrouw Rombouts drukte haar wang tegen de wang van haar dochter die iets beneden haar gezicht was. „Zal ik het woord maar even voor je doen?"

Haar man wilde iets zeggen, maar ze hief een hand op. „Nee, het moet even duidelijk worden wat voor zaak Sandrine wil beginnen."

Met een paar zinnen zette ze uiteen wat de opzet van het adviesbureau zou zijn. Tot Sandrines verrassing deed haar moeder dat puntig en goed. Ze sloot haar uitleg af met een beschermend lachje naar haar dochter en de woorden: Sandrines bureau staat nog in de kinderschoenen, maar we zijn er allemaal zeker van dat ze dezelfde ondernemingsgeest als haar vader en moeder bezit. Ze zal mensen die zelf niet zo praktisch zijn, uit de problemen kunnen helpen."

„Hulp," schreef Verdonk en klapte zijn blocnote dicht.

„Dat komt goed," zei hij tevreden. „Ik ga het uitwerken en maandag staat het erin."

Irma en Frits Rombouts brachten de journalist naar de deur.

Gerke en Sandrine stonden tegenover elkaar. In hun ogen stond verbijstering.

„Dit was niet de bedoeling," zei Gerke ongelukkig. „Als ik dat geweten had, had ik hem nooit hier naartoe meegenomen. Moeder…"

Hij zweeg even en barstte toen uit: „Dit geloof je toch niet? Om jezelf zo op de voorgrond te dringen ten koste van..." Hij sloeg even zijn armen om zijn zusje heen. „Het spijt me zo, Sanny."

Sandrine haalde diep adem. „Jij kunt er niets aan doen. Misschien kan zij er ook wel niets aan doen."

Mevrouw en meneer Rombouts draaiden zich om. De hakken van mevrouw tikten op het parket en vader Rombouts schudde zijn hoofd.

„Sandrine, ik vond het een beetje dom van je om niet beter voorbereid te zijn. Als een gelegenheid als deze zich voordoet, moet je je kans kunnen grijpen. Je kunt van je moeder leren."

„Nou, dat is waar," viel Gerke hem woedend in de rede.

„Moeder benut haar kansen zo goed, dat ze een ander niet de gelegenheid geeft hetzelfde te doen. Sandrine heeft geen moment de ruimte gekregen. Mama had die al ingevuld."

„O, nou is het mijn schuld weer," zei mevrouw Rombouts verongelijkt.

„Kan ik er iets aan doen dat die man geïnteresseerd was in onze zaak? Net nu we twaalfenhalf jaar bestaan..."

„De zaak bestaat helemaal geen twaalfenhalf jaar. Dat was een jaar geleden," zei Sandrine verslagen.

Ze wist niet eens zeker of haar moeder zich ervan bewust was hoe ze haar in de wielen had gereden.

„Officieel wel. We zullen een feestje organiseren, niet Frits? En je mag blij zijn dat ik tenminste heb uitgelegd wat je plannen zijn met dat bureautje. Ik vind het nog steeds dwaas, om zonder ervaring zoiets op te zetten, maar goed, daar hebben we het al over gehad."

Mevrouw Rombouts liep naar de kleine keuken die achter de winkel lag en keek bij het langslopen in de ronde antieke spiegel die naast de kast hing. Ze zag haar spiegelbeeld en glimlachte. Ze was fotogeniek, had iemand eens tegen haar gezegd. Ze zou een extra krant kopen, maandag.

Ze streek over haar heupen en vroeg: „Moeten jullie koffie?"

„Ik ga weer terug naar huis. Ik was aan het werk." Sandrine streek over haar voorhoofd. Haar slapen bonsden.

„Kom nu. Laten we eerst met elkaar koffiedrinken," stelde vader Rombouts voor. „Ik ben blij dat ik Sandrine weer eens zie. Je bent al een paar weken niet thuis geweest."

Hij zei niet dat het in huis ook zichtbaar werd.

Mevrouw Zwart had begin deze week gedreigd dat ze niet meer kwam. Ze was het zat dat er iedere morgen weer zoveel rommel lag. Het nam een groot deel van haar tijd in beslag om dat op te ruimen. Als ze een kwade bui had, gooide ze dingen die bewaard moesten worden, in de vuilnisbak.

Er waren papieren zoek. Hij hoopte dat Sandrine ze terug zou kunnen vinden en dat ze niet met de vuilnisman meegegaan waren.

Erg jammer dat Irma, die een goed zakelijk instinct had als het om hun bedrijf ging, het thuis niet wat ordelijker aan kon pakken. Wonderlijk en lastig.

Toch was dit geen geschikt moment om Sandrine te vragen of ze weer eens een beetje orde kon scheppen in de papierwinkel. Irma had deze middag wel veel tijd gevraagd voor hun eigen winkel. Dat had bescheidener gekund.

Hij kon zich Gerkes verontwaardiging wel een beetje voorstellen, al bleef het dom van Sandrine om niet beter haar woordje te doen. Ze wist toch dat ze haar moeder af en toe af moest remmen.

„De koffie is al gezet. Blijf nu nog even," drong hij aan.

Besluiteloos keek Sandrine naar haar broer.

„Ik rijd straks met je mee," zei Gerke strak.

„Ga jij weg? Wat ongezellig. We kunnen best wat vroeger sluiten," zei mevrouw Rombouts. Ze was teruggekomen met een blad met kopjes. Neuriënd zette ze alles op tafel.

Ze had echt niet door wat ze gedaan had, dacht Sandrine machteloos.

„Laten we maar een kop drinken, Ger. En je hoeft me niet thuis te brengen hoor. Ik red me wel."

„Natuurlijk redt Sandrine zich. Je hebt net een interview gehad dat je wel eens een eind op streek zou kunnen brengen. Hier… je koffie. En als jullie nu even blijven… Tanja en Fred komen straks ook nog. Ze zei vanmorgen dat ze jullie allebei al tijden niet heeft gezien. En ze heeft een nieuwtje." Moeder Rombouts lachte geheimzinnig en maakte een wiegend gebaar. „Maar ik zeg niets."

Gerke keek zijn zusje aan. „Wat doen we?"

Ondanks het doffe gevoel van teleurstelling wilde Sandrine niet zo naar huis gaan. Ze had inderdaad al een tijdje geen contact gehad met haar zusje en als dat nieuwtje was, wat ze aan haar moeders gebaar kon merken: een baby, wilde ze er bij zijn als Tanja het vertelde.

„Laten we nog maar even blijven."

„Zullen we de zaak nu maar dicht doen, Frits? Veel klanten zullen er niet meer komen. Bel dan even naar Tanja dat ze naar huis gaat. Ze zou hier naar toe komen."

„Dat is een goed idee," zei meneer Rombouts. Misschien kon Sandrine dan toch die papieren even opzoeken, dacht hij.

„Nee, laat haar maar hier naar toe komen. Zo veel tijd heb ik niet. Ik ben zo maar weggelopen," zei Sandrine.

„Zaterdagmiddag. Je hebt toch vrij?"

„Ik was bezig met mijn zaak," zei Sandrine beheerst.

„Ben je weer voor die buurvrouw van je aan de gang? Kijk maar uit. Dat is de zoveelste keer dat je hier weg moet omdat je daar bezig bent," merkte haar moeder op. „Ik hoop wel dat ze je goed betaalt. Denk erom dat je zakelijk blijft."

Ze had een verhoogde kleur. Het was toch opwindend, zo'n interview. Ze hadden misschien wel te weinig gebruik van de kranten gemaakt. Reclame was af en toe nodig, al liep de zaak goed op het moment. Ze moesten nog maar eens denken aan uitbreiding. Ze zou Sandrine toch eens leren hoe je dat aanpakte. Zo onhandig als ze deze middag was geweest... Je moest dat soort mannen een beetje over de bol aaien. Of je nu een kast of jezelf verkocht... dat maakte eigenlijk geen verschil.

Tanja arriveerde een kwartier later. Ze zag er blij en blozend uit.

„Ik heb al gezegd dat je een nieuwtje had," zei haar moeder.

Tanja's gezicht betrok.

„Wat heb je gezegd?"

„Alleen dat je een nieuwtje had en dat ik er verder geen woord over wilde zeggen." Voldaan sloeg Irma haar armen over elkaar. Haar ogen waren triomfantelijk gericht op haar jongste dochter.

„Wat flauw. Nu weet iedereen het meteen natuurlijk en ik had het zelf willen vertellen," zei Tanja teleurgesteld.

„Ik heb er geen woord over gezegd," zei mevrouw Rombouts.

„Ja moe. Ze zijn op hun achterhoofd gevallen?" viel Tanja uit. „Wat misselijk."

„Kom kom, Tanja," berispte haar vader haar.

Moeder glimlachte toegeeflijk. „Laat maar Frits. Hormonen. Dat is het. Daarom doet ze zo gek. Weet je nog hoe ik toen was?"

„Ja, Ja, Jaaah... Hormonen. Nou, jullie horen het. Sandrine, Gerke… We krijgen een baby. Als ik ooit een tweede kind krijg, is moeder de laatste die het hoort," stormde Tanja.

Irma Rombouts haalde haar schouders op.

Sandrine ging naar haar zusje toe en sloeg haar armen om haar heen.

„Fantastisch nieuws," zei ze warm. „Wanneer komt het en hoe voel je je? En wat zeiden de ouders van Fred?"

Tanja was weer snel afgeleid. „Ze vonden het geweldig. Het is daar ook de eerste in de familie. Freds Vader gaat de wieg zelf timmeren en zijn moeder helpt met de bekleding."

„Niet nodig. We hebben net een beeldschone wieg gekocht op de veiling gisteren. Een antieke. Ik heb hem voor jou bestemd," zei moeder.

„Nee. Freds vader maakt hem. Ik hoef geen antieke wieg. Dan ben ik bang voor bacteriën en vieze beestjes," zei Tanja knorrig. „En Fred vindt dat ook leuker, hè Fred?"

Fred knikte.

„We zien nog wel. Als je de wieg ziet, verander je wel van mening." Moeder gaf voorlopig niet op.

„Mijn vader maakt hem," zei Fred bedaard.

Sandrine keek naar het kalme gezicht van haar zwager. Hij was stil en leek teruggetrokken naast haar extraverte zusje. Maar op beslissende momenten wist hij van geen wijken. Moeder kon op haar kop gaan staan met haar aankoop, maar de wieg en alle andere beslissingen die de baby betroffen, zouden genomen worden door Fred, besefte Sandrine.

Ze benijdde haar zusje opeens om de man die zo onvoorwaardelijk achter haar stond.

Jasper was erop gesteld om in een goed blaadje te staan bij zijn aanstaande schoonouders. Niet omdat ze Sandrines ouders waren, maar omdat hij graag aardig gevonden wilde worden. Sandrine begreep het wel. Het was de houding van een enig kind, dat onzeker was over zijn verhouding met de buitenwereld. Fred was, terwijl hij minder populair was dan Jasper, veel zekerder van zichzelf. Sandrine begreep dat allemaal, maar soms wenste ze dat Jasper nog tien broers en zusters had. Dan was de aandacht ook iets minder op hem gericht. En dan mocht hij wat Sandrine betrof, een minder goede baan hebben, al zou Jasper dat niet met haar eens zijn.

Ze keek belangstellend naar haar zwager die over de rug van zijn vrouw wreef. Hij was iemand die je gemakkelijk over het hoofd zag.

Jasper keek neer op zijn zwager, die het in zijn ogen niet ver had geschopt met zijn baan als boekhouder bij een levensmiddelenhandel en vond Fred een beetje sullig. Net als haar moeder dat deed, besefte Sandrine. Zij onderschatte Fred ook.

„Goed hoor kind. Het was maar een idee van ons," suste vader Rombouts en hij keek vertederd naar zijn dochter.

Tanja's gezicht klaarde op. „San, wil jij me helpen met het inrichten van de babykamer? Je hebt altijd van die praktische ideeën."

Over het gezicht van mevrouw Rombouts verscheen een waas van misnoegen. „Dat zien we nog wel," zei ze. „Sandrine heeft het druk met dat rare zaakje van haar. De toekomstige grootmoeder is er ook nog. Je weet dat ik slag heb van inrichten en interieurs. Als Sandrine net bezig is met een klus…"

„O ja. Hoe kan ik dat nu vergeten. Hoe ging het interview vanmiddag?" zei Tanja hartelijk en ze keek haar zusje verontschuldigend aan.

„Dat ging prima," zei haar moeder. „Er zijn flink wat foto's gemaakt van de zaak. Ze vonden het erg leuk hier, de opzet en zo."

„Van de zaak?"

„Ja. De fotograaf was hier, dus hij heeft de winkel als achtergrond genomen."

„Niet handig," merkte Tanja op. „Het is hier niet echt opgeruimd."

„Dat verwacht ook niemand van een antiekzaak." Vader Rombouts had het gevoel dat iedereen op eieren moest lopen: zijn vrouw die telkens het verkeerde zei, Sandrine die teleurgesteld leek over het interview en Tanja die weigerde om haar moeder een beetje tegemoet te komen.

„Nee, niet van een antiekzaak, maar wel van een bedrijf zoals Sandrine op wil zetten. Hoe gaat het San, met dat gezin met die twee kinderen en al die kattenbeeldjes. Ben je er al begonnen?"

„Volgende week moet ik er naar toe voor een paar dagen. Ik neem er een paar vrije dagen voor op en natuurlijk wil ik je helpen als je de babykamer in gaat richten. Ik ga in het nieuwe jaar ook een opleiding binnenhuisarchitectuur doen. Dan kan ik meteen op jou oefenen." Sandrine was blij dat Tanja belangstelling had voor haar werk. Ze vergat het teleurgestelde gevoel van die middag. Haar kleine zusje kreeg een baby en het leek wel of dat feit haar gevoeliger maakte voor de aangelegenheden van een ander.

„Goed. Wordt er nog koffie gedronken?" Moeders gezicht was gemelijk geworden. Het zinde haar niet dat ze over het hoofd werd gezien door haar beide dochters.

„Thee. Voor mij thee. Ik kan helemaal niet tegen koffie. Ik word er doodmisselijk van," zei Tanja.

„Drinkt Fred nu ook telkens thee? Nee toch? Wat vervelend voor je," zei moeder met een plotseling meeleven voor haar schoonzoon.

„Mij kan het niet schelen. Ik drink koffie genoeg op kantoor."

„Nou, dan schenkt Sandrine een heerlijke kop thee voor je in. Het staat al klaar Sandrine," zei haar moeder.

Sandrine glimlachte vriendelijk naar het blonde gezicht.

„Nee, ik leer zo van u. Hoe ik interviews moet geven... hoe ik vlug thee inschenk en zo," zei ze.

„Leer jij van mama? Sinds wanneer is dat?" vroeg Tanja ongelovig.

„Sinds vanmiddag," zei Gerke meesmuilend. „Moeder heeft zich vanmiddag opgeworpen als onze grote coach."

Tanja keek met grote ogen naar haar moeder. „Hebt u dat tegen die journalist gezegd? Echt San?"

„Dat heb ik niet gezegd. Dat zag die man zelf," zei moeder.

„Wat een mop. Terwijl Sandrien altijd alles in huis deed vroeger. Dat had iemand toch recht moeten zetten."

Afkeurend keek Tanja haar moeder aan. Ze koos na de aanvaring van daarnet de kant van Sandrine. Normaal gaf haar dat te veel problemen, omdat moeder lang kon mokken en als de kinderen Rombouts iets vervelend vonden, was dat wel een mokkende moeder.

Gerke hoorde de woorden van zijn jongere zusje. Hij was het met haar eens, alleen had hij zich machteloos gevoeld onder de situatie deze middag. Die journalist was gefixeerd geweest op zijn moeder.

Hij had gehoopt dat Sandrine zelf een andere draai aan het gesprek zou geven, maar dat was niet gebeurd. Ze was nog steeds een beetje verlegen.

Hij nam het zichzelf kwalijk, terwijl hij naar het licht gebruinde gezicht van zijn zuster keek. De blauwe ogen keken mistroostig de winkel rond en bleven even op hem rusten. Ze glimlachte en knikte. De treurige trek verdween van haar gezicht. Ze nam hem niets kwalijk. Ze verwachtte niets van hem. Dat besef verhoogde zijn schuldgevoel.

Wat waren er weinig mensen die haar in bescherming namen. Vroeger tante Antonia, maar verder? Ook hij had het er vanmiddag bij laten zitten. Soms voelde hij zich nog steeds het bange jongetje dat de goedkeuring van zijn moeder nodig had. En moeder was daar zuinig mee geweest. O, wel in woorden... Lieverd, schat, in overvloed gebruikte ze die woorden, maar echte goedkeuring? Nee. De kinderen waren een soort stoffering van haar leven. Meer niet. Zelfs Tanja kwam niet op de eerste plaats. Ze had er zich op verheugd om te vertellen van de baby die zou komen. En moeder had haar de primeur ontnomen. Hij wist zelfs op dit moment niet goed hoe zijn houding moest zijn tegenover zijn moeder. Ze preste Sandrine om koffie in te schenken, bijna alsof ze bij haar in dienst was. Hij stond op en pakte het serveerblad.

„Laat mij jou eens inschenken, San. Na alle keren dat jij voor ons in touw bent geweest," zei hij.

„Sandrine? En ik dan?" Met een klein lachje om haar roze gestifte mond keek zijn moeder hem aan. Ze had altijd kunnen rekenen op de toewijding van haar zoon. Meisjes waren moeilijker dan jongens. Dat had ze zo vaak tegen haar klanten gezegd.

Voor hij iets kon zeggen, gaf Tanja antwoord.

„Nee mam, Sandrine liep altijd te bedienen. Als ze dat niet deed, wist u er wel iets op te vinden dat ze toch aan het werk ging," zei ze onbewimpeld. Haar moeder knipperde met haar ogen en zweeg beledigd. Nota bene. Tanja, haar favoriete dochter zei zoiets. Dat was de dank dat ze haar vroeger vervelende klusjes bespaard had. Sandrine was er zoveel beter in geweest. Als die iets deed, was het tenminste goed geweest. En Sandrine deed het graag, dat had ze altijd geweten. Het was niet voor niets dat ze nu met zo'n vreemd bedrijfje begon. Ze had bij haar een goede leerschool gehad. Dat had die journalist vanmiddag goed gezien. Sandrine had veel aan haar te danken. Welke moeder toonde zo veel vertrouwen in een kind als zij had gedaan?

Maar een beetje dankbaarheid...? Ho maar.

„We moeten het niet al te laat maken vanmiddag," zei ze midden in een zin van haar man. „Ik wil een beetje op tijd bij de Van der Ankertjes zijn."

Hij keek haar verbaasd aan, maar zweeg.

Het deed Sandrine goed dat haar broer en zuster deze keer één front met haar vormden. Ze realiseerde zich wel dat ze dat te danken had aan de wrevel van Tanja over de loslippigheid van haar moeder, maar toch. Ze stond er niet alleen voor. Niet zoals ze eerder die middag had gedacht toen haar moeder het interview naar zich toe had getrokken.

Gerke schonk de koffie in en zette een doos gebak neer die hij had meegenomen om het succes van zijn zusje te vieren. Fred glimlachte. Hij keerde terug naar de auto en haalde ook een doos gebak tevoorschijn.

„Breng maar weer terug. Lekker voor morgen, of we stoppen het in de vriezer," zei Tanja met een verlekkerd gezicht.

„Gunst al die taart om zo'n onnozel interviewtje," zei moeder misnoegd.

„Nee. Voor de baby natuurlijk," zei Tanja. „Toch? Gerke?"

„Voor de baby en voor het interview," schipperde Gerke en hij lachte tegen zijn zusje.

Tegen zessen ging Sandrine met haar zus en zwager mee naar huis. Tanja had opeens behoefte aan de aanwezigheid van haar zusje. Fred vond alles best. Als de familie Tanja maar niet van streek maakte. Vader en moeder gingen bridgen, zoals ze dat op zaterdagavond gewend waren. Irma Rombouts wist niet zeker of ze haar vriendin iets zou vertellen over de vreemde houding die haar kinderen af en toe innamen. Toch een beetje gênant. Straks dacht ze nog dat het aan haar lag. Nee, ze zou erover zwijgen. Alleen tegen haar man zou ze zeggen hoe miskend ze zich voelde.

Gerke had die avond nog een afspraak met een paar vrienden, maar hij besloot die af te zeggen. Het was al weer een tijdje geleden dat hij zijn zusters had gezien. Bij hun ouders thuis kwam je zo zelden tot een gesprek. Waar dat aan lag? Hij wist het niet.

Toen ze bij het gerieflijke eengezinshuis aankwamen dat Fred en Tanja hadden gekocht, zei Tanja, terwijl ze peinzend over haar maag streek: „Ik heb zo'n zin in pannenkoeken. Gek hè? Ik dacht dat ik in deze periode niets zou kunnen eten, maar dat is helemaal niet waar. Ik heb telkens trek. Nu ook weer."

„Waar heb je trek in?" vroeg Fred teder.

„In pannenkoeken." Haar ogen waren groot en rond. „Echt,

begrijp jij dat? In pannenkoeken! Anders raak ik ze niet aan."

„Dat zei je al... maar wat voor pannenkoeken."

„Met spek. En een met kaas. En jij Sandrine?"

„Ook! Precies hetzelfde. Een met kaas en een met spek. En stroop."

Tanja giechelde. „Als het zo doorgaat, kom ik minstens dertig kilo aan."

„Welnee." Sandrine keek naar het tengere figuurtje van haar zus. Ze kon zich haar nog niet voorstellen met een rond buikje. Ze was altijd zo slank geweest. Dat zou heus niet veranderen.

Fred bakte die avond pannenkoeken als een driesterrenkok.

„Dat had ik nooit achter je gezocht." Gerke hield zijn bord nog eens bij.

„Hij is heel handig," praalde Tanja. „Echt waar. Hij lijkt precies op Sandrine. Ze zijn niet druk, maar je kunt er een..." ze vond 'huis' een beetje te karig klinken en vervolgde: „Je kunt er een kathedraal op bouwen!"

Sandrine en Fred keken elkaar aan en zagen het voorzichtige begin van waardering in beider ogen. Sandrine was blij dat haar zwager eindelijk een beetje meer 'familie' werd. Hij was haar vreemd gebleven het eerste jaar dat hij met haar zusje getrouwd was. Ze wist niet waar dat aan had gelegen, maar ze vond het fijn dat dat tenminste voorbij leek te zijn.

Die avond was Sandrine tegen twaalven thuis. In het buurhuis was alles donker. Ze vroeg zich af hoe het was geworden, nu de plafonds gewit waren. Wat jammer van haar middag. Gelukkig hadden de avond bij Tanja en het gezelschap van haar zwager en broer dat goed gemaakt. Nog even dacht ze met een gevoel van spijt aan het mislukken van het interview. Dat was haar eigen schuld geweest. Ze moest leren om zich anders te gedragen. Voor ze wist hoe ze dat moest aanpakken, viel ze in slaap.

10

S andrine reed in haar kleine auto door het polderlandschap. Je kon zien dat het eind van de zomer in zicht kwam. Ze zag het aan de bomen die langs de evenwijdig lopende wegen stonden. Het frisse voorjaarsgroen was er af. Er verschenen al gele bladeren in de populieren rondom de boomgaard rechts van de weg.

De spitse torentjes van de dorpen tekenden zich af tegen de blauwgrijze horizon. De grote stolpboerderijen lagen breed en genoeglijk achter de dijken. Ze vertraagde haar vaart. Op een erf was een boer bezig met het verwijderen van stenen van zijn erf. Aan de zijkant lagen grote betontegels.

Jammer van zo'n erf, dacht ze. Die kleine stenen waren eigenlijk best mooi. Boerengeeltjes heetten ze officieel. Ze zou er wel een terras achter het huis van willen hebben. Zelfs in een keuken misstonden ze niet.

In een keuken? Ze stopte en reed langzaam achteruit. De sportkantine kwam haar voor de geest. Als die tegels mooi zouden staan in een keuken, zouden ze zeker mooi staan op de vloer van zo'n kantine. En buitengewoon praktisch was het ook, zo'n stenen vloer. Vaag schuldig bedacht ze dat ze het erbij had laten zitten met haar ontwerp voor een andere inrichting van de kantine. Er waren excuses voor, maar toch…

Ze reed de modderige oprit in en liep op haar tenen door de blubber.

Vervelend dat het net geregend had. Enfin, ze hoefde vandaag niet naar kantoor. Dat scheelde weer.

Ze had veel eerder een dag minder moeten gaan werken. Heerlijk om wat vrije tijd te hebben. Vanmiddag zou ze bij de familie Heringa doorbrengen, maar dit was een buitenkans als ze zich niet vergiste.

De boer richtte zich op en zette een hand in zijn zij. „Zo moidje," zei hij in het zangerige dialect van de streek. „Wat ken ik voor je doen?"

„Wat gaat u met die stenen doen?" Sandrine wees naar de hoop op elkaar gegooide stenen.

„Die gaan weg, me kind."

„Zijn ze te koop?"

„Moid, as je ze voor me weg wil halen, ben 'k bloid zat."

„Echt?" Sandrine probeerde niet al te verheugd te kijken. Ze grabbelde in haar jaszak en pakte haar mobiele telefoon.

„Welja." Hij stak een sigaret op die hij uit de borstzak van zijn overal haalde en keek haar met toegeknepen ogen aan.

„Hoeveel vierkante meter is dit?" vroeg ze

„Zou het twee honderd vijftig zijn?" peinsde hij. „Beetje aan de krappe kant misschien, maar veel meer zal het niet zijn."

Uit het huis klonk een vrouwenstem. „Sake... Je mag niet roken van de dokter!"

„Met een schuldig gezicht stak de man de sigaretten weer weg. D'r is geen lol meer aan," mompelde hij. „Moeders heeft ogen in haar achterhoofd. Altijd gehad."

Een lange, magere vrouw kwam van achter de boerderij op hen toe.

Ze nam Sandrine op met een welwillende blik. „Zo kind."

„Dag mevrouw." Sandrine knikte naar de scherpe ogen, die klein leken door de overhangende oogleden.

„Mannen," zei de vrouw, „net kleine kinderen. Heeft ie de boodschap gekregen dat hij niet mag roken voor zijn hart en wat denk je? Staat-ie stiekem buiten te roken. 't Is een schande. Je vraagt om een aanval, man! En als je een infarct hebt, heb je spijt als de haren op je hoofd."

„Dat zal dan wel meevallen,"

Hij nam zijn pet van zijn hoofd en streek door het dunne kransje haar dat om zijn schedel lag.

„Ik zeg al," herhaalde hij en richtte zich weer tot Sandrine:

„D'r is geen lol meer an. Geen sigaretje, geen neut en geen biljartavondje in de kroeg omdatter gerookt wordt. Het leven is er niet leuker op geworden."

„Maar je kunt je kleinkinders zien, dus niet zo peeuwen," was het gemoedelijke antwoord van de vrouw. Ze lachte tegen Sandrine en schudde tegelijk haar hoofd. In haar ogen stond 'mannen' te lezen.

Sandrine begreep dat peeuwen een ander woord voor klagen was en vond het tweetal vermakelijk.

„Moet je effies bellen om die tegeltjes op te laten halen zeker?" veronderstelde de boer.

„Ja, klopt," zei Sandrine.

De vrouw vestigde haar blik op Sandrine. „Wat moet je met al die stenen, kind? Wil je een straatje leggen?"

„Nou nee, ik zoek een vloer voor een sportkantine. Ik zag deze stenen en ik dacht: waarom niet," legde Sandrine uit.

„Je hebt gelijk, kind. Zeker zo'n gebouwtje waar telkens jongens met modderige poten naar binnen komen? Dan ben je niks waard ook. En een biertje op zijn tijd? Dacht ik al."

Sandrine grabbelde een balpen uit haar tas en vond een papiertje. De telefoon ging over. „Jasper?" vroeg ze.

„Ja. Wat? Ik moet zo naar een bespreking. Alles loopt uit vandaag." Zijn stem klonk geïrriteerd.

„Het telefoonnummer van Varenhorst? Kan dat niet wachten? Hier is het: 06…"

Voor ze 'bedankt' kon zeggen, had hij de verbinding verbroken.

Sandrine keek nadenkend op haar mobieltje. Ze viel hem toch nooit lastig op zijn werk? Nu ja. Hij moest naar een vergadering toe. Uit eigen ervaring wist ze hoe vervelend het was als er privé gesprekken binnenkwamen als je hard aan het werk was. Ze tikte het nummer van Peter Varenhorst in en lichtte hem kort in.

Hij was verrast en zei: „Hoe laat is het? Ik ben er binnen een halfuur. Hoe moet ik rijden?"

„Ben je niet aan het werk?" vroeg Sandrine. „Ik kan anders vanavond wel terugkomen. Als ik maar kan zeggen dat we de stenen komen halen."

„Nee. Ik kan hier wel weg. Dat is het voordeel van een eigen zaak. Tenminste als jij tijd hebt om nog even te wachten."

Sandrine weifelde. „Als je er voor half twaalf bent, red ik het wel. Ik heb een afspraak om twee uur."

„Komt goed. Ik rijd nu meteen weg."

Ze stopte haar telefoontje weg. „Zo, dat is geregeld. Er komt zo iemand," zei ze tegen de boerin.

„Dan kan je wel effies een kop koffie drinken," kondigde de boer aan. „Je hoeft niet buiten te wachten."

Sandrine volgde het paar naar binnen door het kleine klompenhok, waar een verzameling modderige schoenen stond, naar de grote woonkeuken.

Midden in het vertrek stond een tafel met een helgeel gekleurd zeiltje er over heen. Langs een lange wand stond een aanrecht met daarboven rekken waarop een verzameling emaillen pannen en kommen stond.

De boerin zette een kop koffie voor alle drie neer en zette zich tegenover haar aan tafel naast haar man. In het vertrek hing een geur van koffie, pas gemaaid gras en mest.

De boer zette zijn ellebogen op tafel en gaf antwoord op Sandrines vragen over zijn bedrijf, Sandrine dronk de koffie, die heet en verrassend lekker was. Ze voelde zich op haar gemak in dit vertrek met de donkere balken en lage zoldering.

Binnen een halfuur reed Peter Varenhorst zijn auto de modderige oprijlaan in. Sandrine volgde het echtpaar naar buiten.

Peter stapte uit, stelde zich voor aan de boer en zijn vrouw. Hij had een gemakkelijke manier van omgaan met mensen.

Sandrine wees op de stapel donkergeel gekleurde bakstenen. „Kijk, boerengeeltjes."

„Ja." Hij keek haar niet begrijpend aan.

„Stel je even voor: de kantine krijgt witte wanden, kozijnen verf je donkerrood en op de vloer leg je deze stenen. Lange houten tafels... en je laat bij de houtfirma voor een zacht prijsje banken maken. Desnoods, als we op een veiling niets geschikts op de kop tikken, laat je van brede planken ook tafels maken die je bruin beitst. Je krijgt door die vloer de uitstraling van een Oudhollandse herberg..."

Ze keek hem vol verwachting aan. Zou hij het voor zich zien? Je moest genoeg voorstellingsvermogen hebben om het beeld voor ogen te krijgen. Peter keek peinzend naar de stenen.

Denk de blubber weg, dacht Sandrine. Ze wou dat ze een luikje in zijn hoofd open kon doen om hem haar visioen van de kantine te laten zien.

„Peter?" Haar stem klonk onzeker.

Er brak een lach door op zijn gezicht en hij stak vergenoegd zijn handen in zijn zakken. „Ik begrijp wat je bedoelt. Dat geeft een fantastisch effect. En het is meteen geen ramp als de junioren naar binnen komen na een wedstrijd met gras en smurrie aan hun voeten.

Tegen die kleine gasten is niets bestand. Geweldig idee Sandrine." Vol waardering keek hij haar aan en liep op de hoop stenen af. Hij nam er één in zijn hand en verwijderde wat modder.

„Ja. Dat zie ik helemaal zitten. Alles eerst goed schoonmaken. De hogedrukspuit er op, denk ik zo."

Hij wendde zich naar de boer die met zijn handen in zijn zakken had staan wachten.

„We nemen ze."

„Mooi." De boer wilde alles meteen afhandelen. Het speet hem dat hij gezegd had dat dat juffertje die stenen voor niets op kon halen. Die jonge vent had er best wat geld voor over en als hij de auto zag waarmee dat heerschap rondreed, kon hij wel wat missen ook.

„Wanneer kom je de zooi ophalen?" vroeg hij spijtig.

Peter dacht even na. Als hij een vrachtwagen charterde bij de houtzaak van Eddy, kon hij alles zaterdag op laten halen, rekende hij.

„Zaterdag. En boter bij de vis. Is honderd genoeg?"

„Maak er honderd vijfentwintig van," zei de boer verheugd.

„Nee Karel." De boerin greep in. Deze morgen had ze haar man nog horen klagen dat de rommel hem zo in de weg lag en dat hij wilde dat de tegelhandel de troep maar had meegenomen. Hij mocht blij zijn dat ze zonder moeite verdwenen van het erf. Het was niet nodig om jonge mensen het vel over de neus te halen. Ze hadden het ook vast niet op stapeltjes liggen.

„Ze krijgen het voor niets. Dat had je met dat moidje afgesproken."

De boer aarzelde even en lachte daarna een beetje zuur. „Jullie horen het. Het hoofdbestuur heeft gesproken. Het kost jullie niets."

„Het hoofdbestuur zegt dat afspraak afspraak is," reageerde de boerin. Haar tanige, gebruinde gezicht trok zich samen in een netwerk van rimpeltjes. Van buiten een en al rimpel en van binnen onkreukbaar, dacht Sandrine.

Peter haalde zijn portefeuille tevoorschijn. „Onzin, wij zijn er blij mee. Honderd euro. Hier en hartelijk bedankt." Hij stopte de boer twee briefjes van vijftig euro in de hand.

„Mooi," zei de boer onaangedaan en stopte het geld in de zak van zijn overal. „Wij kunnen tenminste zaken doen. Laat die vrouwen maar. En zaterdag ophalen."

„Karel!" mopperde zijn vrouw.

„Laat nou toch, mevrouw. Stop het maar in de spaarpot van de kleinkinderen." Peter lachte, stak zijn hand uit en drukte de harde eeltige hand van de boer. „Tot ziens. Tot zaterdag."

Hoofdschuddend keek de boerin van haar man naar Sandrine en Peter.

„Tegen de afspraak," zei ze.

„Kunnen wij nog even overleggen?" vroeg Peter aan Sandrine, nadat zij afscheid had genomen en ze naar de auto terug liepen.

Ze knikte en stelde voor: „Bij de kantine?"

„Wilde ik ook zeggen." Peter Varenhorst keek goedkeurend naar de jonge vrouw. „Rijd je met me mee?"

„Nee. Ik ben zelf met de auto."

Sandrine zwaaide toen ze weg reed.

Een halfuur later parkeerde ze bij het sportveld. De auto van Peter stond er al en hij was al bij het portier van haar auto voor ze uit kon stappen. Hoffelijk opende hij de deur en hij liep met haar mee naar de kantine. Voor het eerst viel hem ook de gang naar de keuken op. Dat zeil zag er ook zeldzaam goor uit. Vreemd dat hij dat nu pas zag. Al die tijd was het goed genoeg geweest en nu vond hij het er niet meer uitzien. Die stoeltjes hadden hun tijd gehad. Veel zittingen waren gescheurd.

„Kijk, zie je wat ik bedoel?" wees Sandrine toen ze in de grote ruimte waren. Het klonk hol, zo zonder mensen. Haar stem weerkaatste in de zaal.

„Dit allemaal wit. Als je er geld voor hebt, zou ik het laten stucken, geloof ik. Dan kun je de muren ook goed schoonmaken," adviseerde ze.

„Is het niet het verstandigst om alles nog voor de winter klaar te hebben?" overwoog Peter hardop.

„Zou ik inderdaad proberen. Ik weet niet met hoeveel mensen je dit wilt doen?"

„Dat is geen probleem. Ik kan er zo tien aan het werk zetten. Die jongens zijn beledigd als je ze niet vraagt om mee te helpen. Ik schat dat ik er twee weken zoet mee ben. Die kozijnen... zo klaar. Zes ramen en dan nog zes deuren. Als we stenen over hebben, leggen we meteen ook een vloer in de gang en de keuken, want die zien er ook vreselijk uit. Ik ben benieuwd wat de anderen ervan zullen zeggen." Peter keek tevreden rond. Hij zag het resultaat al voor zich.

„Ik bel meteen met Eddy van de houthandel. Als hij er een beetje haast achter zet, hebben we binnen een paar weken banken. Wat vind je... moeten we nog kijken op een veiling naar oude tafels?"

Sandrine knikte. „Ik zou het doen. Op de een of andere manier maken die het echter. Als je tenminste gaat voor een Oudhollandse sfeer in de kantine. Misschien kunnen we eerst nog even bij een paar kringloopwinkels kijken. Je kunt er ook alleen naar toe gaan, of met die Barbara. Die houdt toch ook van een beetje experimenteren met meubels?"

Ze zei het zo onverschillig mogelijk, maar haar hart bonsde opeens.

„Met mijn nichtje?" Hij trok zijn wenkbrauwen op. „Die heeft van inrichten geen kaas gegeten. Ongelooflijk onpraktisch kind. Die is in staat om hier vloerbedekking van wol neer te leggen als je haar haar gang laat gaan. Verstand van de junioren als een ijsbeer van de tropen."

Sandrine lachte. Peter had een andere kijk op Barbara dan Jasper. Ze betrapte zich er op dat ze dat diep in haar hart prettig vond. Een tikje kleinzielig was dat wel, gaf ze toe, maar ze was het zat dat Jasper die Barbara zo ophemelde. Was ze jaloers? Vast.

En ze had er reden voor ook, dacht ze.

Toen zag ze op de ronde klok aan de muur hoe laat het was. In gedachten noteerde ze dat die klok ook vervangen moest worden. Haastig nam ze afscheid van Peter.

„Ik bel je wanneer er een veiling is. Het is verstandig om te wachten met het laten maken van de banken tot we weten hoe lang de tafels zijn. Dat moet een beetje bij elkaar passen."

„Ja. En alvast hartelijk bedankt voor je tijd."

Hij keek haar na met een zorgelijke blik in zijn ogen. Hij vond haar aardig. Eigenlijk te aardig. Dat maakte iemand kwetsbaar.

Hij dacht aan de houding van zijn nichtje Barbara tegenover Jasper. Net een beetje té flirterig naar zijn zin. Als hij Sandrine niet zo aardig vond, zou het hem niet interesseren, want Jasper liet hem koud. Nu hij Sandrine een paar keer ontmoet had, vond hij het niet prettig dat Barbara en Jasper zo veel met elkaar omgingen.

Hoewel hij er zijn hoofd om wilde verwedden dat het niets betekende. Hij kende zijn nichtje.

Net op tijd arriveerde Sandrine bij het huis van de familie Heringa. Ze pakte de plastic bakjes en kleine rieten manden, waarvan ze een groot aantal had aangeschaft, van de achterbank en liep het pad op.

Marianne opende de deur voor ze aan kon bellen.

De gang stond vol met lege verhuisdozen. Marianne zag Sandrines blik. „Voor de dingen die weg moeten," zei ze. „Dat was toch de bedoeling?"

„Handig," prees Sandrine. Ze volgde Marianne naar de keuken.

„Die vriend van je, Coop, is geweest. We hebben nu een vaste trap naar de vliering. Hij staat niet eens in de weg, zegt Derk," babbelde Marianne.

„Hij heeft ook een paar lage kasten gemaakt. Dat was zo klaar. Hij had het in de werkplaats al voorbereid, zei hij. Maar ik heb er nog niets in gezet. Coop zei: "wacht maar tot Sandrine er is." Dus eh, dat heb ik maar gedaan."

Marianne keek naar Sandrine. Ze hield haar hoofd schuin en had haar armen gevouwen voor haar middel.

Precies een kind dat vraagt om een complimentje, dacht Sandrine en ze gaf het haar gul. In stilte bedankte ze de afwezige Coop.

Stel je voor dat die vliering weer vol was gestouwd met rommel? Dan miste ze de ruimte om iets kwijt te kunnen dat niet strikt nodig was, maar toch niet weg mocht.

Ze begon in de keuken. Dat was er bij Ronny niet van gekomen en dat was niet praktisch geweest, achteraf.

Ze leerde van iedere keer dat ze een klus opknapte, dacht Sandrine.

Systematisch haalde ze kasten uit en overlegde met Marianne wat weg kon en wat beslist bewaard moest blijven. Binnen een halfuur waren er al twee verhuisdozen gevuld met lege plastic boterkuipjes en ijsdozen. Marianne keek verbaasd naar de stapel. „Ze leken zo handig voor in de vriezer," prevelde ze.

„Ja, maar honderden... Dat is een beetje erg royaal." Sandrine vulde een verhuisdoos tot de rand en duwde hem dicht. Ze wist nu uit ervaring dat ze die dozen mee moest mee nemen, anders kwamen haar cliënten in de verleiding om overbodige rommel toch weer in een kast te stoppen. Afra had met weemoed oude tijdschriften die ze jaren niet ingekeken had, weer uitgepakt toen Sandrine even weg was.

„Mijn familie spaarde ze voor me," verklaarde Marianne. „Daarom heb ik er zo veel."

„Ik dacht al dat je iedere dag een paar liter ijs had moeten wegwerken om deze voorraad te kweken," lachte Sandrine. Ze ruimde een stapel plastic dekseltjes weg.

Pakken meel die over de houdbaarheidsdatum heen waren, pakjes rozijntjes en blikken die bol stonden, gingen ook in de dozen.

„Zal ik die alvast even achter in mijn auto zetten? Dan zijn we daar van af." Sandrine gaf zichzelf een pluim voor haar tact.

„Ja, graag. Derk hoeft niet alles te zien." Marianne was inmiddels zo ver dat ze in Sandrine een bondgenote zag.

Maria zou later komen om de kastjes te soppen, had Sandrine met haar afgesproken. Ze was vroeg en arriveerde met een paar emmers, boenders en schoonmaakmiddelen. Nadat ze een keer in een huis was geweest waar de meest normale dingen niet voorradig waren, zorgde ze er voor dat er dweilen, lappen en schoonmaakspullen in haar kleine Renault lagen.

Haar zwarte haar had ze met gekleurde elastiekjes in een lange staart gebonden. Ze groette vriendelijk, vroeg aan Marianne waar ze moest beginnen en vulde alvast een paar emmers met sop.

„Beginnen…eh," zei Marianne. „Tja."

Maria wisselde een blik van verstandhouding met Sandrine en klom op de stevige kleine keukentrap die ze zelf meegenomen had. „Keukenkastjes maar?"

Sandrine knikte goedkeurend.

„Als Maria klaar is…zullen wij dan bekijken wat er terug in de kast moet?" vroeg ze vriendelijk aan de gastvrouw. Ze waakte ervoor om Marianne het gevoel te geven dat ze haar huis over nam.

Ze gaf advies. De beslissing lag bij de huisvrouw die haar hulp had gevraagd.

Marianne knikte en ging Sandrine voor naar de zolder.

Coop had over de hele breedte een lage kast getimmerd, die zo'n royaal bovenblad had dat hij als tafel te gebruiken was.

Verder was er een klerenkast getimmerd die genoeg ruimte bood aan winterjassen en kleding. Op de zolder hing nog de geur van nieuw hout.

„Zullen we beginnen met die grote kast op jullie slaapkamer?"

„Ja alsjeblieft. Het is een bakbeest van een kast, maar ik kan er nooit iets in vinden. Mijn ondergoed is altijd aan het zwerven," bekende Marianne toen ze de trap afdaalden.

„Heb ik iets op gevonden." Sandrine haalde de manden van beneden en hield er Marianne een paar voor.

„Het blijft handig om alles goed op te vouwen, maar zo blijven ze in ieder geval bij elkaar. Doodsimpel. In de kasten van de kinderen zetten we ze ook neer. Als je dat tenminste wilt. Ik raad het je wel aan, want het scheelt een hoop gezoek. Deze voor kousen en sokken.

Deze voor ondergoed? Misschien is het handig om er je lege parfumflesjes in te leggen. Je krijgt dan een zweem van je favoriete geurtje in je sokken."

„Waarom ben ik daar nu nooit op gekomen," vroeg Marianne zich hardop af. „Ik ben wel zo'n stommerd op huishoudelijk gebied. Derk heeft met mij echt een kat in de zak gekocht. En mijn moeder was zo netjes. Ons huis was altijd onberispelijk. Hij heeft vast gedacht dat ik net zo was en dat het er bij ons net zo uit zou zien. Maar daar was hij vlug achter. Ik ben gewoon een slons. Erg hè?"

„Jij bent weer goed in andere dingen," troostte Sandrine. „Je bent heel geduldig, je geeft je kinderen ruimte om creatief te zijn en het is hier evengoed heel gezellig. Iedereen heeft minstens één talent heb ik altijd gehoord."

Hoor mij nu weer eens, dacht ze. Psychologie van de koude grond.

„Zoals die gelijkenis in de bijbel," zei Marianne. „Enfin, ik stop tenminste niets in de grond. Ik zou veel te bang zijn dat ik niet meer wist waar ik het ene talent verstopt zou hebben. Ik werk er liever mee."

Sandrine schoot in de lach. Ze had inderdaad aan de gelijkenis van de talenten gedacht. Tante Antonia had het verhaal vaak voorgelezen:

De koning die wegging en zijn knechten allemaal een bedrag gaf. De een vijf, een twee en een kreeg één talent. Degenen die er meer hadden gekregen, gingen met het geld aan het werk en verdienden er net zo veel bij als ze hadden gekregen. Behalve degene met het ene talent. Die stopte het in de grond.

Waarom had tante Antonia dat verhaal zo vaak voorgelezen? Sandrine bedacht dat er een diepere betekenis achter moest hebben gezeten.

Tante Antonia had zelden iets zonder reden gedaan.

Misschien had ze het als een verontschuldiging voor haar moeder bedoeld? Dat die woekerde met haar talenten en dat het daarom niet zo erg was dat ze andere dingen liet zitten? Sandrine weifelde. Op de een of andere manier klopte dat niet.

Marianne vroeg haar aandacht. Ze haalde rigoureus de kast leeg en gooide alles op het brede bed. Daarna klom ze op een stoel en haalde ook de rommel die achter in de kast lag tevoorschijn.

„Ik wist het wel, ik wist het wel," zei ze voldaan en hield een paar lange sokken omhoog. „Mijn skisokken. Derk zei dat ik ze had weggegooid, maar ik wist zeker dat ze ergens lagen. En hier is een stola. Die heb ik ooit aangehad naar een feest."

Ze hield een azuurblauwe doek omhoog en spreidde die vervolgens over haar arm uit. „Beeldig hè?" De uiteinden die afgezet waren met franje hingen op de grond.

„Prachtig." Sandrine was vol bewondering voor de prachtige kleuren van de lange sjaal.

„Dit is eigenlijk best leuk," vervolgde Marianne. „En ik zag er zo tegenop!"

Ze stapte weer op de grond en keek Sandrine aan. „En nu?"

Sandrine vond haar vertederend. Ze wist dat Marianne bijna tien jaar ouder was dan zijzelf, maar toch voelde ze zich ouder.

„Als we vandaag nu eens alleen de keukenkastjes en deze kast doen. Daar hebben we onze handen al vol aan. En dan vragen we of Maria de zolder nog even een sopje wil geven," stelde ze voor.

Marianne vond het prima. Eigenlijk vond Marianne alles best, zolang ze maar van de rommel in huis af kwam.

Ze namen even een korte theepauze. Maria keek de grote kamer rond en zag de beeldjes van de katten. „Oh, los gatos. Muy benitos," zei ze.

„Si, es verdad," antwoordde Marianne.

Maria keek haar aan en sloeg haar handen in elkaar. „Oh, jij praat Spaans!"

Marianne knikte. „Niet goed hoor. Alleen maar een beetje school Spaans. Maar ik versta eenvoudige zinnetjes wel."

„En ik versta dat jij die katten mooi vindt, en dat jij het met haar eens bent," zei Sandrine nuchter. „En dat zonder één les Spaans."

„Klopt," zei Marianne. „Het is echt een logische taal, hè Maria?"

Sandrine vond het een goede gelegenheid om te vragen wat er met al die beeldjes van de katten moest gebeuren.

Net toen Marianne antwoord wilde geven, kwam Derk de kamer binnen. Hij groette wat kortaf en liet zich in een stoel zakken.

„En," vroeg hij.

Niemand gaf antwoord.

„Schiet het al op?"

„Sandrine wil weten wat er met je kattenverzameling moet gebeuren," zei zijn vrouw.

„Die moeten blijven staan vanzelfsprekend," antwoordde Derk verwonderd.

Och heden nee! dacht Sandrine. Daar zullen we het hebben. Een groot deel van de bende in de kamer wordt veroorzaakt door die kattenbeeldjes.

Ze kuchte. „Het maakt een erg onrustige indruk, Derk. En ze worden erg stoffig. Dat is toch zonde? Heb je al gedacht aan een vitrinekast. In die hoek daar bijvoorbeeld," opperde ze. „Dan komen ze veel meer tot hun recht dan zo verspreid door de kamer."

„Een vitrinekast?" Hij overwoog de mogelijkheid. Er was wat voor te zeggen. Het werd dan wel weer echt een verzameling. Hij keek met samengeknepen, kritische ogen naar het hooghartige kattensnuitje dat hem vanuit de rand van de boekenkast aanstaarde. Als hij deze dan vooraan zette.

„Dat duurt natuurlijk weer een tijd voor je zo'n ding in huis hebt. Tegenwoordig moet alles besteld worden bij een fabriek. En ik houd niet van moderne dingen, ook niet voor een verzameling. En nepantiek vind ik ook niets," merkte hij weerbarstig op.

„Ik weet wel ongeveer wat je bedoelt." Sandrine dacht aan de vitrinekast die ze bij haar ouders in de winkel had zien staan. Het was een hoekkast, gemaakt van glanzend notenhout en het glas in de deur had een roedeverdeling. Die zou hier goed staan. Alleen...

Derk naar de zaak van haar vader sturen? De weerzin kwam vanuit haar maagstreek omhoog. Bah. Toch was het wel praktisch. Het spaarde tijd en op de een of andere manier was ze er zeker van dat Derk die kast zou willen hebben.

Waarom vond ze het vervelend om hem naar de zaak van haar ouders toe te sturen? Ze gunde hen toch dat het bedrijf het goed deed?

Ja, maar ze wilde in haar werk niet met haar ouders te maken hebben.

Ze schreef het adres op een stukje papier en overhandigde het Derk.

„Als je zin hebt, moet je daar maar eens kijken. Het is bijna drie kwartier rijden, dus als je liever hier in de stad kijkt, kan ik me dat goed voorstellen. Doe vooral waar je zelf zin in hebt. Dat is misschien wel verstandiger ook," krabbelde ze terug.

Ze had spijt dat ze het adres aan hem gegeven had.

„Nee. Als Sandrine denkt dat daar een kast staat die hier past, dan moet je daar kijken. Alsjeblieft Derk. En neem de kinderen mee. Ze komen zo uit school. Dan kunnen wij nog even rustig doorwerken."

Marianne was ingenomen met Sandrines voorstel. Derk en zij hadden dezelfde smaak en ze ging er van uit dat Derk dit zelf op kon knappen. Zijn stem gaf trouwens toch altijd de doorslag bij dit soort aankopen. Dan kon hij het net zo goed alleen doen.

„Kijk, daar zijn ze al. Giel, Jetje, overal afblijven."

De kinderen liepen naar de keuken en zagen de verzameling spullen die in een open verhuisdoos lag.

Jetje bukte zich, pakte een plastic staafje omhoog en zei: „Dat zijn mijn stokjes om yoghurtijs te maken. Die vond ik vroeger heel lekker."

„Je moeder heeft er nog twaalf," zei Sandrine vriendelijk.

„Dat is dan twee dozijn," rekende Giel zakelijk voor. „Zal ik die soms naar Peter z'n moeder brengen? Ze hebben daar ook een grote vriezer."

„Alleen als je ze echt wegbrengt en niet stiekem in de schuur zet," antwoordde Marianne.

„Ik ga nu meteen," zei Giel bereidwillig.

„Dat kan niet, want jullie mogen met papa mee, Noord-Holland in. Jullie gaan een kast kopen," bedacht zijn moeder.

„We rijden wel langs het huis van Peter." Derk pakte zijn dochter bij de arm. „Kom op. Jetje. Even wat drinken en dan gaan we."

Ze waren binnen vijf minuten weg.

Hun moeder zag ze opgelucht verdwijnen. Een geluk dat Derk vandaag zo vroeg thuis was. Anders had ze de kinderen om zich heen gehad en dan waren haar handen gebonden. Het waren schatten, maar net zo wanordelijk als zijzelf. Ze wou dat ze Sandrine daarvoor ook om advies kon vragen.

„Wat zei je, Sandrine? Waar dit moet? Heb jij een goede plaats?"

Sandrine raadpleegde Marianne bij het inruimen van de kastjes. Ze vroeg welke dingen ze vaak gebruikte en zette vaasjes, bordjes en elektrische apparaten, die maar een paar keer per maand nodig waren, boven in de kastjes.

Maria was naar boven gegaan en had kasten en deuren op de slaapkamer en de zolder schoongemaakt.

Hoofdschuddend keek ze naar de inhoud van Mariannes klerenkast die op het bed lag. Ze vond sommige Hollandse vrouwen erg vreemd. Wie had er nu zoveel panty's en kousen? En in de helft ervan zaten gaten. Het leek wel alsof die vrouw ondergoed spaarde. En dan al die sjaaltjes. Ze kon wel een winkeltje beginnen.

Qué loco, dacht ze. Wat gek!

Ze liep naar beneden. „Sandrine, kasten en deuren schoon. Nog iets doen?"

„De ramen. Dat staat meteen zo helder."

Maria wist er alles van. De rommel van de vloer, de deuren en de ramen schoon... en dan leek het al heel wat in een huis.

Pas tegen zessen was Derk met de kinderen weer thuis. De keuken was opgeruimd en blonk. Tot Mariannes verrassing was er in de kastjes ruimte over.

„Kijk nou," zei ze voldaan en legde haar hand op een lege plank. „Wat een ruimte hè, Derk?"

„Dan kunnen deze ijsdingen wel weer terug. Peter z'n moeder was niet thuis en Peter zelf ook niet." Giel hield de ijsvormpjes omhoog en legde de gekleurde plasticvormen in de kast.

„Geen sprake van," zei Marianne ferm. „Dan gaan ze in de vuilnisbak."

„Dat is verspilling en dat mag niet, zegt de meester. We moeten zuinig omgaan met spullen." Giel keek triomfantelijk.

„Dan neem je ze morgen mee. Leg ze maar in de schuur. Die is nog niet opgeruimd. Derk, hoe is het afgelopen met de kast? Ben je geslaagd?"

„De kast wordt morgen bezorgd. Dat ding hoort hier thuis. Hij moet in de hoek van de kamer komen. Je zult het wel zien. Een leuk zaakje. Het was er druk. De eigenares zei dat ze vorige week nogal wat publiciteit had gehad, omdat ze over drie weken twaalfeneenhalf jaar bestaan. Dat werkt natuurlijk door. Ik had die kast net gekocht toen er iemand anders ook om kwam."

Sandrine stond even doodstil. Met dank aan Sandrine, dacht ze bitter.

11

Afra Davelaar stond in de voortuin toen Sandrine aan kwam rijden. Ze zwaaide met een brochure, liep naar de auto toe en wierp een belangstellende blik op de verhuisdozen op de achterbank.

„Verhuisplannen?"

„Nee. Lege boterkuipjes en plastic troep waardoor de keuken van een klant dichtslibde. Ze vond het zelf nogal gênant."

Sandrine zette de dozen op het pad. Er rolden een paar blauw met witte kuipjes uit. Ze duwde ze weer terug.

„Ach heden. Troost haar maar dat er meer zijn zoals zij," zei Afra meelevend. „Wat moet jij met die rommel?"

„Die dump ik morgen bij de afdeling grof vuil. Ik was bang dat, als ik ze liet staan, de kinderen of zijzelf er weer in gingen graven. Er zijn mensen die spijt krijgen als ze hun spulletjes weg doen. Ook al hebben ze er in tien jaar niet naar om gekeken." Sandrine lachte plagend naar haar buurvrouw, die een bos dieppaarse asters zorgvuldig op het lage tuinmuurtje had gelegd. In de voortuin pikte een merel een regenworm uit de grond.

„Ik weet er alles van. Maar nadat jij opgeruimd hebt, heb ik…" Afra legde haar hand onder haar magere schouder, „hand op mijn hart… erop gelet dat ik alles wat ik niet nodig heb, meteen weggooi. Behalve die oude tijdschriften dan. En ik moet zeggen, het bevalt me geweldig goed. Een tijd dat het scheelt om niet te hoeven zoeken naar mijn spullen! En nu is het nog niet eens allemaal op orde. Dat wordt helemaal fantastisch als Coop en Martijn klaar zijn. Heb je het al gezien nadat het geverfd is? Kom anders even kijken, dan kun je meteen hier een blik op werpen. De catalogus van het tuincentrum." Ze hield een kleurige folder omhoog. „Net gekregen."

„Fijn," zei Sandrine verheugd. „Ik kom zodra ik iets heb gegeten."

„Als je zin hebt in pizza, kun je bij mij aanschuiven," stelde Afra voor. „Ik heb net gebeld naar de pizzaboer. Ik had geen zin in koken en ik heb een loeres van een pizza besteld. Hij komt met een halfuurtje."

„Graag." De hartelijkheid van haar buurvrouw deed Sandrine goed.

„Ik kom er zo aan. Even mijn spullen opruimen."

„Neem deze asters mee. Ze zullen mooi staan op de lage tafel."
Met haar handen vol bloemen, verdween Sandrine in huis.

Een halfuur later zaten ze aan de pizza. De kartonnen doos stond op tafel en Afra en Sandrine deelden zusterlijk de grote pizza.

„Hoe is het afgelopen met het interview. Is het leuk geworden?" informeerde Afra, terwijl ze de tomatensaus van haar kin veegde.

Daarna viste ze een paar olijven van haar pizzapunt.

„Lekker zijn die dingen. Soms begrijp ik niet dat ik nog kook. Dit is toch verreweg het handigst."

„Gezond is anders," mompelde Sandrine. „Maar het is wel verrukkelijk."

Afra knikte instemmend en wees toen met haar vork naar Sandrine. „Interview?"

Sandrine vertelde haar kort hoe het interview was misgegaan, die zaterdagmiddag.

„En," vroeg Afra." Ben je erg woedend op je moeder?"

Sandrine haalde haar schouders op. „Daar schiet ik niet veel mee op, hè?"

„Maar je bent het wel," stelde Afra vast.

Sandrine dacht even na. „Nee, ik geloof het niet."

„Dat zou je anders wel moeten zijn. Dat is een gezondere reactie dan die gelaten houding van je. Je moeder pikt gewoon de lekkere brokken voor je neus weg."

„Ja, maar ze is nu eenmaal zo. Daar kan ze zelf ook niet veel aan doen."

Afra wierp een blik op Sandrines gezicht dat opeens treurig stond.

„Denk je? Een mens is nooit te oud om te veranderen," zei ze bedachtzaam.

„Je kent haar niet," zei Sandrine moe.

„Ik heb haar wel eens gezien, maar je hebt gelijk, ik ken haar niet." Afra zoog haar magere wangen naar binnen zodat haar jukbeenderen uitstaken en de witte rimpeltjes om haar ogen zichtbaar werden.

Ze voegde er in stilte aan toe: en wat ik over haar hoor, doet me niet naar een kennismaking verlangen. Ze legde een olijfpit op de rand van haar bord.

„Weet je dat ik niet geloof dat je niet woedend bent? Je wílt het niet zijn, maar dat is iets anders. Als je echt niet boos op haar bent, moet je je eens afvragen waarom je zo weinig naar je ouders toegaat. En als ze langs willen komen, houd je de boot af."

Ze keek naar het gezicht van haar jonge buurvrouw dat strak en verdrietig stond. Zo jong nog. En altijd een beetje eenzaam.

„Sandrine. Ik hoor je nooit meer zingen. Je zong altijd onder de douche," zei ze behoedzaam.

„Nou, daar mag je dan blij mee zijn, want ik zing zo vals als een kraai," ontweek Sandrine de vraag die achter Afra's opmerking zat.

Afra schudde haar hoofd. Ze zou maar niet zeggen dat ze Sandrine, als ze toevallig naast haar in de kerk zat, bij het 'Onze Vader', altijd hoorde stoppen bij: en vergeef ons onze schulden, gelijk ook wij vergeven onze schuldenaren. Dat kreeg ze kennelijk niet over haar lippen. Wat jammer. Wat zou ze die moeder graag eens flink van onder uit de zak geven.

„Je stopt je woede weg. Slecht voor je gezondheid, maar goed… genoeg over moe," zei ze toen resoluut.

„Ja. Laten we het eens over je huis hebben," zei Sandrine opgelucht. „Het wordt een plaatje, Afra!"

De kamer leek door de muur die weg was gebroken, drie keer zo groot. De kozijnen en deuren waren geschilderd, de muren en de plafonds waren crème wit. De kamer maakte zelfs met de oude meubelen erin een verzorgde indruk. Maria had de oude, antieke kast gewreven, zodat het bruine hout glansde. Vanuit de kamer keek je in de tuin waar de naderende herfst de krentenboompjes warmrood en geel kleurde.

„Ja hè? Jammer dat ik geen foto's gemaakt heb van de oude situatie," zei Afra spijtig. „Het verschil geeft een goed beeld van je bedrijf. Zo was het… en zo is het geworden!"

„Dat heeft Coop gedaan," stelde Sandrine haar gerust.

Coop had foto's genomen en de oude situatie vastgelegd.

„Handige jongens zijn dat, de gebroeders Lingers. Daar heb je een goed stel mensen aan. Trouwens, Maria is ook een parel. Ik vraag me af of ze niet iedere week langs kan komen om de zaak een beetje bij te houden. Ik ken mijn zwakheden. Zodra ik het een beetje druk heb, laat ik het schoonmaken er bij zitten."

„Ik denk dat het geen gek idee is," zei Sandrine eerlijk. Ze was er ook zeker van dat Afra alles liever deed dan schoonmaken.

„Maar als ik haar voor vast krijg, moet er ook iets geregeld worden voor het geval dat ze ziek wordt. En voor pensioen en dat soort dingen. Daar hebben we binnen de gemeente ook mee te maken."

„Coop weet daar alles van," zei Sandrine. „Laten we hem er maar naar vragen."

„Die man is van alle markten thuis. Dat komt natuurlijk door zijn beroep. Een freelancer loopt altijd wat meer risico dan iemand met een vast inkomen," merkte Afra op.

„Hij heeft mij in ieder geval goede raad gegeven," gaf Sandrine toe.

„Dat die jongen niet getrouwd is," verbaasde Afra zich. „Hij heeft keus zat. Er zijn genoeg meisjes die achter hem aanlopen, heb ik van Martijn gehoord. Maar hij heeft er geen zin in. „Weinig vertrouwen in de dames," zei Martijn. Je had het gezicht moeten zien dat hij erbij zette.

Sandrine kon het zich voorstellen. Martijn was erg expressief.

„Maar er zijn genoeg vrouwen die niet eerst naar de bankrekening kijken en dan naar de man. Als ik twintig jaar jonger was, wist ik het wel. Moet jij dit laatste stukje nog?"

Behendig schoof Afra het resterende stuk pizza op Sandrines bord.

„Nee dank je wel." Afwerend hield ze haar handen boven het bord.

„Het was heerlijk, maar ik moet toch al zo opletten. Alles zet aan bij mij." Ze streek met haar hand over haar heup.

„Doe niet zo gek. Je bent zo slank als een den."

Sandrine schudde energiek met haar hoofd. Haar bruine haar zwaaide mee. „Nee, echt niet."

Afra schoof het laatste stukje op een schoteltje en zette het in de ijskast. „Vanavond bij een glas wijn. Vast heerlijk."

„Je zei: jongen... Hoe oud denk je dat Coop is, Afra?"

„Vast een jaar of dertig," zei Afra. „Voor mij is dat een jongen."

Ze hoorde een auto stoppen en keek op.

„Als je over de duivel praat..." zei ze opgewekt. „We zullen het hem meteen vragen. Dat is Coops auto toch? O, hij gaat naar jou toe."

Ze wipte van haar stoel en tikte energiek op het raam waarbij ze op Sandrine wees.

„Hier zit ze," riep ze.

Coop sloeg zijn lange benen over de haag en stapte door de keukendeur naar binnen. Hij vulde de deuropening bijna met zijn lange gestalte. Zijn haar zat verward en krulde langs zijn wangen. Sandrines handen jeukten. Ze zou graag de schaar eens in zijn haar zetten. Het zou hem goed staan als het korter was.

„Op tijd voor de koffie... of wil je het laatste puntje pizza opmaken?" Afra hield het schoteltje omhoog.

„Ik lust het allebei wel." Hij ging zitten, strekte zijn benen en leunde met zijn handen op de kussens.

„Je moet vlug een andere bank kopen, Afra," vermaande hij. „Deze is slecht voor je rug."

„Ik zit nooit op de bank," protesteerde Afra.

„Dan is het slecht voor de ruggen van je gasten. Sandrine, ik heb een nieuwe klant voor je."

„Echt? Wie?"

„Een redacteur van een krant waar ik strips voor teken."

„Fijn." Sandrine keek verheugd van Afra naar Coop. „Zie je wel. Je moet het hebben van mond tot mondreclame."

„Nou, een beetje publiciteit is ook niet weg," zei Afra.

„Hoe...," begon Coop. Bijna onmerkbaar schudde Afra haar hoofd en Coop die had willen vragen hoe het interview in de krant was gekomen, veranderde van onderwerp. Hij tikte op de bank terwijl hij met zijn andere hand de schotel met pizza aannam.

„Wanneer gaan jullie nieuwe meubels kopen?" vervolgde hij. „Die bank steekt af bij de rest."

„Volgende week," zeiden Afra en Sandrine tegelijk.

Het volgende kwartier filosofeerden ze over meubelstijlen voor de kamer en Coop liet een schets zien van een omslag die hij aan het tekenen was voor een prentenboek.

Afra en Sandrine waren totaal vertederd door de beelden van een kleine jongen die met een gans door een verwilderde tuin liep.

De argeloosheid van het kind was zo goed getroffen dat het Sandrine ontroerde. „Heb je er nog meer?" vroeg ze gretig.

„In de auto ligt mijn map."

„Haal hem even. Tenminste, als je het niet vervelend vindt."

„Welnee."

Hij kwam even later terug met een map en legde hem op tafel.

„Mag ik?" Sandrine sloeg de map open en bekeek iedere tekening om hem vervolgens door te geven aan Afra. .

Nadat ze de laatste doorgeschoven had, keek ze Coop, die door de kamer drentelde, aan.

„Je bent echt goed!" Ze legde haar hand op de laatste tekening. Hij deed een paar stappen naar haar toe en keek neer op haar bruine haar dat in haar hals krulde. Zijn gezicht stond strak. Toen glimlachte hij en legde vluchtig een hand op haar wang.

„Lief van je."

„Nee. Ik vind ze gewoon mooi. Niets liefs aan," zei ze verlegen en bekeek de tekening nog eens nauwkeurig. Het jongetje had iets bekends. Toen keek ze omhoog. Dat mondje... die ogen...

„Jij zou dit zelf kunnen zijn. Als kind dan," constateerde ze. „Dat jongetje lijkt op jou."

Hij pakte de tekening op en hield hem op een armlengte en zei: „Dit is mijn neefje. Ik wist niet dat hij op mij leek."

„Je kijkt niet genoeg in de spiegel," zei Afra. „Als je haar korter was, zou het nog meer opvallen."

Coop antwoordde niet en borg de tekeningen weer zorgvuldig in de map.

Sandrine zag een verfvlek op de pijp van zijn spijkerbroek.

Waarom vond ze dat nu grappig en waarom had ze zin om de schaar in zijn haar te zetten? Een beetje vreemd was ze toch wel.

Afra legde haar ontwerp voor Sandrines tuin op tafel. Sandrine vertelde hoe ze aan tegels was gekomen.

Ongemerkt werd het elf uur en Sandrine geeuwde achter haar hand. De tranen sprongen in haar ogen.

„Jij moet naar bed," zei Afra en pakte de tuinfolders bij elkaar.

„Je hebt hard gewerkt vandaag. En ik ook. Coop, breng dat kind naar haar eigen huis en verdwijn."

Hij stond op en bood Sandrine met een buiging zijn arm. „Mevrouw..."

„Meneer." Ze stak een arm door de zijne en liep mee naar de buitendeur.

„Welterusten, Afra."

Afra keek ze na. Ze zag dat Coop even naar Sandrine toeboog alsof hij haar een kus wilde geven. Maar hij stond al weer recht overeind en gaf haar een klopje op haar schouder. Sandrine zwaaide naar hem toen hij naar zijn auto toeliep.

Afra vond het een boeiend stel mensen.

Het opknappen van haar huis had een paar neveneffecten. De kennismaking met een paar creatieve jonge mensen en de zorg die ze er ongemerkt bij had gekregen om hun problemen: Sandrine die zich afsloot voor haar woede en de wrok tegen haar ouders negeerde. Dat kind kreeg er nog narigheid mee. Je onderdrukte niet ongestraft je gevoelens.

Hoofdschuddend deed ze het nachtslot op de voordeur.

Jasper was voor vier weken naar het buitenland uitgezonden. Hij belde om de dag en Sandrine had een paar keer een e-mail van hem gekregen. Ze was benieuwd hoe zijn reactie zou zijn op haar voorstellen voor de kantine. Peter Varenhorst had haar gebeld dat ze begonnen waren met het schilderen van de kozijnen.

De stapel stenen lag schuin achter de kantine. Nadat de hogedrukspuit er op was gezet, waren van onder de modder de warme kleuren van de boerengeeltjes tevoorschijn gekomen.

De oude vloer was er al uit gesloopt. Sandrine was blij dat haar plannen zo goed ontvangen waren. Het was een gelegenheid om te laten zien wat ze kon, ook al verdiende ze er niets mee.

Het huis van het gezin Heringa werkte ze systematisch door. Ze zette Jetje met een bak water en een paar oude doeken aan het schoonmaken van alle beeldjes en miniatuurtjes die water verdroegen. Ze probeerde nog om Giel aan het opwrijven van de houten beeldjes te zetten, maar dat deed hij minachtend af als meidenwerk.

Sandrine lachte en voelde zich niet geroepen om hem op andere gedachten te brengen. Dat deden Marianne en Derk zelf maar.

Marianne was blij met de hoekkast en toen Sandrine hem in de hoek zag staan, gevuld met de miniatuurkatten, was ze enthousiast over het effect.

„Je reinste expositie," zei Derk trots. „Ik had dat al veel eerder moeten doen. Kijk Marie." Hij wees naar een kat die vooraan stond en met een schelmse uitdrukking op het driehoekige kopje de kamer inkeek.

„Weet je nog dat we haar in Oostenrijk hebben gekocht?"

Hij keek neer op het kleine, mollige figuurtje van zijn vrouw en sloeg een arm om haar heen. Marianne keek omhoog.

„Natuurlijk. Die man kon prachtig houtsnijden, Sandrine. Toen wij ze kochten was het nog zijn hobby. Later werden ze veel duurder," zei ze. „Hè Derk? Daar hebben we geluk mee gehad."

De greep van zijn arm werd vaster en hij lachte.

Sandrine vond het grappig dat één beeldje een hele stemming kon beïnvloeden. Tegelijk voelde ze iets knijpen in haar hartstreek.

Zouden zij en Jasper dat ook hebben, later...als ze een tijd getrouwd waren? Dat een bepaalde herinnering zo'n liefdevolle uitdrukking op hun gezichten kon brengen?

Ze was er niet zeker van.

„Kom Sandrine," zei ze streng tegen zichzelf. „Het is nu geen tijd om je met die onzin op te houden. Mensen zijn nu eenmaal niet hetzelfde."

Haar moeder belde ook. Ze wist dat Sandrine een paar dagen vrij had genomen en wilde graag dat ze thuis langskwam om een paar dingen op te zoeken.

„Papa is echt in alle staten. Hij kan een paar polissen niet vinden en natuurlijk zegt hij dat het mijn schuld is."

Sandrine had inmiddels de ervaring dat, als een huishouden niet liep, dat meestal niet alleen aan de vrouw lag. Ook de man was slordig. Dat was zo bij Ronny en Ben, bij Derk en Marianne en bij haar vader en moeder precies zo.

Van wie zijzelf haar ordelijke geest had geërfd? Geen idee. Dat moesten haar grootouders zijn geweest. Eigenschappen sloegen wel eens een generatie over.

Ze reed naar huis en pakte na een halfuur zoeken, waarbij ze automatisch opruimde, de papieren. Ze waren achter de kleine boekenkast gevallen.

„Nou ja!" pruttelde haar moeder. „Het is niets voor mij om daar rommel neer te leggen. Dat heeft je vader beslist zelf gedaan."

„Nee Irma," zei vader geprikkeld, „dat heb ik niet."

„Is niet meer te achterhalen," suste Sandrine. „Ze zijn er weer."

„Ja, gelukkig. Bedankt, Sandrien!"

„Ik wist wel dat ze tevoorschijn zouden komen, maar je kent hem. En nog iets...je moet de hartelijke groeten hebben van meneer Veraert. Hij was in de winkel vorige week,"zei haar moeder.

„Hij had het artikel gelezen in de krant en hij komt zeker naar de receptie van het twaalfenhalf jarig bestaan. Hij vond dat de zaak er prachtig uitzag. Hij vroeg naar je. Altijd belangstelling voor ons gehouden, dat zie je maar weer."

Ze zag de afwerende blik in Sandrines ogen en vervolgde: „Attent van die man. Ik heb nooit begrepen waarom jij zo afstandelijk tegen hem deed."

„Omdat hij geen afstand genoeg hield van mij," zei Sandrine spits.

Haar moeder luisterde niet. „Je zult hem nog wel zien. Een receptie in de winkel doet het vast goed. Het heeft in de krant gestaan dat we een jubileum hebben en het maakt natuurlijk een vreemde indruk als we er niets aan doen."

Vader Rombouts kuchte en keek behoedzaam naar Sandrine.

Hij vond het niet prettig dat zijn vrouw dit vertelde. Net zo min als hij het prettig vond dat Veraert kwam.

Hij voelde zich vaag schuldig tegenover zijn dochter, al had hij haar nooit met Veraert mee laten gaan. Hoe vaak de man ook aangeboden had om Sandrine mee te nemen naar een concert of een tentoonstelling… hij had de boot afgehouden.

Sandrine zou trouwens niet mee gegaan zijn. Dat had de weigering wat eenvoudiger gemaakt, moest hij toegeven.

„We hebben een cateringbedrijf in de arm genomen. Het kan eraf. De zaken gaan goed. We hebben de tijd mee," zei hij.

„Trek vooral iets leuks aan, San. We willen een beetje eer met jullie behalen," zei haar moeder. Ze keek in de ovale spiegel die boven de ladenkast hing die ze gisteren op een veiling hadden gekocht voor een zacht prijsje. Ze bracht haar hand naar haar mond en trok de huid boven haar mond glad. Het leek wel of ze daar weer een paar rimpeltjes erbij had gekregen. Vervelend was dat. Ze streek haar blonde haar naar achteren en keek naar Sandrine.

Haar dochter zag er fris en jong uit. Geen rimpeltje nog te bekennen in de bruin met roze gekleurde huid.

„Niet dat gele pakje dat je laatst aan had. Dat maakt je vaal en het is precies dezelfde kleur als het pakje dat ik net heb gekocht."

Sandrine speelde met de autosleutels in haar jaszak. Moeder kon het zo prettig zeggen, dacht ze ironisch.

„Wat moet ik aantrekken, ma?" vroeg ze. „Een zwart pakje misschien?"

Haar moeder nam haar keurend op. „Het kleedt wel fijn af. Daar moet je rekening mee houden, vind je niet? Je bent nooit zo'n poppetje geweest als Tanja en ik."

Meneer Rombouts hoorde de laatste woorden en legde een hand op Sandrines schouder en zei hartelijk. „Met Sandrine is niets mis. Ze is prachtig slank en dat gele pakje staat haar charmant. Je vond dat pakje van haar juist zo mooi, daarom heb je er ook zo een gekocht."

Sandrine waardeerde het dat haar vader dit zei, maar ze wist dat hij, als moeder de hele dag zou mokken, er vanavond spijt van zou hebben.

„Ik weet niet eens zeker of ik kan komen. Op wat voor dag is dat jubileum ook al weer?"

„Niet zeker of je kán? Je móet komen. Jij en Jasper, Gerke en Tanja en Fred. Wat zouden de mensen wel niet denken als jullie niet zouden komen?" zei vader op de autoritaire toon die hij graag aansloeg.

„Jasper is er niet. Hij is nog een maand weg. En jullie jubileum komt nogal onverwacht, toch?"

Haar vader verkoos hier niet op te antwoorden en moeder vroeg: „Blijf je eten?"

„Als u op me gerekend hebt?"

„Gerekend, gerekend…" Wrevelig keek Irma Rombouts naar haar dochter.

„Daar heb je het weer. Dat peuterige gedoe van je. Leer dat toch eens af."

„Niet dus?" constateerde Sandrine.

„Ik heb nog niets aan het eten gedaan. Ik kan er zo naar snakken om zelf eens verwend te worden. Altijd dat gezorg voor iedereen," zuchtte haar moeder klaaglijk.

Ze was moe. Doodmoe, dacht Sandrine op de terugweg. Die bezoekjes aan haar ouderlijk huis vraten energie. Zouden anderen dat nu ook hebben? Nee. Ze wist zeker van niet. Als Ronny naar huis ging, werd ze in de watten gelegd door haar moeder.

„Het gemeste kalf staat op tafel als we thuis komen," had Ronny eens verteld.

Dat was bij haar thuis niet het geval. „Dat leek meer op 'hond in de pot,', dacht Sandrine met galgenhumor. En anders wel op 'een kat in de zak'.

Niet meer aan denken. Het was niet anders. Ze zou vanavond Tanja bellen. Haar kleine zusje die een kind ging krijgen. Een baby. Wat heerlijk.

Ze dacht even aan Jasper. Zou hij net zo trots naar haar kijken als Fred naar Tanja als ze in verwachting zou zijn?

Ze wist niet eens of Jasper wel van kinderen hield. En ze waren toch al bijna een jaar met elkaar. Ze zou meer willen praten over de wezenlijke dingen. Jasper zei dat hij zijn ziel niet gemakkelijk in de etalage zette. Best. Maar om het helemaal nergens over te hebben? Hij ging naar de kerk. Maar of hij dat deed omdat hij dat zelf wilde, of omdat zijn ouders dat prettig vonden... daar kwam ze niet achter. Jasper voegde zich, als het hem uit kwam, gemakkelijk naar anderen.

Als ze over zoiets begon, zei hij spottend dat ze niet zo zwaar op de hand moest zijn en dat ze niet moest piekeren.

Piekeren! Ze mochten het toch wel eens over iets anders hebben dan over sport, werk of over een nieuwe auto?

Ach, misschien zeurde ze ook wel. Door de telefoon kon je nu eenmaal niet veel zeggen. Het begon met: hoe gaat het en eindigde met: hoe is het weer vandaag in Holland? en: weet je of we gewonnen hebben?

Tijdens de laatste twee gesprekken had hij gevraagd naar de reorganisatie van het clubhuis. Ze had hem verteld dat de eerste stap van het plan goed bij het bestuur was gevallen.

Hij had gezegd dat hij trots op haar was, dat hij van haar hield en dat hij wilde dat ze bij hem was. Wat wilde ze meer? Haar moeder had gelijk. Ze was een lastige zeur. Je hoefde gevoel niet altijd boven tafel te krijgen.

„Tafel? Tafels!" Ze schrok. Ze had Peter beloofd dat ze daar naar zou kijken. Eerst werk van maken.

12

Sandrine bracht een bezoek aan een paar kringloopwinkels in de omgeving. Tussendoor liep ze een boekwinkel binnen en kocht twee kinderboeken die Coop geïllustreerd had. Ze bekeek de omslag en moest lachen om de geestige tekeningen. Met een gevoel van trots bladerde ze de boeken door. Daarna legde ze ze op de achterbank en vervolgde ze haar zoektocht.

Twee winkels hadden niets voorradig op het moment. Bij de derde zaak zag ze twee lange tafels staan. De bovenbladen waren beschadigd, maar een schuurmachine deed wonderen, wist ze. Het hout was stevig en toen ze bukte en de onderkant bekeek, leek de constructie haar solide genoeg.

„Zijn dit jullie enige tafels?" vroeg ze de verkoper die prijskaartjes aan het schrijven was.

Hij keek op. „Nee, ik heb er nog vier."

„Zes in totaal dus?" Ze dacht na, pakte haar mobieltje en toetste het nummer van Peter Varenhorst in.

Hij was aangenaam verrast toen ze hem vertelde over haar tocht langs de kringloopwinkels.

„Lijkt het wat? Kun je daar op me wachten?" vroeg hij. „Ik loop al naar de auto toe."

„Is goed!" zei ze in haar nopjes met zijn reactie en drentelde naar een houten stoeltje met gebogen armleggers.

De verkoper kwam op haar toe. „Aardig dingetje, niet? Het hoort bij de tafel." Hij lachte uitnodigend. Zijn tanden, die groot en gelig waren, werden zichtbaar en Sandrine huiverde. Zo had ze zich vroeger de bek van grote, boze wolf voorgesteld. Hij kon beter niet te veel lachen. Ze wendde haar ogen af en keek naar de stoel waarop ze zat.

„Jammer dat het er maar een is." Ze tikte op de leuning.

„Een? Meid, ik heb net de inventaris van een bruine kroeg bijna cadeau gekregen. Ik heb er nog vijftig. De eigenaar raakte ze niet kwijt. Ik geef toe. Ze zijn erg kaal en dat toont een beetje armoedig, maar ze zijn best de moeite van het opknappen waard."

„Kost veel tijd," peinsde Sandrine.

„Zo is het. Ik zou er wel aan beginnen, maar iedere stoel vraagt zeker een uur werk."

Toen hij Sandrines geïnteresseerde blik zag, zwakte hij de werktijd af. Hij moest tenslotte wel van die stoelen af.

„Nou ja, zeg een halfuur. Maar dan hèb je ook iets!"

„Voor een club met tegen de honderd leden een peulenschil," rekende Sandrine in stilte uit.

„Je wilt ze natuurlijk het liefst in een klap kwijt," veronderstelde ze.

Hij leunde met zijn rug tegen de houten pilaar die in het midden van de winkel stond.

„Je moet wat opslagruimte hebben. Dat is het voornaamste. Om ze af te schuren en te lakken. Maar als je dat gedaan hebt, zijn ze zó," zei hij gemakkelijk. „Ik denk zo… als je grote tafels nodig hebt, kun je die stoeltjes ook vast wel gebruiken."

„Wie weet," ontweek Sandrine. „Wij denken meer aan lange banken. Dat kost vrijwel niets en ze zijn praktischer dan stoelen. Het is voor een clubhuis. Banken lijken me minder kwetsbaar."

„Lood om oud ijzer… en met stoelen maak je gemakkelijker een kring groter of kleiner en dat wil dat opgeschoten spul."

„Zou je wel eens gelijk in kunnen hebben," gaf Sandrine toe.

Peter was er binnen tien minuten.

Hij keek verwachtingsvol door het raam naar binnen. Sandrine stak haar hand op.

Gehaast kwam hij binnen. „Ik kan er een halfuur tussenuit knijpen," zei hij.

Sandrine legde haar hand op een tafel. „Twee twintig bij negentig."

„Geen gaaf bovenblad… maar."

Ze keken elkaar aan met een blik van verstandhouding.

„Niet té enthousiast," seinden haar ogen.

„Tja. Het hangt er een beetje vanaf hoeveel jullie er kopen. Als het bij die ene tafel blijft… moet ik natuurlijk meer vragen dan als je er een paar zou kopen."

Peter keek om zich heen. „Er staan er hier maar twee."

„De rest staat in de opslag. Hetzelfde als met die stoelen. We hebben er te veel om alles in de winkel te zetten."

„Hoeveel moet een tafel kosten?" vroeg Peter. Hij kreeg iets joviaals.

„Het prototype van een gewiekste inkoper," ontdekte Sandrine.

„Voor driehonderd mag je ze meenemen," bood de verkoper aan.

„Ben jij wel helemaal lekker?" vroeg Peter vriendelijk. „Honderd vijftig is nog een goed bod. Niet dát ik het bied, maar het zou een goed bod zijn."

„Of je bent een leek op houtgebied, of je wilt grappig zijn," reageerde de verkoper knorrig. „Voor die prijs heb je nog geen tuintafel en dan dit zware kastanjehout!"

„Hoeveel tafels heb je?" Peter negeerde de laatste woorden.

„Nog vijf in de opslag. Zoals ik al zei tegen dit meisje hier, ik heb in een dolle bui de inventaris van een bruin café opgekocht."

Sandrine verbeterde hem met een onschuldig gezicht: „Bijna gekregen toch? Dat zei je daarnet."

De verkoper negeerde haar. „Deze stoel hoort er eigenlijk bij. Daar staan er nog vijftig van. Als ik er mee ga adverteren, ben ik ze zo kwijt."

Sandrine zag Peter denken. Hij pakte een rekenmachine uit zijn zak en tikte een bedrag in. Hij hield de verkoper het scherm voor.

„Alles in één koop... Vijftig stoelen en zes tafels. Laten we er een mooie prijs van maken. Ben je er in één keer vanaf. Maak je nog een royale winst. Maar ik moet eerst de stoelen zien. Als ze gaar zijn van de houtworm, gaat er helemaal niets door. Ik treed op namens een club die het geld niet op hoopjes heeft liggen."

De verkoper pakte ook zijn rekenmachine. Hij keek naar het plafond en voerde een paar getallen in. Hij prevelde wat voor zich uit, schreef iets op een vel papier en zei:

„Het zou spotgoedkoop zijn... Vervoer is voor jullie rekening... Dan spring ik er nog een beetje uit. Als ik de zooi thuis moet bezorgen, lijd ik verlies op de partij."

„Zou ik niet willen," zei Peter nonchalant.

„Goed. Deal." De verkoper deed zijn best om niet verheugd te kijken en ook Peter hield zijn gezicht in de plooi.

Dit was de tweede keer dat Sandrine Peter zaken had zien doen.

Een illustratie van een paar bijbelwoorden die haar vader vaak gebruikte: "Slecht, zegt de koper. Slecht, maar als hij thuis is, verheugt hij zich over zijn aankoop."

Ze lachte naar Peter. Het was erg prettig dat hij genoeg fantasie had om het eindresultaat in te schatten.

Hij lachte terug en keek met vertedering in de donkerblauwe ogen die blij naar hem waren opgeslagen. Verdraaid, hij moest oppassen, anders verloor hij zijn nuchtere verstand nog bij dit kind. Om op te vreten. Maar goed. Hij zou niet onder andermans duiven schieten. Al hoefde hij niet eens zo veel scrupules te hebben tegenover Jasper. Hij wist nog steeds niet wat er speelde tussen zijn nichtje en die kerel. Barbara maar eens de pin op de neus zetten. Voorlopig zat Jasper in ieder geval in het buitenland.

„Wanneer komen jullie de zaak ophalen?" vroeg de verkoper en hij plakte al stickertjes op de tafels en de stoel.

„Ik moet eerst een vrachtwagen organiseren," zei Peter verstrooid. „Laat ik dat meteen maar doen."

Na een telefoontje had hij het geregeld.

Sandrine verbaasde zich erover hoe moeiteloos sommige mensen iets voor elkaar kregen.

Wat deed een beetje charme veel, dacht ze. Peter was typisch een zondagskind. Af en toe wenste ze dat ze ook iets van dat gemakkelijke had. Zij was altijd maar zo tobberig.

Ze liepen samen naar buiten. „Geweldig Sandy," zei Peter. Hij sloeg een arm om haar heen en kuste haar luchtig op haar wang.

Sandy… Heel vroeger had haar vader haar wel eens zo genoemd. Ze kreeg er een warm gevoel van.

„Ik was blij dat je zag hoe gemakkelijk die stoelen en die tafels opgeknapt kunnen worden. Dat had ik natuurlijk kunnen weten, want je keek ook door die blubber op de boerengeeltjes heen."

Sandrine keek nog even om. Door het etalageraam keek de verkoper hen na. Hij stak een hand op en lachte zijn tanden bloot.

„Ik loop wel hard van stapel. Formeel moeten er meer van het bestuur bij betrokken zijn natuurlijk, maar dit vroeg om een snelle beslissing. Ik ga er vanuit dat het goed is. Voor vijftienhonderd euro hebben we een hele inventaris op de kop getikt," zei Peter zorgeloos.

„Geen geld," bevestigde Sandrine. „Wel nog een behoorlijke klus om alles te schuren en te lakken."

„Liefje… denk aan de firma Eddy Vlieger. We hoeven er niet veel voor te betalen als we een paar zaterdagen hun werkplaats gebruiken. En de stoelen doen de junioren. We zetten er twaalf aan het werk. Als het een beetje droog weer is, kan dat buiten. En als alles klaar is, moet je zeggen wat je van ons krijgt."

„Niet nodig. Ik heb alleen advies gegeven," weerde Sandrine af.

Hij zei onverwacht serieus. „Onzin. Je hebt ons een smak geld bespaard, Sandrine."

„Daar ben ik blij om, Peter."

„Nee echt. Ik wil niet het idee hebben dat we je uitbuiten."

Ze trok een gezicht. „Uitbuiten... toe maar. Dat gebeurt niet zo vlug hoor. Daar ben ik zelf bij."

„Ja. M'n neus! Je laat je in een positie dringen waarin je bijna niet kunt weigeren. En ik ben net zo erg als Jasper, want ik heb er dankbaar gebruik van gemaakt."

Ze was even verrast. Toen legde ze een hand op zijn arm. „Lief van je, maar maak je geen zorgen. Mijn zaak begint te lopen en ik zou blij zijn als je een beetje reclame voor me zou willen maken. Er zijn overal mensen die een beetje coaching kunnen gebruiken in het huishouden. Dus..."

Ze hoorde haar eigen woorden en dacht: inderdaad, overal. Misschien had haar moeder vroeger ook zoiets als een coach moeten hebben.

„Wat is er, Sandrine? Iets niet in orde?" Peter keek opzij.

„Nee. Helemaal niet, ik bedacht opeens iets," zei ze verward.

De opgewekte uitdrukking was van haar gezicht verdwenen.

„Is het Jasper?"

„Jasper? Nee. Waarom?"

„Ik dacht zo maar..."

„Het is iets van vroeger... thuis."

Hij bleef haar afwachtend aan kijken.

„Niets belangrijks. Gewoon een gedachte die me inviel," zei ze.

Misschien zat ik er wel naast met mijn indruk over de verhouding tussen Barbara en Jasper, dacht hij en zei: „Je wordt vlug amicaal met elkaar op een sportclub. Die knuffelpartijen na een wedstrijd zijn schering en inslag. Daar moet je niets achter zoeken."

Ze keek hem verbaasd aan. „Maar dat weet ik toch?"

Peter gaf het op. „Kom op. Laten we ergens een kop koffie drinken," stelde hij voor. „Dat verdienen we wel."

„Je moest op tijd terug zijn," bracht ze hem onder ogen.

Hij trok een gezicht. Ze had gelijk. Hij was er zomaar tussen uit getrokken. Voor een uur niet erg, maar hij had deze middag nog een paar cliënten.

„Laten we dan iets afspreken," drong hij aan. „Wat doe je graag? Een concert, een musical, een film... zeg het maar."

Zijn steile haar viel voor zijn ogen en hij veegde het ongeduldig naar achteren.

„Je bent aardig," zei ze welgemeend.

„Maar?"

„Niets maar. Bel me gewoon, volgende week of zo." Ze was haar depressieve gevoel weer kwijt.

Aan het eind van de week kreeg ze vanuit Duitsland een boze Jasper aan de telefoon. Wat ze nu weer had bekokstoofd!

Was het nog niet genoeg dat er een straatje in plaats van een goede vloer kwam in hun clubgebouw? Moest ze ook nog een oude kroeg-inventaris opkopen. Wat bezielde haar. Wist ze wel wat voor figuur ze hem liet slaan? Alleen was Peter nooit op het idee gekomen van tweedehands spullen.

Sandrine zat perplex in haar stoel. Was het Jasper in zijn bol geslagen? Ze dacht na terwijl hij doorfoeterde.

„Hoe weet je dit eigenlijk allemaal? Ik heb het je niet verteld. Heeft iemand van het bestuur je gebeld?" Ze hield haar adem in. Als dat werkelijk zo was, ging Peter voor vijftienhonderd gulden het schip in.

„Nee… een paar anderen?"

„Een paar?"

„Eén… maar dat doet er niet toe."

Ze haalde opgelucht adem en zei koeltjes: „Bel Peter maar en geloof niet meteen alles wat Barbara zegt."

Ze hield de hoorn een eindje van haar oor bij zijn opgewonden commentaar. Toen legde ze de haak neer. Over twee weken kwam hij weer terug. Ze wist niet of ze daar wel zo blij mee was, al miste ze hem in bepaalde opzichten. Hij zou er ook volgende week zaterdag niet zijn. Zaterdag, de dag van die ellendige receptie.

Sandrine zag tegen de receptie van haar vader en moeder op. Ze had een uitnodiging gekregen op een kaart van geschept papier met gouden letters. In stijl… Ja, dat had ze kunnen verwachten…

Ze beet nadenkend op haar lip. Ze moest er alleen naar toe.

Jasper was er niet en ook al hadden ze op het moment geen ideale verstandhouding, ze had hem graag mee gehad.

Ze dacht een beetje treurig dat ze zich veel zekerder van zichzelf zou voelen als ze een vriend bij zich had wanneer ze Veraert ontmoette. Waarom wilde ze iemand in de buurt hebben?

Was ze nog steeds bang voor hem? Dat was onzin. Gerke zou er zijn... En Tanja en Fred? Dat moest genoeg zijn. Maar dat was het niet, dacht ze. Ze had iemand nodig die er helemaal voor haar zou zijn.

Ze belde Ronny of zij en Ben zin hadden om mee te gaan.

„We moeten naar mijn moeder het weekend, ze is jarig. Wat vervelend Sandrien," zei Ronny spijtig. „Maar weet je wat? Bel Coop," Sandrine keek verbaasd naar het plafond waar een spinnetje afdaalde. Ze zag de zwarte kriebelige pootjes en pakte voorzichtig een stukje papier om de spin buiten te gooien. „Coop? Doe niet zo raar!"

Ronny begon nadrukkelijk: „Coop is dé man voor zoiets. Hij is nooit onder de indruk of bang voor mensen. Ik denk dat hij de minister-president nog een penseel in de hand zou drukken als hij even zijn handen vrij wilde hebben en een kwast kwijt moest," zei ze met klem. „Echt Sandrine. Aan hem heb je meer dan aan ons."

Sandrine dacht na. Coop...

„Zou hij dat niet gek vinden?" aarzelde ze.

„Welnee. Coop vindt nooit iets gek. Die blijft onder alles stoïcijns. Hij komt toch bij je langs vanmiddag?"

Coop zou die middag komen om de maten van het afdak in Sandrines tuin op te nemen. Hij wilde het plaatsen voor het weer zou omslaan.

„Ja. Ik denk dat ik hem maar vraag," besloot Sandrine.

Een uur later keek Sandrine naar het brede gezicht met de wilde haardos en zag ze hoe minutieus hij met zijn grote handen de duimstok hanteerde.

Ze kneep haar handen in de zakken van haar spijkerbroek in elkaar en vroeg, terwijl hij nog met zijn rug naar haar toestond: „Coop, wil je volgende week met mij meegaan naar een receptie van de zaak van mijn ouders? Ik wil er eigenlijk liever niet alleen naar toe."

Hij draaide zich om. De grijze ogen namen haar onderzoekend op en hij zei: „Natuurlijk."

„Ik... Ik weet niet precies... Jasper is in het buitenland en Ronny en Ben kunnen niet. En..."

Ze liep vast in haar woorden en voelde zich warm worden. Toch een beetje raar om zoiets te vragen. Voorzichtig tastte haar blik zijn gezicht af.

Hij keek vriendelijk terug. Ze had hem net zo goed kunnen vragen of hij liever koffie dan thee wilde drinken. Ronny had gelijk.

„Natuurlijk ga ik mee. Als jij je daar prettiger bij voelt... Geen probleem. Moet ik erg netjes zijn of is het niet zo officieel?"

„Mijn moeder kennende, zou ze het liefst zien dat iedereen in een donker pak op kwam draven, maar een nette spijkerbroek met een colbertje is prima. Ik mag mijn gele pakje niet aan, want mijn moeder is al in het geel. Enfin, ik zie er altijd een beetje gewoontjes uit." De opluchting maakte Sandrine mededeelzaam.

„Gewoon? Jij?" Coop kneep zijn ogen halfdicht en bekeek haar van top tot teen. „Onzin!"

Ze bloosde ineens en hoopte dat hij dat niet zou zien.

„Ik bedoel dat mijn kleren nooit erg opwindend zijn. Ik draag buiten de deur meestal zwart, grijs of blauw. Komt ook door mijn werk natuurlijk."

„Wat heb je in je kast hangen?"

Ze wilde protesteren, maar realiseerde zich dat hij een betere kijk had op kleuren dan wie dan ook. Daar had ze het afgelopen halve jaar een paar keer een staaltje van gezien. Waarom zou ze er niet van profiteren?

„Kom mee naar boven."

Hij liep achter haar aan naar boven en wachtte bij de deur toen ze haar slaapkamer in ging.

„Ja, kom maar verder," zei ze ongeduldig en ze opende de deur van haar klerenkast.

Coop stapte de lichte, wit geverfde kamer binnen. Het lage bed stond in een hoek. Twee rieten stoeltjes pasten precies bij de kleine tafel voor het raam en de kussens die overal lagen waren grasgroen. De gordijnen waren gebloemd en hadden dezelfde licht groen met witte tinten als de meubels. Dit was de inrichting die hij had verwacht bij Sandrine.

Sandrine liet haar hand langs haar kleren glijden. Veel colbertjes, veel T-shirts en naast haar roodlinnen zomerse pakje alleen de gele combinatie die echt kleurig was.

„Dit is het meeste. Ik heb nog een paar jurken, maar die zijn te feestelijk. Moeilijk. Ik trek maar gewoon een colbertje aan. Mijn werkkleren."

„Geen colbertje!" Coop kwam dichterbij. Hij zag zichzelf in een flits in de lange spiegel aan de buitenkant van de deur en streek over zijn hoofd. „Allemensen. Zit mijn haar echt zo wild?"

Sandrine bekeek hem en hield haar hoofd schuin.

„Nogal," zei ze eerlijk. „Je zou het even moeten laten bijknippen."

„Dan moet ik naar een kapper en ik heb een trauma. Ik ben als kind in mijn oor geknipt en sindsdien wantrouw ik iedereen die met een schaar in de buurt van mijn nek komt," zei hij met een uitgestreken gezicht. „Ik was vroeger een vreselijk jongetje."

Sandrine liep om hem heen en probeerde niet te lachen. Meende hij dat nu?

„Als je mij vertrouwt... Ik beloof je dat ik niet mis knip," zei ze plechtig. Haar lippen trilden.

Hij keek haar aan en ze barstten in lachen uit.

„Je houdt me voor de gek."

„Echt niet. Maar ik weet het goed gemaakt. Ik kies een outfit voor jou en jij knipt mijn haar," stelde hij voor. „Doe nu die deur eens verder open. Of wacht, ga maar opzij."

Sandrine maakte plaats voor hem. Coop schoof hangertjes opzij en pakte na een paar minuten een fluwelige, donkerbruine kaftan. Sandrine noemde hem haar grote miskoop. Ze had zich tot de koop laten verleiden door de diepe glans van de stof.

Ze had hem nog nooit gedragen. Waar ze ook naar toeging, het leek nooit de goede gelegenheid om de kaftan aan te trekken.

„Dit," zei Coop. „En dan dit erover heen," Hij pakte een vlammend gekleurde sjaal uit de stapel die keurig op kleur in de kast lag.

„Is dat niet een beetje té?" vroeg Sandrine beducht.

„Nee. Luister. Je moeder heeft vast wel iets over je verteld. Dat je een zaak bent begonnen en waarschijnlijk heeft ze het een beetje erg huishoudelijk voorgesteld. Dat beeld gaan we wegwerken. Je verschijnt in iets uitbundigs. Doe eens aan!"

Sandrine keek hem onzeker aan en verdween naar de badkamer. Ze gooide de kaftan over haar hoofd en deed de sjaal over haar schouder.

De kaftan plooide zich soepel om haar heen. Ze zag hoe de felle kleuren van de sjaal de bruine kleur verdiepten. Als ze alleen was zou ze het nooit durven dragen, maar met Coop erbij?

Ze liep terug. „Kijk!" zei ze, wat verlegen. „Een beetje dramatisch, vind je niet? Ik zie eruit alsof ik zo in een aria los kan barsten!"

Hij draaide haar om en nog eens om. Sandrine zag aan de goedkeurende blik in zijn ogen dat ze er leuk uitzag. Er lag nog iets in zijn ogen dat ze niet thuis kon brengen.

„Helemaal niet. Kom eens hier. Geef me eens een speld." Hij pakte de sjaal, speldde hem vast op haar schouder, nam een dunne bruine riem van haar stoel en maakte die vast om haar middel.

„En nu nog een hanger of iets dergelijks. Iets groots," Hij wees met zijn handen. „Zoiets!"

Sandrine begon te giechelen en pakte de doos waar ze haar sieraden in opborg. Ze vond sieraden eigenlijk een te groot woord. Alleen het zilveren collier dat ze van tante Antonia had geërfd, verdiende dat predikaat.

„Formaat soepbord soms? Dit?"

„Ja." Hij pakte de goudkleurige ketting waaraan een ovale hanger hing, van haar aan en legde die om haar hals.

Daarna nam hij haar mee naar de spiegel. Ze keek bekoord naar haar spiegelbeeld. De diepbruine tint van de kaftan deed haar huid glanzen en de vlammende kleuren van de sjaal maakten het geheel levendig en een beetje exotisch. En toch stond het niet te gekleed. Coop stond achter haar. Hun ogen ontmoetten elkaar. Hij knikte haar in de spiegel toe. Zijn gezicht stond weer ondoorgrondelijk. Ze draaide zich om en legde een hand tegen zijn borst.

„Alvast bedankt. En nu jij. Stap onder de douche en was je haar, dan knip ik het nat. Hier zijn handdoeken."

Hij legde zijn handen met de handdoek over haar hand heen en liet meteen weer los.

Sandrine bleef staan. Haar hart klopte onrustig. Ze dacht aan de vriendin die hem in de steek had gelaten voor een man met geld.

Wat een ezelsveulen! dacht ze hartgrondig.

Een kwartier later was Coop weer beneden. Sandrine had een schaar en een kam klaargelegd. Het haar hing tot op zijn schouders. Als het zo recht hing, zou het wel gaan, hij had mooi, dik haar. Maar het bleef niet zo. Zodra het droog was, zou het weer alle kanten op gaan staan. Hij had een beetje een leeuwenkop. Ze wist op de een of andere manier wat hem goed zou staan.

Vol zelfvertrouwen begon ze te knippen. „Je hebt helemaal geen trauma. Je zeurt maar wat," zei ze, terwijl ze om hem heenliep.

Hij glimlachte en sloot zijn ogen.

„Praat tegen me. Vertel me over hoe het vroeger bij jullie thuis was," zei hij.

153

„Vertel jij maar hoe het bij jou thuis was. Als ik losbrand, heb je kans dat ik misknip," waarschuwde ze hem. „En houd je ogen dicht, anders vallen er haren in."

En Coop vertelde over zijn familie: naast Martijn had hij nog een broer en een zuster. Ze waren getrouwd. De een woonde in Zeeland en de ander in Haarlem.

Hij riep het beeld op van een hartelijk gezin. Zijn vader was accountant en zijn moeder zat bij het onderwijs en werkte twee dagen in de week als vrijwilligster. Verder hadden ze twee honden en vijf kippen die altijd van de leg waren. Maar zijn moeder hield van hen, dus die beestjes hadden een gouden leven. De hele dag scharrelden ze een beetje door de tuin en 's avonds was het een toer om ze weer in hun hok te krijgen. Ieder ander had ze in de pan gedaan, maar zijn moeder had er huisdieren van gemaakt. Het was nog een wonder dat ze niet in de kamer mochten.

Hij sprak met ironische genegenheid over zijn ouders en Sandrine luisterde aandachtig en lachte om zijn verhalen. Toen hij vertelde hoe zijn ouders hem hadden aangemoedigd om te doen waar hij goed in was, voelde ze zich weemoedig. Het was soms oneerlijk verdeeld. Hij kreeg applaus als hij met iets begon en haar ouders brandden haar ideeën af. En waarom vond zelfs haar vriend haar nieuwe baan alleen maar raar?

Ze zette haar gedachten stil. Ach, het was zoals het was.

Het had geen zin om daarover te piekeren. Daar werd ze maar huilerig van.

Coop had nog steeds zijn ogen gesloten. Er lagen plukken haar op zijn wangen. Hij veegde een paar haren van zijn mond en vroeg: „Waarom wil je niet alleen naar die receptie, Sandrine?"

Ze kleurde diep en was blij dat hij zijn ogen dicht had.

„Omdat daar iemand komt die vroeger zijn handen niet thuis kon houden. Een zakenrelatie van mijn ouders. Hij was in mijn ogen stokoud. Nu weet ik dat hij eind veertig was. Ik ben nooit aangerand of zo, dat moet je niet denken, maar hij liep telkens tegen me op en hield me vast op zo'n manier dat ik er van griezelde. Net of hij wel tien handen had. En ik had maar twee handen om ze af te weren."

„Wat zeiden je vader en moeder daarvan?"

„O, ze geloofden me niet. Het kwam hun ook heel slecht uit om het wel te geloven, want hij had ze het beginkapitaal voor de zaak geleend. Wij, kinderen, en vooral ik, want ik was de oudste, moesten vriendelijk en aardig tegen hem zijn."

„En hoe denk je daar nu over?" Coops ogen waren nog gesloten. De lange gekrulde wimpers, 'wat een verspilling voor een man' lagen op zijn wangen.

„Nu?" Ze lachte kort.

„Ik dacht altijd dat ik niet boos was, tot Afra tegen me zei dat ze dat niet geloofde. En ze had gelijk. Ik ben woedend. Maar daar kwam ik pas een halfjaar geleden achter, toen ik met *Clear House* begon.

Toen mijn moeder er de draak mee stak... Dat ze wegvaagde wat ik vroeger in huis heb gedaan... en dat mijn vader niet voor me opkwam. Zelfs Jasper, van wie ik mocht verwachten dat hij mijn partij zou kiezen, liet me in de steek.

Dat ze me voor gek hebben gezet met z'n drieën... Daar ben ik razend om. Jasper, nou ja, die weet nergens van. Maar mijn ouders... Vooral mijn moeder kan ik het niet vergeven. Dat ze een kind in de steek liet. Haar eigen kind." Sandrine was hoe langer hoe heftiger gaan praten en schreeuwde de laatste zin bijna.

Coop opende even zijn ogen en pakte haar de schaar af. Toen nam hij Sandrines handen en hield ze in een vaste greep tegen zijn schouder. Hij sloot zijn ogen weer. „Goed zo. Je hebt het te lang opgekropt.

Je staat zo vaak op scherp en je bent zo bang dat een ander je niet goed vindt zoals je bent. Onnodig want je hebt zoveel mensen die om je geven."

„Mijn eigen moeder niet," zei Sandrine bitter.

„En ik begrijp niet waarom ik dat nu pas merk. Ik wilde altijd maar dat ze me lief vond. Alles wat ik deed in huis, was gewoon. Rommel opruimen, boodschappen doen, alles wat een huisvrouw hoorde te doen, deed ik. Naast mijn schoolwerk. Ik ben zo boos, ik heb zo'n hekel aan haar dat ik niet eens durf te bidden."

Ze hoorde opeens haar stem. Hees en laag van emotie. Verschrikt keek ze naar zijn gezicht, waar de natte haren aankleefden. Hij had zijn ogen gesloten, zag ze dankbaar.

„Oh, Coop... neem me niet kwalijk. Ik wilde jou er niet mee lastig vallen. Dat je zaterdag met me meegaat, vind ik al..." Ze stopte en haalde diep adem.

„Je hoeft me niet te bedanken. We zijn toch...," hij aarzelde even en vervolgde. „We zijn toch vrienden, Sandrine?"

155

„Ja. O ja," zei ze. Toen zag ze haar handen tegen zijn schouder. Ze bloosde en maakte ze voorzichtig los uit zijn greep.

„Zal ik verder gaan?"

Hij opende zijn ogen op een kier en trok een wenkbrauw op en zei opgewekt: „Knip je niet mis? Want ik ben echt bang voor kappers!"

Ze lachte dankbaar voor zijn normale toon.

„Voor geen prijs." Haar stem was nog onvast. Ze haalde diep adem en pakte de schaar weer op. Zijn haren vielen op de houten vloer. Zou die vriendin nooit eens gezegd hebben dat hij naar de kapper moest, of zou ze daar juist over gezanikt hebben?

„Coop, hoe heette je vriendin? Als je het tenminste niet akelig vindt om erover te praten."

„Herma heet ze."

„Was ze mooi? Vond je het erg dat ze je in de steek liet voor iemand met meer geld?"

„Ja. Ze was heel mooi. Eerst was ik heel ongelukkig."

„En later?"

„Later niet meer. Dat huwelijk is al op de klippen gelopen, heb ik gehoord. En ook dat ze er financieel niet slechter op is geworden. Nou ja, dat was dus ook de bedoeling. Missie geslaagd." Ondanks zijn woorden dat hij het niet meer erg vond, klonk zijn stem bitter. Oud zeer vergat je niet zo maar.

Sandrine hield een pluk haar omhoog om te kijken of ze de juiste lengte aanhield. Doordat haar tranen haar gezicht vochtig hadden gemaakt, kleefden er ook op haar wangen een paar haren.

„Martijn zegt dat je geen vrouw meer vertrouwt."

Hij schoot in de lach. „Zegt hij dat? Mijn kleine broertje zit ernaast. Zo dom ben ik nu ook weer niet. Ik zie genoeg goede voorbeelden om me heen. Maar een beetje argwanend ben ik wel geworden. Daar heeft ie gelijk in."

Toen Sandrine na een halfuur met knippen klaar was, pakte ze de föhn en bracht zijn haar met haar handen in model. Coop had zijn ogen nog steeds gesloten. Ze bedacht hoe vertrouwd zijn gezicht haar in het halve jaar dat ze hem kende, was geworden. Vlak boven zijn wenkbrauwen had hij een paar rimpels en naast zijn wangen liepen twee lijnen vanaf zijn kin naar boven. Een gezicht dat wat meegemaakt had, zo zag hij eruit. Jaspers gezicht was nog helemaal glad. Wat een verschil, zijn gezicht of dit gelaat, met die groeven.

Ze deed een stap achteruit en bekeek het resultaat van haar werk. Ze had zijn haar achterover gestreken. Het golfde een beetje en krulde bij de slapen. Zijn voorhoofd en jukbeenderen waren breed en hij had een kuiltje in zijn kin. Zijn mond was goed gevormd. Het was een krachtig gezicht. Niet een knap, wel een aantrekkelijk gezicht.

Ze pakte de handspiegel. „Kijk."

Ze schaamde zich een beetje over haar openhartigheid. Niets voor haar. Maar Coop vond, geloofde ze, nooit iets gek. Hij had zelf ook gewoon geantwoord op haar vragen. Ze keek vlug zelf even in de spiegel. Haar gezicht zag er heel gewoon uit. Geen spoor meer van drift of tranen.

„Kijk Coop!"

Hij opende zijn ogen. „Netjes," zei hij goedkeurend.

„Netjes," echode ze verontwaardigd. „Weet je niets beters te zeggen? Het staat je geweldig!"

„Het staat me geweldig," zei hij gehoorzaam. „En zo vlug. Dat scheelt me een heleboel tijd. Hartelijk dank, Sandrine."

Hij boog zich vorover en gaf haar nonchalant een kus op haar neus. Daarna wandelde hij naar de tuin en pakte zijn duimstok weer op.

„Die man is voor geen greintje ijdel," zei Sandrine hardop en borg haar föhn weer op. „Geen eer aan te behalen."

Ze vond het eigenlijk grappig. Alleen moest hij zaterdag maar wel wat ijdel zijn. Ze liep naar de tuin waar Coop alweer aan het meten was.

„Coop, je trekt toch wel iets netjes aan voor die receptie?" smeekte ze en kleurde daarna diep.

Ze klonk net als haar moeder, dacht ze ontzet. „Wat erg!"

Ze herstelde meteen: „Nee hoor, dat meen ik niet. Het kan me niet schelen wat je aantrekt. Als je er maar bent."

Hij keek naar de rode blos op haar wangen. „Het komt wel goed, Sandrine. Ik heb mijn verplichte tekeningen ingeleverd. Ik zou de volgende week jouw afdak kunnen maken, tenminste, als Martijn ook een dag kan komen."

Wanneer het afdak klaar was, zou Afra pas met de tuin aan de gang kunnen gaan. Ze hadden wel al planten uitgezocht.

„Fijn. Ik moet wel werken, maar ik zal je de sleutel geven, dan kun je jezelf en Martijn erin laten."

13

De reorganisatie in het huis van Derk en Marianne Heringa had Sandrine tien aanvragen voor offertes opgeleverd. Sandrine nam een beslissing.

Ze vroeg aan Richard of ze terug mocht gaan naar een halve baan en of hij er bezwaar tegen had dat ze Maria vaker inschakelde. Het zou voor het kantoor betekenen dat ze een schoonmaakbedrijf erbij zouden moeten inschakelen.

Richard leunde voorover in zijn bureaustoel en zette zijn ellebogen op zijn bureau. „Heeft Maria je al iets over haar leven verteld?”

„Nee. Hoeft ook niet. Voor mij is Maria gewoon Maria. Ik hoef ook niets meer van haar te weten.”

„Ze is misschien bang dat je op haar neer zult kijken als ze je meer vertelt?” De rimpels in zijn gezicht verdiepten zich. Richard Gruyter keek vorsend naar de secretaresse die hem vanaf het begin dat ze hier was komen werken, sympathiek was geweest.

Sandrine kreeg een zorgelijke uitdrukking op haar gezicht.

„Dat weet ik niet. Dat hoop ik niet. Als ze erover begint, zeg haar dan dat ze daar niet bang voor hoeft te zijn. Het enige waar ik over in zit, is dat ik haar niet genoeg zekerheid kan bieden.

Voor mij is het allemaal niet erg, maar zij heeft kinderen voor wie ze moet zorgen. Ik wil niet dat ze het risico loopt om zonder baan te komen zitten.”

Richard Gruyter knikte geruststellend. „Dat regel ik. Ik neem een schoonmaakbedrijf in dienst voor de dagen dat ze bij jou werkt. Voorlopig op tijdelijke basis. Geef jij maar aan wanneer je haar vast in dienst kunt nemen. Heb je verzekeringen en de hele papierwinkel bij de kamer van koophandel geregeld?”

„Dat heeft een vriend voor me gedaan.”

„O ja, die Jasper natuurlijk. Was ik even vergeten. Die werkt toch bij een bank?”

„Nee, Jasper niet. Hij is niet zo enthousiast over mijn bedrijf,” legde Sandrine uit.

„Het is iemand die me al een paar keer heeft geholpen. Hij plaatst kasten en doet de klussen die erbij komen. Hij is tekenaar en werkt freelance voor een paar kranten. Strips. En hij illustreert boeken.”

Richard keek haar aandachtig aan en zei. „Fijn dat je op iemand terug kunt vallen. Een veelzijdig iemand, zo te horen."

Sandrine knikte verrast. Zo had ze Coop eigenlijk nog niet bekeken.

Ze verliet de kamer en liep door de gang, die aan een kant ramen had die uitzagen op de gang aan de andere kant van het kantoor en op het open middenstuk. Het gebouw van twee verdiepingen was in een vierkant gebouwd. Op de begane grond bevond zich een patio met in het midden een vijvertje met een fontein. Er stonden waterplanten omheen die door de hoge temperatuur weelderig groeiden.

Ronny vond die fontein vreselijk. „Ik word er zo plasserig van," zei ze soms knorrig als ze het gekabbel van het water hoorde.

Sandrine keek naar beneden en zag Maria aankomen met een karretje waarin emmers en bezems lagen. Ze wilde haar net door het geopende raam groeten toen ze achter Maria Frank van Grinten ontwaarde.

Hij legde een hand op haar schouder. Zelfs op een afstand dacht Sandrine te zien hoe Maria's houding verstrakte. Ze draaide zich om en deed twee passen achteruit. Frank deed een stap naar voren.

Sandrine was in een stap bij het raam en opende het verder. Ze leunde naar buiten.

„Maria?" riep ze. Haar heldere stem weerkaatste tegen de muren van de patio.

Frank van Grinten draaide zich met een ruk om. Hij zag Sandrine, zwaaide even en verdween meteen.

„Dag Sandrine," groette Maria. Ze stak een zwabber omhoog en bewoog hem op en neer.

Klinkt Maria's stem nu anders of verbeeld ik het me? dacht Sandrine. Ze was door haar eigen ervaring vast allergisch voor aanrakingen. Viel Frank van Grinten Maria nu lastig, of was dit gewoon een vriendschappelijk gebaar?

Als ze bedacht hoe hij over Maria sprak, zou je juist van Frank niet die hand op Maria's schouder verwachten.

In het begin dat Sandrine hier werkte, had hij haar aan Veraert doen denken. De blik waarmee hij haar van haar hoofd tot haar tenen bekeek en de manier waarop hij per ongeluk tegen haar aanbotste. Zijn excuses waren altijd overvloedig geweest. Nadat ze een paar keer, ook per ongeluk, met een hak op zijn voet was gaan staan, was het over geweest.

Ze voelde zich onbehaaglijk over het tafereeltje. Moest ze hier nu iets van zeggen of niet? Ze had het toch al eerder gemerkt? Had ze het niet een keer tegen Ronny gezegd dat ze Frank altijd zo handtastelijk vond? Maar het was nooit bewijsbaar geweest. Het leek altijd per ongeluk te gaan. Zou het niet op roddelen lijken als ze nu naar Ronny toeging?

Ze zuchtte. Voorlopig zou ze niets doen en haar ogen openhouden. Gelukkig dat Maria hier 's avonds minder vaak werkte.

„Werk van Richard. Wat een sociale directeur hadden ze," besloot ze dankbaar.

De folders die gedrukt waren en waar ze erg mee ingenomen was, drongen de gebeurtenis op de achtergrond.

„Kijk Ronny! Hoe vind je ze geworden?" Ze hield het kleurige vouwblad omhoog. „Goed is die cartoon van Coop gelukt hè? Nog bedankt voor je hulp."

Ronny leunde achterover en zei hartelijk: „Ze zijn prachtig, maar je hebt ze amper nodig op het moment. Aanvragen genoeg, als ik het hoor."

„Gelukkig wel. Ik wil er een succes van maken," zei Sandrine vastberaden en ze stak haar kin in de lucht. Ze zag er zo strijdbaar uit dat Ronny geen moment aan het succes van *Clear House* twijfelde.

De volgende avond liep Sandrine bij Afra binnen om haar de folders vast te laten zien.

Bij Afra was het, dankzij Maria, zei Afra, schoon en opgeruimd. Maria was die morgen geweest en had het huis doorgewerkt. De nieuwe meubels die ze samen met Sandrine had gekocht, weerspiegelden Afra's persoonlijkheid.

„De kamer zit me goed," zei Afra tevreden. Sandrine begreep wat ze bedoelde en was er blij mee.

Dit was haar ideaal geweest toen ze met haar bureau begon: een huis zo inrichten dat het bij de bewoner paste.

Missie geslaagd, dacht ze verheugd en ze legde een paar folders op Afra's schoot.

Ze was blij dat ze er zo professioneel uitzagen.

Afra hield het stuk papier een eindje van zich af en kneep haar ogen samen. „Mooi. Ik ben er zeker van dat het werkt. Het werkt trouwens al zonder folder. De wethouder van onderwijs vroeg jouw adres toen hij hoorde hoe mijn huis op orde was gekomen. Ik moet een naam opgebouwd hebben als sloddervos van de bovenste plank, vrees ik. Hij zag groen van jaloezie toen ik vertelde hoe ik op het moment zit."

Ze verdween naar de keuken om koffie te zetten.

Goeie grutten, dacht Sandrine beduusd. Ze kon nog steeds niet echt geloven dat het werk dat ze thuis als vanzelfsprekend had gedaan, voor anderen iets was waar ze voor wilden betalen. Betalen voor gewoon een beetje opruimen en orde scheppen. Niet te geloven.

Net wilde ze Afra vertellen hoe grappig ze het vond, toen de deurbel ging.

„Doe jij even open," galmde Afra vanuit de keuken en Sandrine opende de deur. Het was Maria. Ze zag er vreemd netjes uit in een zwarte rok en een dunne wollen zwarte trui.

„Kom erin, Maria," zei Sandrine blij. „Dan kun je meteen de folders van ons zaakje zien."

„Ja." Maria volgde Sandrine naar de woonkamer. Ze ging zitten op de bank en vouwde haar handen in haar schoot.

Afra kwam binnen met een blad en zei zonder verrast te zijn: „Maria…"

„Wat kijk je plechtig?" vroeg Sandrine. „Toch geen narigheid?"

Haar hart begon wild te kloppen. Dat zou wel erg slecht uitkomen. Hoe vond ze zo vlug iemand anders om mee samen te werken?

Ze schaamde zich voor haar gedachten. Wat was ze toch een egocentrisch kreng. Eerst aan zichzelf denken en aan de last die het haar zou geven als er iets met Maria was.

„Wat is er Maria?" vroeg ze hartelijk.

„Ik hoorde van Afra dat je komt, este noche, eh…Vanavond," zei Maria nerveus. Ze streek haar haar met de vele gekleurde speldjes naar achteren. Haar gezicht was een beetje vlekkerig.

„Afra no ha contado?"

Het was Sandrine al eerder op gevallen dat Maria terugviel op het Spaans als ze zenuwachtig was.

„Eh, ik weet nu even niet wat je bedoelt."

„Heeft Afra niet gezegd ik kom, vanavond?

Sandrine schudde haar hoofd. Nee. En Maria was erg van slag, want haar spraak was weer op z'n 'Zwarte Piets'," constateerde ze.

„Eerst een kop koffie." Afra, die met een blad kopjes binnenkwam, zag hoe ongemakkelijk Maria zich voelde en ging naast haar zitten. Ze keek haar aan. Maria's mond vertrok.

„Of… Heb je liever dat ik even wegga?"

„No… Blijf maar. Ik wil Sandrine iets vertellen… En jou ook meteen," zei Maria moeizaam.

„Gaat het over Frank van Grinten? Hij valt je lastig," stelde Sandrine vast.

„Je hebt hem gezien? En mij… Gisteren?" stelde Maria vast.

Sandrine knikte.

„Ja. Dacht ik wel. Ik zag je. Niet erg. Frank… Hij zegt telkens dat hij jullie heus niets over mijn verleden zal vertellen en dan strijkt hij over mijn rug. En nog es en nog es." Maria rilde.

„Dat klinkt onfris." Afra zette met een grimmig gezicht haar kopje neer op de lage tafel.

„Hij denkt dat jullie niets meer met mij te maken willen hebben als jullie horen dat ik, toen de kindjes nog klein waren en ik helemaal geen geld …" Haar stem stokte.

„Je hoeft niets te zeggen, Maria. Wat er vroeger is gebeurd gaat ons niets aan." zei Sandrine vlug.

Afra legde haar met een hand het zwijgen op.

„Nee, laat Maria het ons vertellen. Dat zal haar opluchten," zei ze nuchter.

„Ik wil het vertellen. Aan jullie en ook aan Coop en Ronny en dan…" Maria legde haar handen geopend op haar schoot. „Dan moeten jullie zelf maar zien."

Ze haalde beverig adem en begon. „Ik woonde in Santo Domingo. Met twee kleine kindjes. Hun vader was weg. Keek nooit naar ons om. Ik werkte in een hotel. Er kwamen toeristen in Santo Domingo. Een man, een vrouw… Zij, die vrouw was vaak ziek. Wilde iemand in huis hebben om voor alles te zorgen. Ik vond haar aardig. Ze vroegen of ik mee kon om in Holland voor het huis te zorgen. Ik vroeg: "kindjes geen bezwaar?"

Nee, kindjes geen bezwaar.

Ik ben meegegaan naar Holland. Met Juanita en Carlos. We woonden bij mevrouw en meneer Jonkman in huis. Alles goed. Alles heel goed voor ons. Mevrouw wel veel ziek, maar ik helpen, werken… Zij vinden kindjes lief. Zelf geen kinder. En dan meneer Jonkman… Hij krijgt hart…" Maria maakte een gebaar naar haar hart en vervolgde: „Meneer ziek. Mevrouw veel in ziekenhuis… Bijna drie weken weg."

Maria's Nederlands werd hoe langer hoe krommer. Ze vergat alle werkwoorden. Het leek of ze een telegram voorlas.

„Ik geen geld om eten kopen. Mevrouw… Zij zegt telkens: "komt wel." Is heel veel in ziekenhuis. Dan komt er vriend van meneer Jonkman. Hij heet Lijssen. Hij vraagt: "hoe het is met meneer?" Hij blijft heel lang. Zegt dat hij de trein heeft gemist. En hij zegt: ik zeker heel lang eenzaam, zonder man. Hij… Hij."

Haar ogen vulden zich met tranen. „Kindjes hebben niets gemerkt. En hij laat geld achter. Hij zegt: "Is niet zijn schuld. Jij heel vriendelijk".

„Wat een schoft," siste Sandrine tussen haar tanden.

„Rustig, Sandrine."

„En als ik aan mevrouw vertel… hij zegt, dat het niet waar is. Dus ik niets zeggen. Maar hij komt telkens terug. Hij zegt: ik heb geld aangenomen. Slecht. En anders geld terug geven. Maar ik heb brood gekocht voor kinderen en luiers en schoenen. Kan niet alles teruggeven."

„En toen?" vroeg Afra.

„Meneer gaat dood. Mevrouw gaat in een huis wonen waar mensen voor haar zorgen. Heel ziek. Kan niet goed praten. Dan weet ik niet wat ik moet doen. Ik blijf gewoon een tijdje in dat huis wonen. Meneer Lijssen komt nog een paar keer terug. Ik heb geld gehouden. Moet eten. Is nu toch gebeurd." Ze haalde haar schouders berustend op.

„En toen kwam meneer Gruyter. Hij is de broer van mevrouw Jonkman.

Hij zegt: „Maar Maria, wie zorgt voor jou en de kindjes? Heeft mijn zuster je geld gegeven om te leven? Toen heb ik alles verteld. Hij vindt het verschrikkelijk. Hij zegt: "Schuld van mijn zuster."

En ik zeg: "Zij kan niets aan doen. Is ziek."

Ze zweeg, slikte en wreef met de rug van haar hand over haar voorhoofd.

Met tranen in haar ogen had Sandrine geluisterd. Opeens begreep ze de boosheid van Richard Gruyter op Frank van Grinten.

Om zo'n tragische situatie aan te grijpen om Maria in een kwaad daglicht te stellen.

Maria hervatte haar verhaal met een vastere stem. „Toen ik werk krijgen. Schoonmaken… Ik vind leuk. Meneer Richard zorgt dat de kindjes en ik in een klein huis kunnen wonen. Niet zo veel huur. En ik mag het oude autootje van mevrouw Jonkman gebruiken. Dan kan ik 's avonds rustig over straat. Moest veel werken 's avonds. Gelukkig heel goede buren!"

Ach... Dus daar kwam die auto vandaan. Het had Sandrine al eens verbaasd dat Maria zich een auto kon permitteren.

Ze stond energiek op, sloeg haar armen om Maria heen en zei: „Goed. Nu weten we het, en je bent voor ons niets minder geworden. Je bent een slachtoffer van de omstandigheden en van een paar misselijke kerels. Schaam je maar niet. Dit had ons ook kunnen overkomen."

Ze besefte dat het niet veel had gescheeld, of het was haarzelf overkomen. Als ze niet zo hard had kunnen lopen als kind en toch, al was het niet veel, hulp had gehad van Gerke en van tante Antonia. Vanuit haar middenrif kwam een gevoel van kille woede op. Ze drukte het gevoel naar beneden door stijf haar kaken op elkaar te klemmen. Maria had geld aangenomen voor haar kinderen. Om haar kinderen eten te kunnen geven.

Haar eigen moeder was bereid geweest... Haar gedachten stokten... Haar moeder moest geweten hebben dat Veraert telkens aan haar zat. Gerke had het verteld, tante Antonia had het tegen haar gezegd. Ze had iedere gelegenheid aangegrepen om bij hem uit de buurt te blijven en ze hoefde niet meer thuis te blijven als hij kwam. Maar als tante Antonia er niet was geweest? Voor een winkel!

Ze hoorde Maria zacht snikken en zei: „Frank? Voor hem hoef je niet bang te zijn. Geef hem een mep met een bezem als hij nog eens te dicht in de buurt komt! En anders reken ik wel met hem af."

Maria wier ogen droog waren gebleven tijdens het vertellen van haar verhaal, snikte tegen Sandrines schouder.

Afra knipperde met haar ogen. „Kom. Als het even meezit, hoef je 's avonds niet meer naar kantoor om schoon te maken. Dan kun je bij de kinderen blijven en je verveelt je overdag ook niet."

„Zo is het." Sandrine pakte een zakdoekje en stopte het Maria in haar handen. „Hier," zei ze troostend. „Die lamme kerels ook. En die ouwe, die zijn het ergst."

Opmerkzaam keek Afra van Maria naar Sandrine.

„Niet allemaal," verzekerde Maria de twee andere vrouwen.

„Meneer Richard. Hij is heel goed. Voor mij en voor de kinderen. En zijn vrouw ook. Mevrouw Gruyter heel aardig. Heel goed voor ons!"

164

Maria's Nederlands werd weer beter nu het ergste achter de rug was.

„Weet ik... Weet ik," stelde Afra haar gerust. „Er zijn hele leuke mannen. Je moet soms even zoeken, maar dat is de moeite waard."

Maria glimlachte door haar tranen heen. „Afra, je maakt grap!"

„Wil je dat ik het aan Ronny vertel?" stelde Sandrine voor. Maria hoefde dit niet voor een tweede keer vertellen. Ze had er zo veel moeite mee. Sandrine kon zich daar alles bij voorstellen. Maar Ronny moest het weten.

Het was goed dat er nog iemand wist wat er speelde tussen Frank en Maria. Zijzelf was maar de helft van de tijd op kantoor. Als ze naar Richard ging, liep Frank de kans om ontslagen te worden. Dat voelde ze feilloos aan. Met alle problemen die een ontslag mee zou brengen, want hij zat in de directie. Beter om het via Ronny te spelen. En als haar bureau goed liep, zou Maria er zelden meer zijn. Sandrine hoopte uit de grond van haar hart dat het haar zou lukken. *Clear House* moest slagen!

Maria dacht niet aan kantoor maar aan het werk dat ze voor Ronny deed. Ze vond het fijn om een huis schoon en gezellig te maken. Daarom vond ze haar baan bij Sandrine zo prettig. Haar gezicht versomberde.

„En aan Coop. Ik werk veel met jullie samen. Ik wil niet bang zijn dat iemand iets vertelt over vroeger en dat hij denkt dat ik slecht ben. Misschien verkeerde dingen gedaan. Pero, El Dios me ayuda."

Geëmotioneerd als Maria was, verviel ze weer in het Spaans.

Ze herstelde zich. „De goede God heeft me geholpen."

Sandrine keek haar aan en zag de dankbaarheid in Maria's ogen. Ze voelde opeens ontroering. Haar ogen prikten. De goede God had Maria geholpen. Als Maria dat zo zag?

Een herinnering flitste door haar heen: er was haar nooit iets onherstelbaars overkomen. Wel een ellendige herinnering waar ze nog steeds last van had, maar iedereen had wel iets. Ze kende iemand die op de middelbare school erg gepest was. Die had daar ook nog steeds last van, al was ze inmiddels adjunct-directeur van een groot bedrijf. Had God haar, Sandrine, dan ook geholpen?

Misschien. Toch?

Die avond, keek ze vanuit haar slaapkamerraam naar de lucht. Het was zwaar bewolkt. Eén wolk die wat lichter was, verraadde de aanwezigheid van de maneschijn.

Sandrine leunde met haar voorhoofd tegen het koude glas.

„Lieve God. Al voel ik er niets van: Dank u wel!" zei ze hardop. Tot haar verrassing voelde ze zich opgelucht.

De volgende avond belde Tanja. Ze wilde alvast wat advies. Ook al zou het nog een half jaar duren voor de babykamer in gebruik zou worden genomen, ze wisselde telkens van mening over de kleur die de babykamer moest krijgen.

„Wat vind je van paars, Sandrien? Niet babyachtig genoeg of kan het wel? En hoe laat kom je zaterdag naar de winkel?" Tanja's stem klonk bezorgd.

Ze kuchte en vervolgde: „Vind je het erg vervelend dat ma meneer Veraert heeft uitgenodigd? Ze zegt dat ze er onmogelijk onderuit kon, omdat hij zo veel voor hen had gedaan. Wat vervelend dat Jasper er niet is hè? Hij toont altijd zo lekker. Hij is veel knapper dan Fred," zei ze royaal.

„Tegen twaalven kom ik en als je aan die tint paars denkt, neem dan liever lila," raadde Sandrine. De vraag over Veraert deed haar aan Maria denken.

„Ach, Tanja. Zo ontzettend sneu. Weet je wel, Maria, ik heb je al iets over haar verteld…" Sandrine beschreef de tragische geschiedenis van Maria en hoe gelukkig ze er mee was dat ze voor Sandrine mocht werken.

Tanja luisterde intens en was geroerd door Sandrines verhaal.

„Ze zou ook gerust bij ons mogen komen. Ik ben niet zo'n heldin in huis," zuchtte ze.

„Een beetje ver, Tan," zei Sandrine nuchter. „En het wordt een beetje duur ook. Ze verrijdt een kapitaal aan benzine."

„O ja, dat is ook zo. Sorry, geen goed idee."

Toen Sandrine de telefoon had neergelegd, dacht ze aan Jasper. Ze had al twee dagen niets van hem gehoord. En als zij belde, kreeg ze zijn voicemail.

Er zou toch niets zijn? Zou ze zijn moeder bellen? Ze strekte haar hand uit naar de telefoon, maar trok hem weer terug. Toch maar niet. Morgen maar weer proberen. Over een week zou hij weer thuis zijn. Als er iets gebeurd was, had zij het wel gehoord.

14

Sandrine had een afspraak gemaakt met de redacteur van de krant waar Coop zijn nieuwe strip voor tekende. Ze reed door de buitenwijk van de stad, waar de herfstkleuren van de bomen de straat een feestelijke toets gaven. Ze moest vanavond even te weten zien te komen waar de strip over ging. Martijn had er enthousiast over gesproken voor Coop hem de mond had gesnoerd. Ze wist nu alleen dat de hoofdfiguur Victoria heette.

De kinderboeken die Coop had geïllustreerd, had ze inmiddels aangeschaft. Het prentenboek dat een halfjaar geleden was verschenen, had ze besteld. Het was in herdruk. Ook het stripverhaal dat in de landelijke krant stond, volgde ze met veel plezier.

Coop zelf was gesloten over zijn werk. Dat hij haar en Afra vorige week tekeningen had laten zien, was een verrassing geweest.

Een halfjaar geleden. Toen was ze nog fulltime secretaresse en had ze nog nooit van Coop gehoord. En nu was hij bijna een soort compagnon.

Ze parkeerde op de Wilhelminalaan, stapte uit haar auto en wachtte even voor ze aanbelde. Ze moest nog steeds moed verzamelen voor ze met een nieuwe klant kennis maakte. Ze stond met haar rug half naar de voordeur, half naar de straat toen aan de overkant een auto stopte. Ongeïnteresseerd keek ze naar de vrouw die uitstapte. Ze was jong, haar blonde haar viel tot op haar schouders en haar hoge stem klonk boven het geluid van de motor, toen ze lachend zei: „Je moet nu eindelijk eens mee naar binnengaan."

Het bloed zakte uit Sandrines gezicht weg. Ze herkende de stem en ze herkende de grijze Peugeot.

De bestuurder stapte ook uit. Het was Jasper.

Met een ruk wendde Sandrine haar gezicht naar deur. Ze belde aan en probeerde zich te beheersen.

Haar hart hamerde in haar borst. Jasper… Jasper die in Duitsland aan het werk was…

Ze beet zo hard op haar lip dat hij opensprong.

Wanneer was hij teruggekomen? Ze had geen tijd meer om verder te denken. De deur ging open. Een breedgeschouderde man met een vriendelijk gezicht stak zijn hand uit.

Sandrine trok haar schouders naar achteren en stak haar kin vooruit. Ze zou nooit weten hoe ze op dat moment op haar moeder leek als die iets wilde hebben op een veiling. Koppig, vastberaden.

Ze volgde Eldert van Diermen naar de zitkamer en keek vlug rond.

Ze begon het patroon te herkennen: de losliggende rommel, die vlak voor zij kwam in een hoek van de kamer was gegooid; de vrouw des huizes die soms gegeneerd en soms uitdagend en verlegen tegelijk op haar toekwam.

Judy van Diermen was tenger en had donker halflang haar. Ze was van een pittig 'wat-kan-het-mij-schelen-type' en Sandrine vond haar amusant.

„Ja, ik ben nu eenmaal zoals ik ben en dat wist Eldert van tevoren. Hij heeft geen kat in de zak gekocht. Toen wij pas getrouwd waren, zei hij wel eens dat er stof op de trap lag. Dan wist ik niet hoe vlug ik hem een stofdoek in zijn hand moest duwen. Dat liet hij dus na twee keer wel," zei ze voldaan.

Sandrine barstte in lachten uit en Eldert en Judy lachten mee.

Sandrine verbaasde zich over zichzelf. Hoe kon ze lachen terwijl net haar leven in scherven was gevallen: haar vriend die, terwijl hij nog in het buitenland zou zitten, met een vriendinnetje op stap ging.

Ze maakte een afspraak, vertelde zakelijk op hoeveel kosten ze moesten rekenen en dat het een en ander in samenwerking met haar huishoudelijke medewerkster, Maria Reyes ging. Dat ze zelf schoonmaakmiddelen mee namen en dat die in rekening werden gebracht.

Rustig en zakelijk vertelde ze de gang van zaken.

„Nee, ik werk nooit buiten de cliënten om en ik geef advies dat toegesneden is op de situatie van de mensen."

Eldert van Diermen boog zich naar haar toe en vroeg: „Uw soort baan is nogal in opkomst, nietwaar?"

„Is dat zo?" vroeg Sandrine.

„In Amerika schijnt niemand meer zonder een huishoudelijk adviseur te kunnen."

„Ja, dat is echt waar. Ik heb het op CNN gezien," bevestigde zijn vrouw. „Ze hebben daar een hele generatie van slonzen. Ik kijk er graag naar, dan voel ik me niet zo schuldig."

„Nou, kijk eens aan, dan zijn we goed bij de tijd," zei Sandrine opgewekt. „En je schuldig over zoiets voelen, is helemaal niet nodig. Waarschijnlijk liggen jouw gaven ergens anders."

„Dat klopt. Judy is presentatrice bij het nieuwe programma van RTL Q."

Eldert keek trots naar zijn vrouw die met haar hoofd schuin naar Sandrine keek en toen opsprong. „Wacht even. Even bellen met..." Ze maakte haar zin niet af en verdween naar de gang.

„Opgewonden standje altijd." Eldert keek verontschuldigend naar zijn gast. Ze spraken over de krant waar hij werkte en Eldert prees het werk van Coop. Judy kwam na een paar minuten weer terug.

„Sandrine, we hebben voor vanavond nog vijf minuten die ingevuld moeten worden. Ik heb net voorgesteld om jou uit te nodigen. Wat vind je ervan? Een beetje vertellen, een beetje uitleggen wat je precies doet. Misschien een leuk voorval dat illustratief is..."

Sandrine dacht na. Ze had het gevoel dat ze er zelf niet meer bij was. Of alles een ander overkwam. Het was niet Sandrine Rombouts die net haar vriend met een andere vrouw had gezien. Het was niet Sandrine die voor een TV programma werd gevraagd. Het was een ander.

„Nou?" drong Judy aan.

Met een schokje kwam Sandrine weer tot zichzelf. „Denk je dat mensen dat leuk vinden om te horen?"

„Ik ben er zeker van." Judy voelde dat ze won.

„Goed. Graag dan."

In een flits realiseerde Sandrine zich dat ze het nu zeker hard nodig had om een beetje reclame te krijgen.

Ze zou niet trouwen met Jasper. Ze zou blijven werken en een bedrijf tot bloei brengen. Maria moest het niet alleen bij schoonmaken houden. Ze was pienter genoeg om leiding te geven aan een paar andere vrouwen. Bij de meeste vrouwen die het huishouden over de schoenen liep, ontbrak een vaardig iemand die het huis doorwerkte. Goed. Daar zou zij voor zorgen.

„Moet ik nog naar een kapper?" vroeg ze.

Judy keek haar keurend van opzij aan. „Nee. Je ziet er heel leuk en efficiënt uit. Misschien even wassen om het te laten zwieren. We vinden het juist prettig om geen kappershoofd op het scherm te krijgen. Een lading lak voor een nonchalante lok spuiten ze er bij de visagist wel op. En dit pakje moet je als het kan, vanavond ook dragen. Helemaal de juiste uitstraling. Zakelijk en toch charmant. Kun je om zeven uur in de studio zijn?"

Sandrine knikte. „Mag ik iemand meenemen?" vroeg ze.

„O ja, we hebben nog wel wat ruimte voor publiek. Dan moet ik nog een paar dingen van je weten."

Judy noteerde en straalde van plezier. Ze stak Sandrine aan met haar enthousiasme.

Jasper was op de achtergrond gedrongen. Sandrine weigerde aan hem te denken en dat lukte haar ook.

„Goed. Het is nu vijf uur. Zullen we dan voor volgende week een afspraak maken om dit hier," Judy maakte een handgebaar door de kamer, „uit te mesten?"

Twintig minuten later was Sandrine thuis en werkte ze in een roes alles af. Ze belde Ronny en Ben, ze belde Tanja die bijna krijste van opwinding en meteen de rest van de familie zou inlichten.

„Waar? Hoe laat?" vroeg Tanja nog. „Wat zal ma wel niet zeggen!"

„Dat ik wel mijn best moet doen om haar een beetje eer aan te doen waarschijnlijk," zei Sandrine.

Tanja lachte. „Ik ga niet met je wedden. Vast!"

Daarna vroeg Sandrine aan Maria of ze vanavond meeging. Even dacht ze na en toen toetste ze het nummer van Coop in.

„Coop?"

„Ik zit op de krant. Ik heb het net gehoord van Eldert. Je wordt nog een bekende Nederlander," zei hij kalm.

„Doe niet zo akelig nuchter," zei ze geprikkeld. „Kun je mee? We zijn bijna compagnons. Maria komt ook. Alsjeblieft?"

„Goed. Zal ik rijden? Dan pikken we Maria ook op." Er klonk een lach door in zijn stem.

„Ik ben zenuwachtig, Coop," zei ze met een klein stemmetje.

„Niet nodig. Ik weet zeker dat je het redt en dat het een succes wordt. Jij bent een vakvrouw, en Judy ook. Ik ben over een halfuur bij je. Maak je niet te druk."

Hij tikte al af voor ze 'fijn, dankjewel," kon zeggen.

„Ik ben toch zenuwachtig. Wacht… waar zijn die pilletjes anders voor?"

Sandrine had ooit een paar kalmerende tabletten gekregen van de moeder van Jasper. Mevrouw Vreyland zwoer bij dat soort pillen als ze naar de tandarts moest. Ooit had ze Sandrine er een paar van in haar tas geduwd.

„Eentje, dat is precies goed," zei ze hardop en slikte een wit pilletje in.

Coop reed Maria en Sandrine naar de studio in Aalsmeer en parkeerde kwart voor zeven op het terrein.

„Op tijd," zei Maria nerveus en kneep Sandrine in haar arm. Ze liepen naar de ingang en meldden zich bij de portier.

„Sandrine."

Sandrine draaide zich om. Ach heden, dacht ze. Dat kan er ook nog wel bij.

Vanuit de hal kwamen haar ouders naar haar toe.

Moeder stelde zich voor aan Coop en Maria en zei onderdrukt korzelig: „Sandrine, je had eerder moeten bellen. Nu had ik geen gelegenheid meer om naar de kapper te gaan."

Voor Sandrine kon antwoorden, was Judy bij hen.

„Sandrine, Coop." Ze knikte naar Sandrines ouders en gaf Maria een hand. „Jij bent Maria? We noemen jullie bij je voornaam, Sandrine, is dat goed? Dat komt beter over."

„Ons ook hoor. Ik ben Irma en mijn man heet Frits," zei moeder Rombouts opgewekt en glimlachte charmant naar Judy, die vriendelijk terug lachte.

„Uitstekend. Irma en Frits dus. Dan gaat Sandrine nu met ons mee om opgemaakt te worden. Als jullie Irene dan willen volgen?"

„Komt u maar." Judy's assistente stond al klaar en ging het gezelschap voor naar de opnamestudio.

Irma Rombouts aarzelde even en volgde toen de anderen.

„Dit is je kans om er iets van te maken," zei Sandrine tegen zichzelf.

„Ach lieve Heer, laat me toch niet dichtslaan zodat ik geen woord uit kan brengen," bad ze vurig terwijl ze in de spiegel toekeek hoe haar gezicht gepoederd werd. „Maar als ik oneerbiedig ben, vergeef het me dan alstublieft. Laat dat pilletje ook werken."

Ze wist niet zeker of ze wel voor dit soort dingen mocht bidden en keek weer naar haar spiegelbeeld.

„Mooi," zei de vrouw die haar hielp goedkeurend.

Sandrine dacht dat het geen wonder was dat mensen op de televisie er uitzagen of het filmsterren waren. Haar ogen waren mooi opgemaakt en haar mond was gepenseeld. Daar had ze nog nooit de tijd voor genomen, maar het stond prachtig. De assistente bracht haar naar haar plaats op de eerste rij tussen Maria en Coop. Haar ouders zag ze zo vlug niet.

Judy zat achter een tafel.

De begintune van het programma werd gedraaid. Van de tribune klonk applaus.

„Sandrine Rombouts," kondigde iemand haar aan. Judy stond op en stelde haar voor aan het publiek. Alle nervositeit viel van Sandrine af. Ze beantwoordde de vragen, vertelde, legde uit hoe haar manier van werken was, vertelde een paar leuke voorvallen…

„En doe je dat alleen, of heb je hulp?" vroeg Judy.

„Ik heb gelukkig hulp van Maria. Ze is een talent op huishoudelijk gebied," zei Sandrine. „En Coop Lingers. Hij creëert nog ruimte in een eierdop en is een creatieve duizendpoot. Hij is illustrator en schrijver van stripverhalen."

De camera's namen shots van Maria en van Coop. Maria glimlachte en Coop knikte. Op de monitor zag Sandrine de beelden en ze voelde zich warm van trots worden.

Judy boog zich naar voren. „Vertel eens, wat is nu volgens jou de oorzaak van het vastlopen van een huishouden?"

„Het is een combinatie. De man, die op zijn werk heel efficiënt is, is thuis een rommelkont. Niet gewend om op te ruimen, omdat anderen dat voor hem doen. Als zijn vrouw de grootste moeite heeft om haar eigen zaken op orde te houden, krijg je een chaos waar niemand meer iets kan vinden. Het is mijn werk om iemand te laten zien dat tien opgevouwen truien deze ruimte in beslag nemen." Sandrine gaf met haar handen de maat aan. „En dat diezelfde tien truien, als ze niet op elkaar liggen, de hele plank in beslag nemen en dan moet je nog grabbelen om de goede te vinden."

Judy lachte. „Klinkt herkenbaar. Iets heel anders, Sandrine. Vrouwen die erg chaotisch zijn, beschouwen zichzelf vaak als een slechte moeder. Is er in jouw ogen een verschil tussen een, ik zeg het maar even hard, een slons of een supernette moeder?"

Sandrines antwoord kwam onmiddellijk: „Nee. Dat heeft niets met elkaar te maken. De laatste tijd kom ik natuurlijk nogal eens in contact met vrouwen die het huishouden niet zo in de vingers hebben En het zijn stuk voor stuk leuke, warme moeders en vrouwen. Maar ik ken net zo veel handige vrouwen die alles spic en span hebben en die ook enig zijn voor hun kinderen en de rest van de omgeving."

Judy knikte blij. „Laatste vraag. Sandrine, had jij een supernette of een rommelige moeder?"

„Een rommelige. En ik was al heel jong van het opruimerige soort, dus alles heeft z'n voordeel."

Judy lachte. „Gewoon creatief dus. Dank je wel, Sandrine."

Er klonk weer applaus en Sandrine nam haar plaats op de voorste rij weer in.

Coop boog zich naar haar toe. „Prima!" zei hij.

Maria straalde en legde haar kleine bruine hand op die van Sandrine. „Je was heel goed. Dank je wel dat je dat over me zei. Denk je dat de kindjes me hebben gezien?" zei ze zacht.

„Natuurlijk," fluisterde Sandrine.

Na afloop van de opname kwam Judy naar hen toe. Ze schudde handen, bedankte nogmaals. Irma Rombouts zei: „Sandrine is vergeten te zeggen dat wij een antiek- en curiositeitenzaak hebben. Als je het leuk vindt, wil ik wel eens in je programma uitleggen wat het precies inhoudt om naar veilingen te gaan en in te kopen."

„We hebben net zoiets gehad. Een paar weken geleden," antwoordde Judy.

„Jammer. Maar wie weet. Hier is mijn kaartje." Irma gaf haar een visitekaartje.

Frits Rombouts keek trots van zijn vrouw naar zijn dochter. Hij vond het fijn voor Sandrine dat de opname zo goed was gegaan. Dat had ze beslist van haar moeder, want hijzelf kon bij dit soort gelegenheden niet goed uit zijn woorden komen.

„Zullen we even koffiedrinken of een hapje eten? Er is vast wel iets in de buurt," stelde hij voor.

„Dat komt erg slecht uit, Frits. Dit heeft al meer tijd gekost dan ik had voorzien, maar we wilden Sandrine natuurlijk bijstaan. Ze raakt zo gemakkelijk van slag af," zei Irma met haar ogen op Coop gericht. „En we moéten vanavond nog even naar de Van der Ankertjes."

Ze had een harde glans in haar ogen.

„O. Jammer, dat wist ik niet," schutterde Frits.

„Dag Sandrine meisje. Je hebt het heel leuk gedaan. Niet, Irma?"

„Jaaah…" zei Irma langgerekt. „Zeker, zeker. In ieder geval, tot zaterdag, Sandrine. Dag, Maria, dag Coop, tot ziens misschien?" Ze nam Coop in een blik op. Een aantrekkelijke man.

Sandrine keek haar ouders na. Er kwam een bittere trek rond haar mond. „Zo gaat het nu altijd," zei ze. „Vroeger dacht ik altijd dat mijn moeder anders was dan andere moeders omdat ze helemaal niet op kon ruimen. Dat kon ze echt niet. Maar sinds ik met deze baan ben begonnen, weet ik dat ik mezelf voor de gek heb gehouden. Daar lag het niet aan. Ze hield gewoon niet zo veel van ons, denk ik. In ieder geval niet van mij."

Maria keek haar meelevend aan en sloeg een arm om Sandrines middel. Sandrine schudde haar hoofd. Het gevoel van kille woede dat ze eerder met moeite was kwijtgeraakt, kwam weer op.

Ze zou moeten accepteren dat haar moeder niets had van wat je je bij een moeder voorstelde. En dat had ze altijd willen hebben.

„Word volwassen, Sandrine," zei ze tegen zichzelf en beet haar kiezen op elkaar.

„Wat een emoties, vandaag," merkte ze luchtig op.

„Sandrine, je hoeft je voor ons niet groot te houden. We zijn vrienden," zei Coop rustig en sloeg ook een arm om Sandrine heen.

„Jullie raken nog met elkaar in de knoop." Ze lachte beverig en drukte haar armen tegen de hunne. „Ja. We zijn toch vrienden hè?"

Maria knikte heftig en Coop drukte alleen haar arm nog wat steviger in de zijne.

Even stonden ze zo. Coop geeuwde opeens en zei: „Best een goed idee van je vader daarnet. Laten we wat gaan eten, want ik rammel."

Tegen half elf hadden ze Maria thuisgebracht en Coop parkeerde de auto voor Sandrines huis.

Afra kwam naar buiten en zwaaide met beide armen. Ze tikte Coop op zijn schouder en gaf Sandrine toen die was uitgestapt, een zoen.

„Dat was klasse. Heel natuurlijk en heel grappig. Ik heb het voor je opgenomen, want je wilt het natuurlijk zelf ook zien. Hebben jullie tijd? Dan drinken we er een glas wijn op."

„Doen we." Sandrine en Coop volgden Afra. Afra zette de video aan en Sandrine zag zichzelf terug. Pratend, lachend... ze vertoonde geen spoortje van nervositeit.

„Ik heb altijd begrepen dat mensen zichzelf vreselijk vinden als ze zichzelf terugzien, maar ik vind het best leuk," zei ze verbaasd.

„Je was ook heel leuk," lachte Afra. „Je zult iedereen horen. Wat vonden je vader en moeder ervan?"

„Mijn vader vond het leuk. En mijn moeder..." Sandrine deed moeite om haar tranen in te houden. „Dat was als vanouds. Wel aardig."

„Jouw moeder is jaloers op je," zei Coop beschouwend.

„Maar dat is toch gek? Een moeder is toch blij als het goed gaat met haar kinderen?" Sandrine snikte ingehouden.

„De meesten wel. Sommigen niet. Je gelooft toch ook niet dat een vader of moeder een kind zo kan mishandelen dat ze doodgaan? En toch gebeurt het!" Afra duwde Sandrine een zakdoek in de hand. „Huil maar eens lekker, kind."

De tranen liepen langs haar neus over Sandrines wangen toen ze Afra aankeek.

„Jij vroeg laatst of ik boos was op mijn moeder. En toen zei ik: 'Nee,' maar dat is niet waar. Ik ben boos op haar... ik ben woedend. Omdat ze me nooit heeft laten merken dat ze om me geeft. Ik moest aardig en lief zijn tegen een kleverige kwal van een vent. En ik was niet boos op haar, maar op hem. Ik had toen al razend op haar moeten zijn." Sandrines stem werd hoe langer hoe hoger.

„Omdat ze me niet wilde geloven. Omdat dat slecht uitkwam met de zaak. Toen ik dat door had, was het zo grauw en lelijk. Net of er nooit meer een heldere morgen zou komen. En ik houd van helder."

Coop sloeg zijn armen om haar heen en wiegde haar heen en weer. „Huil maar Sandrine, huil maar."

„Ga me niet vertellen dat ik haar vergeven moet," snauwde Sandrine tussen twee snikken in.

Hij keek neer op het hoofd dat tegen zijn schouder gedrukt was.

„Ik kijk wel uit. Dat is iets tussen jou en je moeder," antwoordde hij.

Afra hield haar hoofd schuin en trok haar wenkbrauwen op. Coop wist niet dat dat een onderdeel van het probleem was. Sandrine had nooit de werkelijkheid onder ogen willen zien omdat ze het dan haar moeder niet zou kunnen vergeven.

„Die heldere morgen komt heus wel, meisje," zei ze. Het klonk uit de mond van de vrouw die geen moeder was, moederlijker dan Sandrines moeder ooit tegen haar had gesproken.

Ze bleven zitten tot Sandrine rustiger was geworden.

„Moet je morgen werken?" vroeg Afra bezorgd.

„Pas tegen twee uur. Dan heb ik een afspraak in Leiden," zei Sandrine. Om haar ogen was de eyeliner uitgelopen en haar wangen waren zwart gevlekt. Ze keek beschaamd naar Afra en Coop.

„Sorry."

„Niks sorry. Kom op, drink dat glas eens leeg."

Sandrine nam gehoorzaam een paar slokken en gaapte toen geweldig.

„Geen sorry zeggen!" zei Afra dreigend.

Sandrine schoot in de lach. Toen keek ze haar buurvrouw en haar compagnon aan. „Ik houd van jullie," zei ze ernstig.

„Dat komt goed uit, want we houden ook van jou," antwoordde Afra opgewekt. „Coop, breng dat kind naar haar eigen voordeur, want ze valt straks om van de slaap en van de wijn."

Sandrines voelde zich slap en beverig. Ze had die pil niet in moeten nemen, dacht ze. Ze kon er niet tegen.

Coop sloeg een arm om haar middel, liep het tuinpad af en opende de achterdeur.

„Zo. Niet meer piekeren. Blij zijn. Tot morgen," zei hij gedempt.

Ze liet zijn arm niet los. „Ik ben een beetje wiebelig."

Hij smoorde een lach en liep mee de keuken in tot onder aan de trap. De treden waren smal. Hij zuchtte. „Kom, Sandrientje. Nog even," moedigde hij aan.

„Je moet niet denken dat ik boven mijn theewater ben. Maar ik drink nooit wijn, weet je, en ik had een pilletje genomen," legde ze ernstig uit.

„Dat weet ik. Kom maar mee." Hij bracht haar tot boven aan de trap naar de badkamer.

„Zo en nu neem je een douche en dan suis je zo je bed in."

„Goed, Coop." Ze begon te lachen. „Hoorde je wat ik daar zei? Goedkoop," giechelde ze. Zonder overgang werd ze ernstig.

„Dat zal jij nooit zijn... Coop. Goedkoop," zei ze.

„Fijn. Maar nu onder de douche en naar bed. Hup. Grote meid." Coop pakte een nachthemd onder haar kussen vandaan en zette de douche aan.

„Help me even met mijn pak en mijn kousen," verzocht Sandrine.

Coop zuchtte en ontdeed haar van haar bovenkleren.

„Verder zelf doen." Hij deed een stap terug, pakte een handdoek uit de kast en legde die voor haar neer.

Hij gaf haar een kus op haar neus, maar ze hief haar gezicht omhoog. „Dank je wel, Coop."

Hij drukte zijn mond op de hare en klemde haar even tegen zich aan.

„Nu opschieten," zei hij ruw.

„Dat is raar. Ik vind het helemaal niet erg als jij me vasthoudt," zei ze verbaasd. „Dag lieve Coop!"

Coop liep de trap af, sloot de achterdeur en veegde over zijn voorhoofd.

Gelukkig had hij zich beheerst. Ze had al zo weinig vertrouwen in mensen. En ze zou gaan trouwen met die uilenbal van een Jasper. Alleen, als ze helemaal nuchter was geweest… Hij haalde diep adem en stapte in de auto.

Sandrine wist de volgende morgen weinig meer van het tweede deel van de vorige avond.

Ze ontwaakte en zag hoe de najaarszon in de tuin scheen.

Ze stond voor het raam, rekte haar armen uit en voelde zich buitengewoon behaaglijk. Daarna ging ze in gedachten de vorige dag na. Het was eigenlijk heel vreemd dat ze zich zo prettig voelde.

Ze had de man met wie ze dacht te trouwen, met een ander gezien, terwijl hij het had doen voorkomen of hij nog in het buitenland was. Ze zat bij de brokstukken van haar leven. De uitzending was goed gegaan, maar belangrijk vond ze die toch niet? En haar moeder was onaardig geweest. Maar dat was ze altijd. Eigenlijk was het een beroerde moeder.

Sandrine liep de trap af en zette het antwoordapparaat aan.

Er was een enorme hoeveelheid aan berichten: Tanja, Gerke, Ronny en Ben, Richard Gruyter, collega's van kantoor, oude schoolvriendinnen, vriendjes van vroeger. En Jasper…

„Sandrine. Ik ben weer thuis en ik heb je gisteravond gezien."

Ze keek door het raam naar buiten en zag dat Afra had gesnoeid.

„Ik jou ook, vriend," mompelde ze.

„En ik zal je iets prettigs vertellen. Ik kan zaterdag mee naar de receptie van je ouders. Ik kom morgenochtend langs om af te spreken."

Morgenochtend? Ze keek op de klok. Tegen half elf was het al. Hij kon hier ieder moment zijn. Ze moest opschieten. Op de mat van de keukendeur vond ze de sleutel die Coop door het bovenlicht naar binnen had gegooid. Ze glimlachte.

Een halfuur later belde Jasper aan. Hij had een groot boeket bloemen in zijn hand. Hij legde het op de grond en wilde zijn armen om Sandrine heen slaan. Ze deed een stap achteruit.

„Wanneer ben je teruggekomen, Jasper? Je zou toch tot eind volgende week weg zijn?

„Gisteravond. Ik was net op tijd om je te zien. Waarom heb je niet gebeld? Ik was trots op je. Varenhorst heeft je ook gezien. Die vent barstte van jaloezie," zei hij. Er lag een voldane trek rond zijn mond. De weken in Duitsland hadden hem goed gedaan. De lichtbruine tint van zijn huid deed zijn blonde haar en blauwe ogen nog beter uitkomen. Sandrine gaf het volmondig toe. Dat maakte het gemakkelijker om de relatie af te breken. Hij zou zo een ander hebben.

„Grappig. Weet je dat ik jou ook heb gezien?" zei ze bijna vrolijk.

„Mij?" Hij probeerde zijn schrik te verbergen.

Dat zou toch niet waar zijn? Met Barbara was het net afgelopen. Gisteren was voor het laatst geweest, had hij besloten. Ze was veel te bezitterig. En Sandrine kreeg veel meer pit de laatste tijd.

Peter Varenhorst had hem gisteren uitgescholden. Dat hij een hufter was en dat hij Sandrine niet waard was en dat hij haar beduvelde.

Die vent was gewoon jaloers natuurlijk en wachtte op een kans om in zijn schoenen te stappen. Iedereen benijdde hem op het moment om Sandrine. Hij had haar ook niet eerder zo gezien. Die ogen. Zo groot en geheimzinnig hadden ze geleken op het scherm. Ze had ze nu ook opgemaakt. Hij glimlachte onrustig. Vroeger was het haar nooit opgevallen als hij even iets had met een ander.

„Gezien? Kan niet. Waar dan?" blufte hij.

„In de Wilhelminalaan. Je was met Barbara," hielp ze.

„Dat kan ik uitleggen," verklaarde hij zelfverzekerd.

„Ik twijfel er niet aan, maar het hoeft niet." De klank van haar stem was misleidend vriendelijk.

„Dat vind ik nu zo fijn bij jou. Dat ik niets hoef uit te leggen. We hebben het er niet meer over. Laat me de cijfers van je bureautje maar eens zien. Het lijkt toch wel wat te worden. De jongens in de club waren enthousiast over je zaak. Als je echt goed wilt draaien kun je een beetje hulp van een expert wel gebruiken. Enfin, dat komt straks. Geef me nu eerst eens een zoen."

Hij deed een stap naar voren, maar Sandrine draaide zich om. Ze liep de kamer in, pakte een doos van de tafel en zei: „Niet nodig. De hele zakelijke rompslomp is geregeld. Kijk, dit is een halsketting, en

178

hier nog een paar armbanden… de parfum is op." De lichtblauwe aquamarijnen van het collier glansden toen ze het hem in zijn handen duwde."

Hij keek haar verbijsterd aan. „Wat is dat nu voor onzin?"

„Gewoon. Uit!" zei Sandrine. Haar donkerblauwe ogen keken hem oplettend aan.

„Uit? Je ziet me één keer met een ander en meteen maak je er een drama van? Dat kun je niet maken." De uitdrukking op het knappe gezicht werd donker.

„Barbara is maar bijzaak," zei ze afwezig. „Ik weet best dat ze niet veel voor je betekent. En die anderen, vóór Barbara ook niet."

„Wat!" stoof hij op.

„Sita, Irene…" bracht ze hem kalm in herinnering.

„Je weet best dat dat niets voorstelde. Een beetje geflirt."

„En een beetje gevrij…" vulde ze aan.

Hij beet op zijn lippen. „Dat lag niet alleen aan mij. Je weet zelf hoe die meiden achter me aan liepen. En zo toeschietelijk was jij niet."

„Weet ik wel. Dat had me moeten waarschuwen. En het komt ook niet door Barbara dat ik vind dat we niet samen verder moeten gaan."

„Niet samen verder? Je moet uitkijken, straks neem ik je serieus." Jasper geloofde zijn oren niet. Dit was Sandrine, die altijd zo plooibaar en gemakkelijk was en die altijd een oogje dicht had gedaan… Hij beet op zijn lip. Of toch niet.

„O, maar je moet me ook serieus nemen." Sandrine werd hoe langer hoe zekerder van zichzelf. Waarom had ze hier zo lang mee gewacht? Bang dat ze alleen door het leven zou moeten gaan? Honderd keer beter alleen dan met iemand waarvan ze nu al wist dat hij ontrouw zou zijn.

„Maar waarom dan?" vroeg hij. „Als het niet om Barbara is?"

„Het komt door… Eigenlijk omdat je nooit solidair met me bent. Niet bij jou thuis… en niet bij mij thuis. En dat neem ik je kwalijk. Je hebt niet eens veel respect voor mijn vader en moeder en toch, als het tegen mij gaat, kies je hun partij."

„Wanneer heb ik ooit partij tegen jou gekozen? Je kletst maar wat om het goed te praten dat je het uitmaakt. Je weet best dat ik alleen van jou houd."

Terwijl hij de woorden uitsprak, besefte Jasper dat hij de waarheid sprak. Hij hield van Sandrine. Hij wilde haar niet kwijtraken. Zeker niet op dit moment.

„Vooruit. Laten we nu alles vergeten. Hier." Hij duwde de sieraden naar haar toe. „Ik zal erop letten dat ik je niet alleen laat staan als we ergens zijn. En als je moeder je uitlacht, zal ik haar dat wel inpeperen."

Ach, dat had hij dus opgemerkt? Sandrine herinnerde zich de keren dat ze wat verloren op het sportveld had gestaan. Ze had altijd geloofd dat het hem niet was opgevallen, maar hij had het wel gezien. Ook dat haar moeder haar belachelijk maakte.

Ze rechtte haar rug. „Het is niet belangrijk meer. Laten we niet kwaad uit elkaar gaan. Gewoon… tot ziens of zo. En doe de groeten aan je ouders. Ik schrijf ze nog wel een briefje."

Met zijn handen in elkaar geknepen en een vertrokken gezicht stond Jasper voor haar. Toen stak hij de kettingen en de armband in zijn zak. „Je komt nog wel bij me terug. En dan weet ik niet of ik hier over heen kan stappen," dreigde hij.

„Laten we dat dan maar afwachten."

Sandrine opende de deur. En al vond ze het klein van zichzelf… ze kon het niet nalaten om te zeggen: „Zoek volgende keer een vriendin die bij je in wil trekken. Dat is prettiger voor je moeder."

Voor hij in zijn auto stapte keek Jasper om. Sandrine stond bij de voordeur. Was hij Sandrine echt kwijt? Dat kon hij niet geloven.

15

De ochtend was koud en helder. De eerste voorboden van de winter kondigden zich aan. Het blad van de kastanje zwierde over straat.

Sandrine droeg de kaftan die Coop haar had aangeraden en showde hem aan Afra.

„Afra, kijk. Staat het echt niet gek? Niet of ik weggelopen ben uit de opera?"

Afra draaide om haar heen. „Je ziet er beeldig uit. Wat heb je er over aan? Alleen die dunne sjaal is niet genoeg. Als je even wacht…"

Ze draafde naar boven en kwam triomfantelijk beneden. „Maar goed dat ik deze niet heb weggegooid hè?" Ze legde een bruine omslagdoek om Sandrines schouders.

„Prachtig," zei ze. „Kijk, daar komt Coop al aan."

Coop stapte uit zijn auto. Hij droeg een mooie spijkerbroek en een donkerblauw colbertje over een lichtgeel overhemd. Een donkerblauwe sjaal lag losjes om zijn hals.

„Sandrine, ben je klaar?" Hij floot bewonderend.

Ze draaide verheugd en wat verlegen een halve pirouette. De kaftan golfde sierlijk om haar benen. Toen legde ze een hand op zijn mouw en tilde de rand van het jasje even omhoog.

„Mooie combinatie, Coop."

Hij grinnikte. Zou hij vertellen dat hij gistermiddag als een haas wat nieuwe kleren had gekocht? Maar niet. Dan voelde ze zich weer bezwaard.

„We gaan. Dag Afra."

Goedkeurend keek Afra hen na. Twee jonge mensen om wie ze in een halfjaar veel was gaan geven.

Ze reden door de polders Noord-Holland in.

Sandrine voelde aan de fluwelig zachte stof van de kaftan. Ze had haar ogen opgemaakt op de manier die de visagist in de studio haar had voorgedaan. Het maakte dat ze zich zeker voelde.

Tegen elven stopten ze voor de antiekzaak. De etalage was mooi opgemaakt. Er stonden een paar boeketten die de meubels mooi deden uitkomen. Sandrine herkende er de hand van haar moeder in.

Coop keek opzij en glimlachte bemoedigend voor hij uitstapte en het portier voor haar opende.

Het was al druk in de winkel. Er liep een meisje, in het zwart gekleed, rond met een blad met kopjes.

Tanja stond vooraan en verwelkomde de mensen. Ze kwam op Sandrine en Coop toe en sloeg enthousiast haar armen om haar zusje heen.

„Wat zie je er schattig uit, San," zei ze opgetogen. „En dit is?"

„Coop Lingers," stelde Sandrine hem voor. „En dit is Tanja en daar komt Gerke, mijn broer aan. En dat is Fred, Tanja's man. De hele familie in een klap. Mijn vader en moeder heb je van de week al gezien."

Coop drukte handen en raakte in gesprek met Gerke. Ondertussen hield hij losjes zijn hand op Sandrines arm.

Tanja fluisterde aan Sandrines andere zij. „Wat heb je gedaan? Heb je ruzie gemaakt met Jasper? Moeder is razend."

„Waarom? En hoe weet moeder dat?" Sandrine was stomverbaasd.

Voor Tanja antwoord kon geven, kwam Irma Rombouts op haar oudste dochter af. Ze droeg een geel pakje dat haar mooi kleurde. Haar ogen straalden geen warmte uit toen ze Sandrine een kus gaf.

„Waarom heb je Jasper niet meegenomen? Hij vond het erg jammer dat hij er vandaag niet bij zou zijn. Ik heb hem gezegd dat hij evengoed welkom is. Omdat jullie een ruzietje hebben, heeft hij nog geen onenigheid met ons," zei ze zo zacht, dat op Sandrine en Coop na niemand haar hoorde. Sandrine zweeg onaangenaam getroffen.

Jasper leek wel gek. Als hij echt dacht dat ze zou zwichten voor een poging van haar moeder om het weer in orde te maken tussen hen beiden, kende hij haar nog minder dan ze al dacht. Hoewel, een halfjaar geleden was ze er misschien wel gevoelig voor geweest. Was ze dan zo veranderd? Ze was met haar neus op de realiteit geduwd. En dat was mede door toedoen van Jasper.

Straks word ik hem nog dankbaar, dacht ze ironisch. Ze rook de lavendelachtige geur van haar moeders zeep. „Dag moeder."

Coop stak zijn ene arm onder die van Sandrine en stak zijn andere uit naar Sandrines moeder. „Dag mevrouw Rombouts, hartelijk gefeliciteerd met deze dag. Een succes, zo te zien."

„Dag Coop, zeg toch Irma," zei mevrouw Rombouts en ze wendde zich weer tot Sandrine. „Sandrine…"

„Sandrine, zullen we eerst je vader even begroeten? Anders wordt het te druk om bij hem te komen. We spreken je moeder straks weer. Kom." Coop trok Sandrine mee. Mevrouw Rombouts bleef staan en werd aangesproken door een klant. Haar ogen volgden haar dochter en ze zag dat ze niet de enige was. Veel mensen keken Sandrine na. Ze zag er zo levendig en stralend uit dat Irma dacht: Zou het kind iets hebben met die man die bij haar is? Zou ze om hem Jasper aan de kant hebben gezet? Ach nee.

Daarna werd ze in beslag genomen door het meisje dat met gebak rond ging.

„Dag meisje, wat zie je er beeldig uit," zei vader Rombouts hartelijk tegen Sandrine. „Wat een succes hè? Dat hadden we niet kunnen denken twaalfenhalf jaar geleden, dat het zo'n goede zaak zou worden." Hij keek trots rond van de glanzende Louis Seize tafel naar de staande Friese klok.

„Ja, geweldig vader. Hartelijk gefeliciteerd." Even stapte Sandrine over haar grieven heen. Het was fijn voor hem dat de zaken zo floreerden. Ze hadden er ook hard voor gewerkt.

Haar vader wendde zich naar Coop. „Leuk dat je er ook bent. Wat was dat een geweldige tv-uitzending hè? We hebben het thuis nog eens bekeken. Je deed het prima, Sandrine," zei haar vader. Even dempte hij zijn stem. „Wat is dat met Jasper? Je moeder vertelde dat je het uitgemaakt hebt, maar volgens haar is het een ruzietje dat je weer bij moet leggen."

Sandrine voelde dat Coop haar arm tegen de zijne knelde. Ze wierp een blik omhoog. Zoals altijd als hij erg verbaasd was, had hij een wenkbrauw opgetrokken.

„Nee vader. Dat komt niet meer goed. We… we passen gewoon niet bij elkaar."

Haar vader keek haar nadenkend aan. „Tja, jammer kind. Maar dat zul je zelf wel het beste weten."

„Dat weet ik ook, pap." Even zag Frits Rombouts in haar ogen de blik van de kleine Sandrine van vroeger terug. Vastberaden en fier. En hij wist dat het voor Jasper over was, wat zijn vrouw er ook over zei.

Sandrine nam een stukje taart en wees Coop op de schaal. „Kijk Coop, die daar is heerlijk."

Op dat moment kwam mevrouw Rombouts er bij staan. Achter

haar liep een oudere man. Hij was gebruind, droeg een donker kostuum en straalde succes uit.

„Zo, is ze weer aan het regelen? Af en toe vermoeiend, vind je niet Coop? En kijk eens wie hier is, Sandrine... Ik weet zeker dat jullie nog wel wat met elkaar te bepraten hebben."

Sandrine draaide zich om. Coop voelde haar verstrakken.

„Meneer Veraert."

Meneer Veraert pakte Sandrines hand en legde zijn andere hand erover heen. Ze keek hem met nauw bedwongen weerzin aan en trok haar hand terug.

„Ik heb je eergisteravond op de tv gezien. Wat een interessant bedrijfje heb je opgezet. Net zo creatief als je vader en moeder," zei meneer Veraert.

Zijn ogen puilden nog steeds wat uit en hij had dezelfde weke mond. Zijn blik gleed van haar hals naar haar hooggehakte schoenen. Het was de blik waarmee hij haar vroeger had bekeken.

Sandrine hief haar kin in de lucht. Ze voelde meer dan ze zag, dat Coop dichter naar haar toe kwam. Hij zette het gebakschoteltje weg en legde een hand onder haar elleboog.

„Dat heb ik ook al gezegd, Stef... Een goed kind dat naar haar moeder aardt," glimlachte mevrouw Rombouts.

„Dat naar haar vader aardt. Een gezegde moet je goed citeren ma. En het klopt in ons geval, want ik lijk op vader," verbeterde Sandrine vinnig. „Tanja lijkt op u. Is het niet Coop?"

„Dat is het eerste dat opvalt als je jullie ziet," zei Coop.

Veraert keek naar hem op. Wie was dit? Hij had begrepen dat Sandrines vriend er niet zou zijn en deze vent hield haar vast met een bezitterige air.

„Wat karakter betreft. Ik ken jullie natuurlijk zo goed," zei hij met een glimlach.

„Ik lijk op mijn oudtante," zei Sandrine afwijzend.

„Dat zeg ik nu zo vaak tegen Irma," zei Sandrines vader. „Precies tante Antonia."

„Kom nou, Frits... Die ondernemingszin heeft ze typisch van ons. Wel jammer dat je tijdens dat interview op de televisie niet even onze naam en de zaak hebt genoemd, Sandrine," zei mevrouw Rombouts.

„Ging moeilijk, mam," antwoordde Sandrine laconiek. Ze negeerde meneer Veraert.

Hij bleef naar haar kijken en probeerde haar te dwingen om terug te kijken.

„Als je bij dat mens de rommel opruimt, moet je ons kaartje nog maar eens geven," beval Irma Rombouts. „Ik verwacht dat ze ons nog wel vraagt voor een uitzending."

„Lijkt me niet waarschijnlijk. Ze hebben de serie afgesloten. Sandrine was de laatste," zei Coop nuchter.

„Coop is bevriend met de man van de presentatrice," legde Sandrine uit.

Mevrouw Rombouts gezicht betrok. Toen wendde ze zich tot meneer Veraert. Er kwam een klein lachje op haar gezicht.

„Weet je wat dat malle kind gedaan heeft? Zo'n ruzie gemaakt met haar toekomstige man, dat die denkt dat het afgelopen is tussen hen. Een alleraardigste jongen. Dwaas niet?"

Vader Rombouts keek ongemakkelijk van de een naar de ander.

„Irma, dat zijn Sandrines zaken."

„Kom. Stef kent haar al zo lang. Die arme jongen vroeg ons om een goed woordje voor hem te doen. Maar jij kunt erover meepraten hoe dwars Sandrine kan zijn, Stef... en ze is nog niets veranderd."

„Nee. We moeten eens samen afspreken, Sandrine." De ogen van Stef Veraert waren nog steeds strak op Sandrine gericht. Ze keek onwillekeurig naar hem en tot Sandrines afschuw zag ze de belletjes in zijn mondhoeken verschijnen. Op dat moment haatte ze haar moeder uit de grond van haar hart. Daarna maakte ze zichzelf zo lang mogelijk. Ze was geen kind van vijftien meer.

„Ik heb het erg druk," zei ze afwerend.

Stef Veraert staarde haar aan. Hij zag het kind weer voor zich dat hij elf jaar geleden zo aantrekkelijk had gevonden, dat hij haar leeftijd af en toe vergat. Of misschien was het wel juist omdat ze zo jong was. Hij keek in de donkerblauwe ogen die hem vroeger bang hadden aangekeken. Die angst was een van de aantrekkelijkste dingen geweest. Hij glimlachte. Ze was ook een zaak begonnen...

„Ik heb indertijd je vader en moeder geholpen en in dat project van jou wil ik mogelijk ook wel investeren," stelde hij voor. „Kom maar eens langs."

Sandrines mondhoeken krulden minachtend. Ze zweeg.

Coop sloeg een arm om haar heen. Hij zei bijna loom: „Meneer Veraert, Sandrine heeft me zoveel over u verteld."

Hij zweeg even, keek van Irma Rombouts naar Stef Veraert en

vervolgde: „Zo veel interessants... over de haken en ogen die aan leningen vast kunnen zitten... Zij en ik zijn bijna compagnons. Bedankt voor het aanbod, maar we hebben bedrijfskapitaal genoeg. Jonge ondernemers hebben de wind mee. Dat was in uw tijd natuurlijk niet zo, mevrouw Rombouts. Of misschien ook wel."

Onder de onverschillige toon was zijn stem staalhard.

Toen wees hij naar achteren, waar Tanja met Fred en Gerke stond.

„Tanja roept. We hebben haar bijna nog niet gesproken en we hebben niet veel tijd. Meneer Veraert, misschien tot ziens. Kom Sandrine."

Ze knikte en liep voor hem uit.

Bij Tanja stond een paar mensen die kennis wilde maken met Sandrine.

„Ze hebben je gisteren gezien op de tv en willen nog wat meer weten. Kom." Tanja's stem was hoog van genoegen.

„Goed voor je zaak, San," fluisterde ze en ze kneep in de arm van haar zusje.

Irma Rombouts keek de twee na. Ze wist niet of die jongen nu opzettelijk haar poging om Sandrine met Veraert te laten spreken, torpedeerde of dat het toevallig was. Hij was niet onbeleefd geweest. Niets op aan te merken. Maar onder die beleefde toon had zijn stem dreigend geklonken, of verbeeldde ze zich dat?

Veraert had haar net een lening aangeboden voor als ze wilde uitbreiden. Op zeer voordelige condities. Daar kon geen bank tegen op. Maar Frits zou wel weigeren.

Stef Veraert nam afscheid. Hij wierp nog een blik in de richting van Sandrine, maar ze zag hem niet. Ze had plezier en lachte om iets wat Gerke had gezegd. Sandrine was veranderd. Zou dat komen door die compagnon? Een man met wie je uit moest kijken.

Na een laatste blik verliet hij de winkel.

Een uur later was het rustig geworden. Coop zag dat Sandrine druk in gesprek was met haar zusje. Gerke vroeg of hij interesse had voor een oude waterbak die buiten stond en Coop verliet door de achterdeur de zaak.

Mevrouw Rombouts kwam op Sandrine en Tanja toe. Haar ogen waren smal. Er waren die morgen een paar dingen niet zo gelopen als zij zich had voorgesteld. Mensen hadden meer interesse gehad voor Sandrines bureau en de tv-uitzending dan voor hun zaak. En wat zag het kind er ongewoon uit. Bijna overdreven.

„Je had ons niet verteld dat je een compagnon had. Dat hadden we je beslist afgeraden. Het is veel beter om iets in eigen hand te houden. En met die medewerkster van je zijn vader en ik ook niet gelukkig. Tanja vertelde dat die Maria een ex-prostituee is. Je moet uitkijken met wie je in zee gaat. Voor je het weet, krijg je door zo'n vrouwtje een slechte naam."

„Wáat! Tanjaaa…" Met vlammende ogen draaide Sandrine zich om naar haar zusje. „Wat heb jij aan moeder verteld?"

Geschrokken keek Tanja haar oudste zus aan.

„Alleen hoe tragisch dat gelopen is met Maria en hoe fijn het voor haar is dat alles nu zo goed voor haar wordt."

„Dat had je helemaal niet mogen vertellen," snauwde Sandrine

„Iemand die zich verkoopt." Minachtend haalde mevrouw Rombouts haar wenkbrauwen op.

„Iemand die, om eten voor haar kinderen te kunnen kopen, geld heeft aangenomen, nadat ze misbruikt is…," zei Sandrine met een lage stem. „Daar heb ik nou toevallig honderd keer meer respect voor dan voor iemand die rustig haar dochter zou verkopen om geld voor haar zaak te krijgen. Weet u nog, moeder? Lief en aardig zijn voor meneer Veraert. Hoe lief en aardig is me er nooit bij verteld. En als ik zei dat hij klef deed en aan me zat, was het niet waar. Hij zat altijd aan mijn borsten en mijn benen. Zogenaamd per ongeluk. Hij kwijlde er bijna bij. Walgelijk! En u durft kritiek te hebben op Maria?" Haar stem was hoger geworden.

Ze wendde zich tot Tanja. „En jij vertelt dat door? Ik wil jullie nooit meer zien. Niemand!"

Ze draaide zich om, duwde iemand die voor haar stond weg en holde de deur uit.

Zonder uit te kijken, rende ze de weg op.

De auto die op dat moment de straat inreed, kon haar niet meer ontwijken en remde met een schril geluid. Met een klap viel Sandrine op het asfalt.

Tanja schreeuwde het uit. Ze was meteen bij Sandrine en boog zich over haar heen. Ze zag het witte gezichtje van haar zus op de straatstenen en riep wanhopig. „Sandrien… Sanny!"

Toen draaide ze zich om naar haar moeder die in de deuropening stond, met haar hand tegen haar keel.

„Wat hebt u gezegd? Wat hebt u gedaan?"

Coop duwde Sandrines moeder opzij. Hij was in twee stappen op de ouderwets bestrate middenweg en knielde naast Sandrine op de keien. Sandrines ogen waren gesloten. De zwarte eyeliner om haar ogen deed haar inwitte kleur nog duidelijker uitkomen. De bruinfluwelen kaftan was opgeschort tot haar knieën.

Coop legde zijn hand in haar hals en voelde een ader kloppen. Goddank. Hij richtte zich half op. „Bel een ambulance."

Iemand toetste 112 in.

Mevrouw Rombouts stond als een wassen beeld. De beschuldigende woorden van haar dochter klonken in haar oren.

"U zou me verkocht hebben voor de zaak!"

16

S andrine lag in een ziekenhuisbed en keek door haar halfgeopen-
de ogen naar de man die naast het bed zat met zijn hand op de
deken. Achter hem zag ze een witte jas heen en weer bewegen.

„Zo, daar ben je weer," zei een verpleegster opgewekt. „En, hoe
voel je je?"

„Alsof ik ben overreden," kraste Sandrine en ze probeerde de prop
die in haar keel zat, weg te kuchen. Dat veroorzaakte een doffe pijn
in haar voorhoofd en steken in haar middenrif.

Ze kreunde. Coop legde zijn hand op haar arm.

De verpleegster lachte en zei: „Nou, dat klopt. En je bent er goed
afgekomen. Dat had zat slechter gekund. Straks komt de dokter
langs. Als het even meezit, kun je over een paar dagen weer naar
huis."

Dat mens is getikt, dacht Sandrine vermoeid. Naar huis. Ik ben
half dood.

„Wat heb ik, Coop? Zeg het maar eerlijk. Lig ik hier alleen op een
kamer omdat…"

Coop schoot in de lach. Hij was toen het eenmaal duidelijk was
geworden dat Sandrine niet ernstig gewond was, zo opgelucht
geweest dat hij Afra en Ronny bijna vrolijk had gemeld dat Sandrine
tegen een auto was opgelopen. Ze zouden hem wel voor gek verkla-
ren.

„Een hersenschudding en een paar gekneusde ribben. Je bent morgen bont en blauw, maar je krijgt wat tegen de pijn," zei hij geruststellend.

Sandrines gezicht vertrok. Ze herinnerde zich weer wat er gebeurd
was: haar moeder, Tanja die doorgekletst had wat ze haar over Maria
had verteld…

Vertelde je je zusje één keer iets en wauwelde die het meteen door
aan je moeder, dacht ze treurig. Maar wat was er daarna gebeurd?

Ze herinnerde zich alleen maar het geschokte gezicht van haar
moeder en dat van Tanja. En dat ze was weggelopen en dat ze ze
nooit meer wilde zien.

„Hoe kom ik aan die hersenschudding?" vroeg ze, „en waar is
mijn kaftan?"

„Je bent tegen een auto opgelopen en je jurk is gescheurd. Je hebt iets aan van het ziekenhuis. Ronny komt straks met kleren en toilet-spullen. Maar je moet nu eerst rustig blijven liggen en je nergens druk om maken."

„Precies. Het zou goed zijn als je probeerde te slapen."

De verpleegster schoof het gordijn verder dicht, zodat het licht niet op Sandrines gezicht viel.

„Ik ben net wakker." Sandrine deed haar ogen wijder open, maar sloot ze meteen weer. Het licht deed haar zeer.

„Probeer toch maar te slapen," zei Coop.

„Ga je dan niet weg?" vroeg ze en ze stak een hand die ook in het verband zat, uit.

„Ik blijf hier."

„Je vriend moet straks eerst iets eten," zei de zuster.

„O, ja. Natuurlijk," antwoordde Sandrine beleefd.

„Mijn vriend?" Ze zag een blond gezicht voor zich. Jasper... Ze kwam half overeind en zakte weer terug.

„Die wil ik ook niet zien," snauwde ze.

De verpleegster keek verbluft en toen medelijdend naar Coop.

„U moet rekenen, ze zijn vaak zichzelf niet na zoiets," zei ze zacht.

Sandrine was zich niet bewust van de commotie die bij de zuster was ontstaan. Jasper wilde ze niet zien. En haar familie niet...

Maar dan was ze helemaal alleen.

„Ik wil niet alleen zijn," snifte ze.

„Ik blijf hier lie..." Coop brak zijn zin af en pakte haar hand.

„Slapen en ik blijf."

„Dan is het goed." Ze viel in slaap met een tevreden trekje om haar mond.

„U kunt gerust weggaan," zei de verpleegster. „We moeten haar telkens even wakker maken, voor alle zekerheid. Ze is toch een behoorlijke tijd van de wereld geweest."

Hij keek naar de zwartblauwe plekken in het witte gezichtje op het kussen.

„Ik blijf bij haar," zei hij kalm.

Hij zat er toen Ronny en Afra kwamen en bleef bij haar toen ze telkens wakker werd gemaakt. De laatste keer verhelderde haar blik en glimlachte ze vaag.

Tegen acht uur 's avonds stak Tanja haar hoofd om de hoek van de deur. Haar gezicht was opgezet van het huilen. Sandrine sliep.

„Het spijt me zo. Ik had mama het alleen maar verteld omdat ik het zo fijn vond dat Sandrine het voor die Maria opnam. Echt… en ik heb niets lelijks over Maria gezegd," fluisterde ze ongelukkig.

„Dat geloof ik zo. Het kwam alleen erg slecht uit. Net toen ik er niet was." Coop nam het zichzelf kwalijk dat hij met Gerke naar een ander vertrek was gelopen. Hij had gedacht dat dat veilig kon toen Veraert was verdwenen.

„Mijn moeder is soms afschuwelijk voor Sandrine. Maar ze bedoelt het niet zo, denk ik. We hebben er nooit bij stil gestaan dat Sandrine ook steun nodig heeft. Ze was altijd zo sterk. Gerke is nog wel eens voor haar opgekomen. Aan mij heeft ze niks gehad," bekende ze moeizaam.

Coop keek naar het blonde zusje van Sandrine dat zoveel van haar moeder weg had.

„Het gaat wel over. In ieder geval voor Gerke en voor jou. Met je ouders zal het langer duren, maar komt het ook wel weer goed," zei hij en hij hoopte dat hij gelijk had.

„Moeder wilde daarnet ook meekomen. Maar Fred en Gerke hebben haar tegen gehouden."

„Gelukkig," zei Coop oprecht.

Coop bleef die nacht bij Sandrine zitten.

Tegen één uur werd ze wakker en keek ze onrustig opzij. „Coop, ik kan hier niet blijven liggen. Dat gaat niet voor de zaak. Hoe moet het met Maria? En mijn klanten… wie vertelt ze dat ik ziek ben? O wat treft het slecht," kreunde ze met een pijnlijk vertrokken gezicht.

„Daarvoor ben je verzekerd," suste hij en hij streek over haar wang.

„En maak je over de rest geen zorgen. Dat doen Ronny en ik wel."

„O. Nou… goed dan." Ze sloot haar ogen en opende ze weer.

„Coop, ik kan niet tegen pillen. Dan kan ik niet goed denken."

„Je moet ook niet denken. Ga nu slapen, liefje."

„Liefje," prevelde ze. „Vind je me lief, Coop?"

„Heel erg, Sandrine."

„O… fijn. Ik vind jou ook heel lief, Coop," prevelde ze. „Ik durf tegen jou altijd alles te zeggen. Vreemd, vind je niet? Kun je mijn hand misschien vasthouden?"

Hij pakte de hand voorzichtig in de zijne. Tegen vijven viel hij met zijn hoofd op de deken in slaap.

Pas tegen zeven uur in de ochtend verliet Coop het ziekenhuis.

Het was moeilijk om mevrouw Rombouts buiten het ziekenhuis te houden. Ze wilde naar haar dochter toe. Die verpleegsters waren niet goed snik om haar niet toe te laten. Te onrustig! Nonsens.

Ze wilde Sandrines gezicht zien. Haar gewone gezicht. Niet zoals het was toen ze al die akelige dingen tegen haar had gezegd.

Die onzin die ze uit had geslagen!

Verkopen! Waar haalde het kind het vandaan, dacht ze. Sandrine had gedaan of ze een soort bordeelhoudster was.

Ze wilde Sandrine eerst uitleggen dat ze dat nooit had bedoeld. Ze had zich heus van Stef Veraert niets hoeven laten welgevallen. Gewoon vriendelijk en beleefd zijn, dat was alles.

De volgende dag kwam ze weer naar het ziekenhuis en hoorde dat Sandrine behalve haar vriend Coop nog steeds niemand wilde zien.

„Die man is geen familie en haar echte vriend weet van niets. Dat is toch schandalig," klaagde ze." Dat zo'n ziekenhuis daaraan mee-werkt…"

Frits Rombouts hield het thuis niet uit. Een kerk wilde hij even niet van binnen zien en hij zat, tegen zijn gewoonte in, de hele zondag-middag in de antiekzaak, die helemaal onttakeld was door de recep-tie. De catering was verdwenen, maar de meubels stonden ongeor-dend in de winkel. Hij nam plaats op een Oudhollands stoeltje en leunde met zijn ellebogen op zijn knie.

Sandrine, zijn oudste… Hadden ze haar echt om dat rottige geld blootgesteld aan intimiteiten van Veraert?

Had ze echt gedacht dat hij en Irma er alles voor over gehad had-den om hun zaak maar voort te kunnen zetten?

Diep ellendig keek hij naar de vijfarmige koperen kandelaar die boven een tafel hing. Hij had toch eigenlijk wel geweten dat Stef Veraert niet van Sandrine af kon blijven? Hij had er bewust zijn ogen voor gesloten. Maar hij wist ook dat het Sandrine daar niet meer om ging. Het ging erom dat ze haar nooit steunden. Ze hadden haar diep gegriefd toen ze met haar plannen voor het bureau bij hen was geko-men. Ze hadden het belachelijk gemaakt en daarmee alles ontkend

wat ze voor hen had gedaan. Hij boog zich over een zilveren lorg-
netkoker en wreef er met zijn mouw over.

Sandrine. Zijn dochter.

Het onbehagen dreef Irma Rombouts intussen tot daden. Die Coop
bij Sandrine in het ziekenhuis... Te gek voor woorden. Als ze haar
familie niet wilde zien, moest er iemand anders naar toe.

Ze belde Jasper.

Jasper had nog niemand verteld dat zijn relatie met Sandrine was
verbroken.

Niet nu iedereen zo verrukt deed over de inrichting van de kantine. De eerste tafel was al geschuurd en gelakt en de kozijnen waren
geverfd. Hij vond het een afgang voor zichzelf en was kwaad dat
Sandrine hem voor gek had gezet.

Toen Peter Varenhorst hoorde dat Sandrine in het ziekenhuis lag,
had hij in een mum van tijd een bedrag opgehaald voor een boeket
en een fruitmand. Hij duwde Jasper het geld in de handen.

„Wens haar beterschap, makker en doe haar de groeten.”

Wantrouwend keek Jasper hem aan. Zou Peter soms achter de verandering bij Sandrine zitten?

Hij leek wel erg in haar geïnteresseerd.

Het was stom geweest om Sandrine de kantine te laten veranderen. Het was begonnen met dat nieuwe baantje van haar. Hij had daar
anders mee om moeten gaan. Maar het was nog niet te laat. Hij had
Sandrines moeder mee.

Maandagmiddag, toen Sandrine weer redelijk helder was, kwam
Jasper naar het ziekenhuis. Hij had een grote ruiker in zijn ene hand
en in de andere een fruitmand.

Vol zelfvertrouwen kwam hij de kamer binnen. Naast het bed
waarin Sandrine lag, zaten Ronny en een vrouw die hij niet kende.
Een zuidelijk type. Knappe vrouw, zag hij in een flits.

Zodra Ronny hem zag, stond ze op.

„Jasper.”

„Ik hoorde het gisteravond laat pas,” zei hij op gedempte toon.
„Jammer dat ik niet eerder gebeld ben. Kijk, dit is van de hockeyclub. Ze leven erg met ons mee.”

Ronny nam de fruitmand en de bloemen aan. Ze stond zo dat ze
het zicht op Sandrine belemmerde.

„Als je even mee de gang opgaat?"

Hij probeerde om haar heen te kijken.

„Laat me nu eerst mijn meisje begroeten."

De vrouw met de lichtbruine huid stond ook op en versperde hem de weg.

„Gaat nu niet." Ze had een licht accent.

Ronny legde de bloemen en de fruitmand op de grond.

„Kom. Sandrine slaapt. Ze mag zich even nergens over opwinden."

Met zachte aandrang voerden ze hem samen naar de deur. Tot zijn verbijstering stond hij weer op de gang.

„Sandrine had het toch uitgemaakt? Waarom kom je dan nog?" Ronny trok haar wenkbrauwen zo hoog op dat ze bijna tot de haargrens raakten.

„Dat berust op een misverstand. Ze is zichzelf niet de laatste tijd. Ik neem haar dat niet kwalijk. En zeker nu niet." Geërgerd keek hij naar de andere vrouw, die met gevouwen armen voor de deur stond.

„Je bedoelt dat je met een ander rommelde en dat ze dat niet langer pikte," zei Ronny vinnig.

Haaibaai, waar bemoei je je mee? dacht Jasper en hij zei: „Praatten jullie haar dat soms aan? Het is niets voor Sandrine om zo overdreven te reageren. Een beetje Spielerei."

„Ja, dat vindt Sandrine achteraf van jullie relatie ook. Een beetje Spielerei. Dus…" Ze wees naar het verlichte bordje waar 'uit' op stond.

Jasper keek woedend naar het boze en tegelijk vergenoegde gezicht van Sandrines vriendin.

„Je hebt me nooit gemogen," zei hij.

Ronny dacht na. „Ik heb je gewoon nooit goed genoeg gevonden voor Sandrine. Met mogen heeft dat niets te maken. Maar sinds ik weet wat je uitgehaald hebt? Inderdaad. Ik mag je niet. En ik vind je een moederskindje bovendien."

O, o, Ronny, dacht ze in stilte. „Wat zeg je daar allemaal. Je mag wel eens bidden dat je zachtmoediger wordt."

Met een overdreven rechte rug liep Jasper naar de uitgang. Door de draaideur kwam Coop naar binnen. Hij zag Jasper en zijn gezicht verstrakte.

„Zo," groette hij.

„Zo," gromde Jasper terug. Hij wilde doorlopen, maar er viel hem iets in.

„Waar ga je naar toe? Toch niet naar Sandrine? Ze mag geen bezoek hebben," zei hij op hoge toon.

Coop boog zich naar hem toe en zei koud: „Dat... vriend... gaat jou geen snars aan. En als je verstandig bent, laat je je hier niet meer zien."

„Sinds wanneer..." sputterde Jasper. Heb jij iets over Sandrine te vertellen, lag hem op de lippen, maar toen hij de blik in Coops ogen zag, zweeg hij en hij verdween door de glazen deuren.

Hij hoefde het niet tegen Peter Varenhorst op te nemen. Het was deze man. En Jasper wist niet waarom hij er zo zeker van was, dat hij het tegen hem af zou leggen.

Ronny en Maria hadden de korte woordenwisseling met glinsterende ogen gevolgd.

„Zo," zei Ronny. „Dat was afdoende."

„Denk je niet dat Sandrine het ons later kwalijk neemt?" vroeg Coop.

„O, Coop, doe niet zo stompzinnig. Als je nu nog niet door hebt..." Ronny stopte haar zin, draaide zich om en liep de kamer weer in.

Coop en Maria volgden haar. Maria keek Coop aan en knikte bemoedigend.

Sandrine mocht een week later weer naar huis. Afra en Coop haalden haar op. Die hele week had ze haar ouders en haar broer en zusje niet willen zien. Het kostte Tanja tranen en Gerke voelde zich beroerd en schuldig. Toen Tanja jammerde dat ze niet begreep waarom Sandrine hen ook niet wilde zien, zei hij alleen maar: „Doe niet zo stom, Tan. Ze was er altijd voor ons en wij hebben haar in de kou laten staan. Daarom."

Daarop zweeg Tanja en ze was vast van plan om zich er niet bij neer te leggen.

Sandrines vader ging zwijgend door zijn winkel.

„Als je zo doet, jaag je de klanten weg, Frits. Dan kun je beter naar huis gaan," zei Sandrines moeder vinnig.

„Dat moest ik maar doen." Hij trok zijn jas aan en verdween, nagestaard door zijn vrouw. Na Sandrine begon Frits ook vreemd te doen, dacht Irma en ze keek in een antieke spiegel naar haar gezicht.

Een succesvolle zakenvrouw, zou ze twee weken geleden gedacht hebben. Nu zag ze een vrouw die bij haar kinderen niet welkom was en wier man haar in stilte de schuld gaf dat zijn dochter zich zo ongelukkig voelde, dat ze tegen een auto was opgelopen. En misschien had ze daar ook schuld aan, maar zeker niet alleen. Frits had net zo graag als zij een eigen zaak willen hebben.

Ze hoorde weer de afschuwelijke woorden: u zou me verkocht hebben voor uw zaak.

Had Sandrine daar gelijk in? Nee toch? Zo was ze niet. Ze pakte een doek en begon verwoed de spiegel op te wrijven.

Haar vrienden hadden Sandrine in de woonkamer geïnstalleerd op een bedbank. Afra kwam iedere morgen langs om voor haar ontbijt te zorgen. Coop en Ronny zorgden ervoor dat de aanvragen voor een consult van *Clear House* werden beantwoord en ze legden een wachtlijst aan. Sandrine had in een klap werk genoeg voor een jaar.

Maria zorgde voor het avondeten. Ze deed dat zo royaal dat Afra ook maar een 'vorkje meeprikte' zoals ze dat uitdrukte.

Tussen Coop en Sandrine hing de spanning van onuitgesproken dingen.

Ze wachtten alle twee op iets.

De tuin was een verrassing geworden voor Sandrine. Tijdens haar verblijf in het ziekenhuis, had Coop het afdak en de pergola getimmerd. Hij had een pad aangelegd en Afra had kerstrozen geplant, bollen in de grond gezet en groepjes winterviolen staken geel, wit en paars af tegen het dorre blad van de vaste planten.

Sandrine had tranen in haar ogen gekregen toen ze ze gezien had.

„Ik ben huilerig door die hersenschudding," had ze verontschuldigend gezegd. Over de breuk met haar familie zweeg ze liever. Ze zei alleen dat ze hen niet meer wilde zien.

„Helemaal Sandrine," zei Ronny tegen Afra terwijl ze haar hielp met het poten van sneeuwklokjes en narcisbollen. Lotje, haar dochtertje, mocht helpen en liep in een miniatuuroveralletje door de tuin met een schepje in haar hand.

„Loyaal tot in het absurde. Jaren en jaren… en als die moeder echt te ver gaat, is het over en uit. Terwijl het toen niet eens om haarzelf ging, maar om Maria."

Ze hadden het verhaal van Coop gehoord, toen Sandrines ouders buiten de ziekenhuiskamer moesten blijven. Ronny was verontwaardigd geweest. Ze had zich nooit gerealiseerd met hoe weinig liefde en aandacht van haar moeder Sandrine opgegroeid was. Geen wonder dat ze genoegen had genomen met de minieme aandacht die Jasper haar had gegeven. Ze was niet meer gewend.

Ronny vervolgde: „Dat ze Jasper nooit meer wil zien, juich ik toe. Haar familie, dat is een ander verhaal. Familie blijft familie. Daar kun je nooit afscheid van nemen. Je moet het doen met wat je gekregen hebt en haar zusje en broer zijn echt dol op haar. Alleen erg laks en onnadenkend. Sandrine is veranderd. Ze praat veel meer nu ze op bed ligt."

„Over alles. Behalve over de breuk met haar moeder," zei Afra droog en hield Lotje tegen die viooltjes wilde plukken. „Mag niet, schatje."

„Ik denk dat ze bang is dat wij dan zeggen dat ze het goed moet maken," peinsde Ronny en ze veegde wat prut van Lotjes snoetje.

„Zo ver is ze nog niet. Maar dat is zeker een halfjaar al zo. Nadat ze haar uitlachten toen ze over haar plannen vertelde. Ze besefte opeens hoe scheef de verhoudingen binnen dat gezin waren.

Ik denk dat dat wel goed is, want ze had nog steeds een ideaalbeeld voor ogen. Het is beter om de realiteit onder ogen te zien. Hoe pijnlijk dat ook is. Ach hoor mij nu eens, psycholoog van de koude grond." Afra lachte vol zelfspot.

Ronny lachte niet mee. „Van de koude grond? Nee. Je hebt gewoon de situatie door. Kom Lotje, we gaan kijken of tante Sandrine wakker is en dan gaan we theedrinken."

Sandrine was inderdaad weer wakker. Ze kwam overeind en zei: „Ik word hier vreselijk lui van. Laat mij nu ook eens iets doen. Mijn handen zijn al weer in orde."

„Niet voor de dokter zegt dat je weer mag werken," zei Ronny streng. „Ik ga thee zetten."

Toen Ronny en Lotje weg waren, zei Sandrine: „Ik heb Coop al twee dagen niet gezien."

„Dan moet je hem opbellen en vragen of hij komt," zei Afra vriendelijk. „Denk je niet dat het tijd wordt dat jullie eens met elkaar praten?"

Sandrine deed net of ze niet begreep waar Afra het over had.

„Waarom houdt Coop zich opeens op een afstand, begrijp jij dat Afra? In het ziekenhuis liet hij merken dat hij van me houdt en nu..."

Ze beet op haar lip. „Ik weet zeker dat hij van me houdt. Hij zegt het alleen niet."

Waarom ze zo zeker wist dat Coop van haar hield, zou ze niet kunnen zeggen. Van Jaspers liefde was ze nooit zeker geweest. Terwijl die wel honderd keer had gezegd dat hij van haar hield.

Afra trok een stoel bij. Ze keek Sandrine met haar rookgrijze ogen aan en zei: „Als ik vlak voor dat ik zou gaan trouwen, opzij werd gezet omdat mijn baan niet veel opleverde, zou ik ook huiverig zijn om iemand te vragen."

„Zou dat het zijn?" Sandrine dacht na. „Wat onzinnig." Ze stak haar kin in de lucht en zei: „Dan vraag ik hem."

Afra schoot in de lach. „Dat durf je nooit, held die je bent."

„Oh ja? Let jij maar eens op," zei Sandrine vastberaden.

„Als je het doet..." zei Afra terwijl ze haar een blik vol respect toewierp, „dan zorg ik dat jullie de mooiste trouwzaal van de stad krijgen en word ik ambtenaar van de burgerlijke stand, al deug ik er niet voor. Als ik sommige stelletjes zie, heb ik de neiging om ze terug sturen met de boodschap dat het niks wordt en dat ze er nog maar een nachtje over moeten slapen. Maar voor jullie zou ik me laten beëdigen."

Ze stond op en zette een vaasje met een paar viooltjes, die Lotje toch stiekem had geplukt, op de kleine tafel naast Sandrines bank en stak plechtig een hand in de lucht.

„Dat zeg ik toe: Ik trouw jullie als jij Coop durft te vragen."

Sandrine streek met haar vinger over een wit met lila viooltje en plaagde toen: „Dat zou bijna een reden zijn om het niet te doen."

„Kwaaie meid," zei Afra en constateerde met plezier dat de verandering bij Sandrine doorzette. Als ze alleen nog de wrok tegen haar ouders opzij kon zetten en accepteren dat ze waren zoals ze waren. Maar dat moest ze laten rusten. Sandrine had tijd nodig.

Afra vertrok naar haar eigen huis.

Zodra ze weg was, pakte Sandrine de telefoon. Eerst doen, anders liet haar moed het afweten.

„Coop, kom je vanmiddag soms langs?" vroeg ze en trok met haar nagel lijntjes in het dekbed dat op de bank lag.

„Is goed. Kan ik je meteen wat lijsten laten zien. Je wordt nog een vrouw in goede doen," zei hij. „Ik stap nu meteen op de fiets. Tot zo."

Sandrine legde de telefoon weg en leunde achterover in de kussens van de bank. Ze pakte haar make-uptasje en keek in het spiegeltje. De donkerblauwe ogen leken groot in haar witte gezicht. Wat zag ze eruit. Geen eer aan te behalen. Ze werd trillerig. Zou ze echt durven? Ze nam de roze lippenstift en zette haar mond aan en trok een lijntje langs haar ogen. Dat scheelt wel iets, dacht ze zenuwachtig. Daarna pakte ze een borstel en borstelde haar haar tot het iets minder dof werd.

Een halfuur later stapte Coop binnen. Lang, een beetje slungelachtig. Sandrine zat op de bank en had haar handen in elkaar geklemd. Hij liep op haar toe, boog zich wat voorover en stond toen weer rechtop.

„Dag Sandrine," zei hij enkel.

Zodra ze zijn ogen zag, hield het bibberen op. Er sloeg een golf van liefde door haar heen. Ze ging recht overeind zitten en keek naar de rimpeltjes om zijn ogen en de lange wimpers.

„Dag Coop."

Hij wendde zijn ogen af en zei: „Ik zal je eerst eens bijpraten."

Hij trok de stoel bij die Afra net had teruggezet en haalde een paar lijsten tevoorschijn. Sandrine zag dat zijn haar hard groeide. Het krulde al weer in zijn nek. Hij grabbelde in zijn tas.

„Kijk. Ronny en ik denken allebei dat je nog iemand in dienst moet nemen voor schoonmaakwerk. Dat kan Maria niet alleen af. Omdat veel mensen willen dat ze voor hen blijft werken, blijft er te weinig tijd over. Maria kan het best aan om dat te regelen. Dat hoef jij niet te doen."

Sandrine leunde achterover en zei: „Coop."

„Niet bang zijn. Je loopt geen risico. Kijk maar." Hij hield de lijst omhoog.

„Coop, doe die lijsten nou eens weg," zei ze half boos. Hij legde de papieren op de grond en keek haar aan. Zijn gezicht bleef effen. Coop hield zichzelf altijd goed in bedwang. Als ze hem niet een paar keer naar haar had zien kijken als hij dacht dat ze sliep, zou ze het nooit durven vragen...

Ze verzamelde al haar moed, sloot haar ogen tot op een kier en vroeg veel luider dan haar bedoeling was: „Coop… houd je soms van me?"

Het bleef stil. Sandrine hield haar adem in. Ze zou zich toch niet vergist hebben? Even was ze in paniek. Toen antwoordde hij zonder emotie in zijn stem door te laten klinken: Ja, Sandrine. Ik houd van je. Niet soms. Eigenlijk altijd, geloof ik."

Hij stond half op en hield zijn armen op zijn rug.

Ze keek naar hem op en glimlachte. Hoe had ze kunnen twijfelen. „Coop, wil je met me trouwen?" vroeg ze.

Zijn gezicht werd even gloeiend rood en daarna wit. Hij kwam geen stap dichterbij.

„Ja, Sandrine. Als je het zeker weet, wil ik heel graag met je trouwen."

Nog steeds was er een meter afstand tussen hen beiden.

„O, kom hier," zei ze ongeduldig en ze stak haar handen naar hem uit. En Sandrine, die er altijd een hekel aan had als iemand haar vasthield of streelde, verdween in de armen van Coop, die haar zo stevig tegen zich aandrukte dat haar ribben, die nog niet helemaal genezen waren, pijn deden.

„Niet zo hard, anders krijg ik ruzie met de dokter," zei ze ademloos en terwijl zijn greep minder vast werd, drukte hij zijn mond op de hare.

Toen pas wist Sandrine dat de vage afkeer van aanrakingen, die Stef Veraert bij haar had opgewekt, verdwenen was. Bij Jasper had ze die weerzin nooit helemaal kunnen overwinnen, maar nu… Ze sloeg verrukt haar armen om Coops hals en kuste hem net zo gretig terug.

Afra ging, zoals haar gewoonte was geworden deze weken, nog even langs bij Sandrine. De deur werd geopend door Coop en toen ze in de kamer Sandrine op de bank zag zitten met schitterende ogen en een warm gezicht, wierp ze Sandrine een schelmse blik toe.

„En?" vroeg ze.

„Bestel de trouwzaal maar," zei Sandrine met een opgetogen lachje. „En zorg dat je ambtenaar van de burgerlijke stand wordt!"

„Heeft ze het echt gedaan?" vroeg Afra Coop vol ontzag en toen hij knikte, lachte ze uitbundig.

„Nooit gedacht dat ze dat zou durven. Wat was ik daar graag bij geweest. Sandrine nota bene!"

„Die brutale meid heeft me ten huwelijk gevraagd," zei Coop en keek op zo'n manier naar Sandrine dat Afra bescheiden haar hoofd afwendde en na haar lachbui tranen in haar ogen voelde opkomen om de twee mensen van wie ze zoveel was gaan houden...

Wat was het leven goed.

„Kom," zei ze toen energiek, „dit mogen jullie niet voor jullie zelf houden. We hebben ons er zorgen om gemaakt dat het maar niet opschoot. Ronny en Maria en ik. Wanneer is de bruiloft?"

„Zo vlug mogelijk," zei Sandrine en ze gaf de telefoon aan Afra. „Bel ze maar en vraag of ze komen."

17

Sandrine was gelukkig. Ze was weer aan het werk gegaan en de opdrachten stroomden binnen. Ze ging met Coop naar zijn familie en werd met open armen ontvangen. Martijn begroette haar met een brede grijns van plezier, sloeg zijn armen om haar heen en zei: „Zo mevrouw de bazin, dat doet die broer van mij goed."

Sandrine raakte meteen haar nervositeit kwijt en lachte.

„Dag Martijn."

Zijn vader en moeder waren een jaar of tien ouder dan haar eigen ouders. Coops moeder, Sandra, had dezelfde ogen en brede jukbeenderen als Coop en vertelde smakelijk over haar vrijwilligerswerk bij daklozen en verslaafden en over haar werk op school. Coops vader was accountant, had een smal gezicht en trainde een jeugdvoetbalteam, waar ook zijn kleinzoon in speelde. Hij was net zo rustig als Coop en Sandrine bedacht dat Coop op zijn vader leek, al had hij uiterlijk het meest van zijn moeder weg.

„Heeft Coop je al verteld wat hij vanmorgen heeft gehoord?" vroeg Sandra met een geheimzinnig gezicht.

„Moeder, dat was natuurlijk een verrassing voor Sandrine," zei Martijn hoofdschuddend. „Kan nooit haar mond houden, die moeder van ons."

„Ach zeur toch niet. Dat soort dingen moet je meteen vertellen. Heeft hij het je verteld?" zei ze. En haar stem verraadde dat het iets prettigs was.

„Wat dan?" Sandrine wierp Coop een vragende blik toe.

Hij haalde zijn schouders. „Ach het gaat vast niet door."

„Nee en dan ben jij misschien teleurgesteld en dan weet zij niet waarom je stil bent. Zeg het nu gewoon Coop," drong zijn moeder aan.

„Ik heb een nominatie voor de gouden penseel. Voor dat boek, weet je wel?" zei hij haast verontschuldigend.

Sandrine greep zijn arm. „Wat fijn. Waarom heb je dat niet meteen verteld? Wat enig," riep ze opgetogen.

„Ik win vast niet," bracht hij haar onder ogen.

„Dat geeft toch niet. Dat je genomineerd bent, is al fantastisch," zei ze ongeduldig.

„Met jou kan ik praten." Sandra Lingers keek tevreden naar het meisje dat haar zoon had meegebracht. Een paar dagen geleden had hij haar volledig verrast met de mededeling dat hij ging trouwen. Ze wist niet eens dat hij weer een meisje had. Toen ze gezien had hoe Sandrine en haar zoon elkaar aankeken, was ze er buitengewoon mee ingenomen. Coop was weer gelukkig.

Naderhand, op de terugweg, moest Sandrine huilen. Coop zette de auto langs de kant van de weg, streek haar haar uit haar ogen en nam haar in zijn armen.

„Beantwoord hun telefoontjes dan, liefste," zei hij teder.

Sandrine had de eerste keren dat haar vader of moeder belde, de hoorn weer neergelegd. Nu belden ze niet meer.

„Ik kan het niet," huilde Sandrine. „Eerst wist ik niet hoe ik kwaad moest worden. Ik wist niet eens dat ik al een hele tijd boos op ze was. En nu weet ik niet meer hoe ik goed moet worden. Ik wil ook niet meer goed worden. Ik wil ze nooit meer zien."

„En Tanja en Gerke dan?"

Ze hikte even en zei toen: „Die wel. Later, nu nog niet."

Maar Tanja liet het er niet bij zitten. Ze miste Sandrine meer dan ze ooit voor mogelijk had gehouden. Ze hadden geen Sinterklaas gevierd, omdat niemand het op kon brengen het te organiseren. Dat had Sandrine altijd gedaan. Ze wilde niet dat Kerst en Oud en Nieuw op dezelfde manier zouden verlopen. Ze kon geen feest vieren als Sandrine kwaad op haar was. Ze ging samen met Fred op bezoek bij haar broer.

De kamer was ongewoon smaakvol ingericht voor een jonge vrijgezel.

Dat was werk van haar moeder, die op veilingen precies die dingen eruit had gepikt die het goed deden op zijn kamers. Een smalle tafel met een paar stoelen stond tegen een lange wand. Er stonden lichthouten boekenrekken tegen de muur en een grote donkerrode vaas, gevuld met rietsigaren stond in een hoek van de kamer op de grond.

Tanja stapte naar binnen en nam plaats in een oude leren fauteuil.

„Ger," zei ze driftig tegen haar broer, „zo kan het niet langer. Ik heb Sandrine nu al anderhalve maand niet gezien. We gaan gewoon naar haar toe. Jij, Fred en ik. Ik wil dat onze baby een tante heeft. Ze moet weer gewoon goed met ons zijn. Desnoods trek ik zo'n raar kerstmannenpak aan en stap ik gewoon bij haar naar binnen."

„Als je er zeker van wilt zijn dat ze je er zo weer uitknikkert, moet je dat doen," zei Gerke. „Hoe kom je zo gek? Ik denk dat ze alleen een paashaas erger vindt."

Tanja zette grote ogen op. „Echt? Die San…"

„Tanja," zei Gerke broederlijk openhartig. „Je bent een uil. Gebruik je verstand eens. Met z'n drieën aankomen… dat ziet ze als een overval."

Fred was het met hem eens. Sandrine was slecht behandeld door zijn schoonouders, maar hij wilde niet dat zijn vrouw zich te druk maakte. „Als jij je maar niet te veel opwindt," zei hij bezorgd.

Krijgen we dat weer, dacht Tanja. Met een ingetrokken kin zei ze: „Komt goed, Fred. Ik ga alleen."

„En als je maar voorzichtig rijdt." Fred had het er niet op dat Tanja reed.

„Ik kruip als een slak, maak je niet ongerust," antwoordde ze.

Wachten was niets voor Tanja. Meteen de volgende dag voerde ze haar plan uit.

„Wat neem ik voor Sandrine mee?" dacht ze terwijl ze door het winkelcentrum liep. Ze zag niets dat Sandrine graag cadeau zou willen hebben.

De bloemenkraam, waar de eerste kerststukken al stonden, bracht haar op een lumineuze gedachte.

Iets voor Sandrines tuin natuurlijk. Daar was ze helemaal vol van, de laatste keer dat we elkaar zagen, herinnerde ze zich.

Maar dan wel iets wat een beetje toont.

Verheugd om de goede inval, ging ze naar het tuincentrum en kocht een blauwspar van ruim drie meter hoog. Er zat een omvangrijke kluit aan en de boom was loodzwaar en onhandig. Ze liet hem in plastic pakken, maar kreeg hem zelf niet in de auto. Een van de jongens manoeuvreerde er zo mee dat de boom in de auto paste en anderhalve meter uit de achterklep stak. Ze bond er een rode zakdoek aan, ondanks de opmerking dat dat niet nodig was en reed naar Sandrine toe. Onderweg repeteerde ze wat ze zou zeggen.

„Sandrine. We hebben je nooit willen…" Ja, wat had ze niet? Kwetsen?

„Sandrine, je bent onze grote zus en we missen je."

Toen ze de straat inreed, wist ze het nog niet. Ze pakte per ongeluk een stoepje mee en parkeerde voor het tuinpad. Daarna liep ze naar de deur, belde aan en ging weer terug naar de auto. Ze opende de achterklep en sjorde aan de blauwspar, die zo stevig vastzat dat ze hem niet uit de auto kreeg.

Sandrine stond in de voordeur en zag tot haar verrassing haar zusje op de stoep staan. Ze vergat even alles en liep naar haar toe.

„Kom me eens helpen," hijgde Tanja. Haar gezicht was hoogrood van inspanning. Ze trok en trok en eindelijk gaf de boom mee. „Hebbes!" Triomfantelijk hield ze hem rechtop naast zich. De boom torende boven haar uit als een plastic zuil. Onderaan, bij de kluit, was de jute losgeraakt en er lag een berg zwarte aarde op de vloer van de auto.

„Wat is dat, Tan?" vroeg Sandrine verbaasd en keek naar de takken die grijswit door het plastic schemerden.

„Voor je tuin. Eerst voor in je kamer en dan voor in de tuin. Goed bedacht hè?" zei Tanja trots. „Een echte blauwspar. Peperduur dat die dingen zijn! Maar dan heb je ook een goeie. Ze worden gemakkelijk honderd jaar."

„Alsjeblieft. Dat is niet mis," prevelde Sandrine.

„Maar eerst moet ie in de kamer. Help je even slepen?"

„Tanja, zullen we hem eerst naar achteren brengen en het plastic eraf halen?"

Alsof ze elkaar gisteren voor het laatst gezien hadden en of er geen grief van Sandrine tegen haar familie bestond, sjorden ze eensgezind de blauwspar naar achteren.

Tanja knipte het plastic los en de takken van de boom zakten naar beneden. „Zeker twee en een halve meter omtrek," zei ze vergenoegd.

Sandrine stak haar handen in haar zakken en drentelde om de boom heen. Ze keek omhoog naar de top, stelde zich voor hoe het zou staan met een piek erop en ze begon te giechelen.

„Dat is geen boom, dat is een woudreus. Zie je die al in mijn kamer staan? Dan kan ik er zelf niet meer bij. Laat staan mijn bezoek."

Tanja keek haar beteuterd aan. „Denk je?"

Ze keek nog eens naar de boom en begon mee te lachen. „Wat stom van me."

Toen ze uitgelachen waren en de prut uit Tanja's auto geveegd hadden, gingen ze naar binnen. Sandrine zou koffie zetten, maar Tanja duwde haar in haar stoel.

„Nee, dit doe ik. We hebben het altijd gewoon gevonden dat jij een soort moederrol vervulde. Ik weet niet waarom. Omdat het je zo zonder moeite afging waarschijnlijk. Maar ik zal mijn best doen."

Er hoefde niet zo veel gezegd te worden tussen de twee zusjes. Dat was het voordeel van zusjes, dacht Tanja. Je wist precies van elkaar wat je bedoelde.

Ze keek naar buiten en zag het nieuwe afdak, waar Afra een klimhortensia tegen aan had gezet. Het dorre blad zat er nog aan. Een kleine vogel fladderde tussen de takken en kwetterde. Een winterkoninkje.

„Kijk," zei Tanja vertederd. Haar ogen werden vochtig.

„Ik ben zo jankerig sinds ik in verwachting ben," zei ze en ze wreef de tranen weg. „Wat is dat afdak mooi geworden. Heeft die Coop dat gedaan? Ja, vertel eens, wat een leuke vent is dat. Hoe kom je eraan?"

„Dat is nu mijn klusjesman," antwoordde Sandrine. Ze straalde opeens.

Tanja keek haar afwachtend aan. „En... wat nog meer? Probeer me maar niet wijs te maken dat dat alles is.

Sandrine dacht na. Eigenlijk wel een beetje raar om, nog geen vijf weken nadat ze het uitgemaakt had met Jasper, aan te kondigen dat ze ging trouwen met een ander.

„Ik ga met hem trouwen," zei ze verlegen.

„Echt?" Tanja vloog overeind en sloeg haar armen om haar zusje heen. „Stiekemerd dat je er bent. Wanneer?"

„Volgend jaar. In maart al."

„Zo vlug al? Dan is onze baby er nog niet. Die komt pas eind april."

Ze praatten verder en pas toen ze wegging durfde Tanja de vraag te stellen die haar de hele dag op de lippen had gelegen.

„Sandrien... maak je het weer goed met papa en mama?"

Sandrines gezicht verstrakte. „Daar ben ik nog niet aan toe," zei ze afwerend.

„Maar straks is het Kerst."

„Hè ja," sneerde Sandrine zo fel dat Tanja haar verschrikt aankeek.

„De verloren dochter die met Kerst haar vader en moeder weer in de armen sluit. Dat kun je wel vergeten. Ik pieker niet over zo'n cliché toestand!"

Tanja beet op haar lippen. Ze keek naar Sandrines verbeten gezicht.

„Maar… vind je het dan wel goed als Gerke en ik je opzoeken?"

Sandrine zuchtte. „Natuurlijk gekkie. We spreken nog wel af wanneer. Het hangt ook van Coop af."

Die avond zei Tanja nadenkend tegen haar man. „Ik denk dat Sandrine al heel lang boos is op moeder. Veel meer op mama dan op papa. Ik zal toch wel een goede moeder zijn, Fred? Ik lijk op mijn moeder. Ik zou het vreselijk vinden als ik net zo zou zijn."

Fred keek vertederd naar het ongeruste gezicht van zijn vrouw en streek met zijn duim langs haar wang. „Ik weet zeker dat jij een goede moeder zult zijn."

De kerstdagen gingen voorbij met een bezoek aan Coops ouders, Gerke kwam langs, samen met Tanja en Fred en Ronny kreeg haar baby. Een jongetje was het. De kraamverzorgster was onervaren en samen met Maria hield Sandrine Ronny's huis een beetje bij. Ben was moe en tot tranen toe dankbaar.

Het werd Oudjaar en Sandrine zat 's avonds tussen Coop en Afra in de kerk. Ook Maria en haar kinderen zaten in de bank.

Toen het 'Onze Vader' hardop werd gebeden, stroomden de tranen over Sandrines wangen. Coop klemde zijn hand om haar hand, maar dat hielp even niet. „Vergeef ons onze schulden," wilde Sandrine niet bidden, want daarna kwam: „Gelijk wij vergeven onze schuldenaren," en dat kon ze niet.

Afra en Coop keken elkaar over Sandrines hoofd aan. Afra nam zich voor om met Sandrine te praten. Niet vanavond. Ze zou wachten op een goede gelegenheid.

En die kwam op een koude morgen in januari.

Afra had een vrije dag en stapte Sandrines achtertuin binnen. Het had gevroren en over het donkergroene blad van de klimop lag een wit waasje. Ze tikte op de keukendeur.

„Tijd voor een kop koffie?"

Sandrine stond bij het aanrecht en ruimde de rommel op. „Gezellig," zei ze mat.

Afra keek haar onderzoekend aan. „Iets mis?"

Sandrine drukte de knop van het koffieapparaat in en zei: „Weet je wat het is, Afra. Als mijn moeder maar een keer zei dat ze het fout heeft gedaan. Dat ze het idee niet bespottelijk had mogen maken toen ik vertelde dat ik een bureau wilde beginnen… Maar dat doet ze niet. Het blijft me dwarszitten."

„En dat vind je erg," stelde Afra vast.

Sandrine knikte. „Ik moet haar zevenmaal zeventig keer vergeven en ik krijg die ene keer al niet voor elkaar. Onbegonnen werk!"

Afra dacht na en zei voorzichtig: „Sandrine, zou je blij zijn als ik zei: „Als jouw moeder geen spijt heeft, hoef jij niets te vergeven?"

Sandrine dacht na en toen schudde ze haar hoofd. „Het zou niets oplossen."

„Probeer het dan te doen, meisje," zei Afra mild. „ Niet voor je moeder, maar voor jezelf, want jij hebt hier het meest last van. Je moeder niet. En ik denk ook dat je niet te veel van haar moet verwachten. Zoals jij zelf een tijdje geleden zei: ze is zoals ze is. Ze moet roeien met de riemen die ze heeft en dat is een gebrek aan inlevingsvermogen. Dat zal een zwak punt bij haar blijven, zelfs al brengt iemand haar aan haar verstand dat ze als moeder te kort schoot. Maar bedenk dan wel dat we het allemaal van vergeving moeten hebben."

Verder zei ze niets. Afra was zuinig met grote woorden.

Sandrine zat doodstil. We moeten het allemaal van vergeving hebben…

Haar keel zat dicht en ze keek Afra hulpeloos aan. De oudere vrouw knikte haar warm toe. „Je kunt veel meer dan je zelf denkt. Had je je ooit kunnen indenken dat jij de man met wie je wilde trouwen, ten huwelijk zou durven te vragen? Dat was ook lef! Nou, vooruit, de koffie is klaar. Ik schenk in."

Ze maakte twee kopjes klaar en gaf er een aan Sandrine. Bij de gedachte aan Coop was Sandrines gezicht opgeklaard. Ze dronk met kleine slokjes de hete koffie en dacht dat de gewone simpele dingen van het leven haar altijd hielpen: een kop koffie, bloemen, mist in de herfst en zon in de winter.

Ze keek naar buiten en zag de viooltjes die verschrompeld waren door de vorst. Ze wist dat als de zon even sterker werd, ze weer verder zouden bloeien. Net als de kleine gele bloemen van de winter-jasmijn.

Afra volgde haar blik en zag de witte rijp op de klimop liggen.

„Gelukkig dat ik die klimrozen nog tegen het afdak geplant heb, begin december."

Het had nu geen zin om op hun gesprek door te gaan. Als Sandrine er aan toe was, zou ze wel iets ondernemen.

Irma Rombouts stond in haar huiskamer. Ze piekerde over de verandering bij de leden van haar gezin. Zelfs Frits, haar man, leek haar wel constant iets kwalijk te nemen.

„Irma, morgen moeten we een paar foto's op het internet zetten. Waar heb je de camera gelaten?"

„In de grijze ladekast," antwoordden ze lusteloos.

„Daar ligt hij niet. In vredesnaam… Waarom kun je nooit iets op zijn plaats leggen."

Met driftige passen liep Frits Rombouts door de kamer. Wat een stal was het hier. Mevrouw Zwart had deze week voor de tweede keer geklaagd dat ze niet kon werken in zo'n troep. Er raakte van alles zoek. Nu weer die camera.

„Waarom ruim je dat ding zelf niet op?" vroeg Irma

„Omdat jij altijd foto's maakt." Zijn stem was scherp.

Zijn vrouw maakte stapeltjes van de papieren op tafel en keek hem hooghartig aan. „Bel Sandrine op en vraag waar de camera is," adviseerde ze.

Hij keek haar ongelovig aan. „Doe niet zo gek. We kunnen nu toch Sandrine niet vragen om iets op te zoeken? Ze beantwoordt onze telefoontjes niet eens."

Hij wierp haar een afkeurende blik toe en verliet de kamer.

Irma kneep haar lippen op elkaar. Het was duidelijk dat Frits alle schuld op haar schoof. Goed. Als iedereen het zo wilde zien. Best!

Ze had haar dochter nu al bijna twee maanden niet gezien. En het was bijna onmogelijk om niet aan haar te denken, want veel mensen vroegen naar haar: zo origineel, die zaak… en was Irma niet vreselijk trots op haar.

Al zou Sandrine het niet geloven, ze was inderdaad trots op haar. Ze had ook meer ontzag voor haar gekregen. En ze miste Sandrine. Haar familie zou het wel niet geloven, maar ze miste haar werkelijk. En niet alleen om de hulp die ze kreeg van haar dochter. Ze moest de laatste tijd telkens denken aan Sandrine toen die nog een kleuter was. Zo pienter en zachtaardig en zo netjes. Altijd haar speelgoed opruimen,...

Hoe kon ze het contact herstellen? Net als Tanja legde Irma Rombouts zich niet neer bij de breuk. Ze wilde niet te veel nadenken over de manier waarop die was ontstaan. Gebeurd was gebeurd. Ze betreurde alles achteraf heel erg, maar het had geen zin om na te kaarten.

Sandrine moest weer terugkomen in de familie. Zo'n decembermaand als het afgelopen jaar, wilde ze niet nog een keer meemaken.

Als ze er aan dacht dat Sandrine zou kunnen trouwen zonder dat zij als ouders daarbij waren...

Haar gezicht vertrok. Dat Sandrine zo'n hekel aan haar had gekregen. Ze was altijd zo aanhankelijk geweest, veel meer dan Tanja. Ze wilde haar dochter niet kwijt.

Irma klemde haar zorgvuldig gestifte lippen op elkaar en dacht na.

Ze pakte de folder van *Clear House* op, die op de tafel voor haar lag en staarde intens naar de voorkant waar een cartoon van haar dochter prijkte. Toen zette ze de computer aan. Even later gleed er een brief uit de printer.

Sandrine opende de post die 's middags was gekomen: aanvragen voor prijsopgave en offertes. Toen ze de laatste brief opende en in een flits de handtekening zag, schrok ze. In grote krachtige letters stond daar: I. Rombouts-Verleur.

Haar hart sloeg over. Ze begon de formeel gestelde brief te lezen.

Mevrouw Rombouts had gehoord dat bureau *Clear House* adviezen gaf op huishoudelijk gebied. Omdat ze, door afwezigheid van haar steun en toeverlaat, in de problemen was gekomen, wilde ze graag advies over het organiseren van de lopende en terugkerende bezigheden.

Ze zou het zeer op prijs stellen als Sandrine een afspraak met haar zou maken om offerte te doen.

Sandrine staarde naar de brief en herlas hem twee maal. Ze wist niet goed of ze nu razend moest worden dat haar moeder haar zo benaderde, of... haar mondhoeken trokken omhoog. Het was eigenlijk wel grappig. Daarna liep ze naar het buurhuis.

Het was al donker en de bewolkte hemel voorspelde sneeuw. De ouderwetse buitenlantaarn die Sandrine en Coop voor Afra op de kop hadden getikt bij een veiling in een klein dorp, verspreidde een warm licht. Een kat sprong voor haar voeten weg en miauwde klaaglijk. Het licht van Afra's kamer scheen in de tuin.

Sandrine belde aan. Afra opende de deur en Sandrine duwde haar de brief in haar handen. „Lees," beval ze. „Net iets voor haar!"

Afra liep naar binnen en hield de brief onder de schemerlamp.

Ze las, keek naar het opgewonden gezicht van Sandrine en glimlachte geamuseerd.

„Geef toe. Ze is creatief. Je lijkt in sommige dingen best op je moeder."

„Helemaal iets voor haar," snauwde Sandrine. Haar boosheid won het van haar gevoel voor humor.

„Het is haar manier om weer contact te maken, denk ik," zei Afra zachtzinnig.

„O ja, ik zal echt geen brief van haar krijgen met 'het spijt me, of iets dergelijks." Sandrine pakte de brief terug en las hem nog eens.

„Het gaat om jou, Sandrine. Je moeder zal niet veel veranderen. Ik zie dat er niet in tenminste. Maar laat je de wrok je leven bederven, of kijk je naar wat je hebt, en…" Afra zweeg.

Sandrine keek het vertrek rond. De twee kleine donkere hokken waren veranderd in deze ruime kamer. Ze zag de grijze vrouw die haar met oplettende genegenheid bekeek. Die in een jaar van een vreemde een soort moeder voor haar was geworden.

En dan Coop bij wie ze helemaal zichzelf kon zijn. Maar zelfs daar ging het niet om. Ze moest over de grief tegen haar moeder heenstappen omdat zij het ook van vergeving moest hebben. Onbewust vouwde ze haar handen, maakte ze weer los en zei: 'Goed dan. Ik probeer het in ieder geval."

Afra's gezicht lichtte op. „Fijn," zei ze verheugd. Toen keek ze uit het raam en merkte losjes op: „Daar staat een man voor je deur en hij lijkt naar binnen te willen."

„Coop," constateerde Sandrine. „We zouden nog werken vanavond. Kom je straks ook nog even?"

„Ik gun jullie een halfuur samen en dan ben ik er," plaagde Afra.

Sandrine schreef net zo'n zakelijke brief terug aan haar moeder als ze had ontvangen. Ze stelde een datum en tijdstip voor en kreeg een bevestiging terug. Ze overlegde met Maria hoe of ze het in konden passen.

Maria leefde net zo hartelijk mee als Afra, Coop en Ronny.

Ze kondigde aan dat ze deze dag een Zuid-Amerikaanse maaltijd voor Sandrine en Coop wilde maken.

„Kook dan bij mij thuis en neem Juanita en Carlos mee. Dan vragen we Afra ook," zei Sandrine. „Dan heb ik iets om me op te verheugen."

„En Ronny en Ben met Lotje en de baby?" stelde Maria voor. Als ze nu toch bezig was.

„Dat is toch te druk voor je," zei Sandrine bezwaard.

„Welnee. Gemakkelijke eten voor veel mensen, maak ik."

Ze zag hoe nerveus Sandrine was en zei toen ze de deur uitging: „Vaya con Dios, lieve Sandrine."

Ga met God. De beste wens die Sandrine mee kon krijgen.

In de auto herhaalde ze de woorden hardop.

Sandrine stond precies op tijd voor haar ouderlijk huis. Ze had het antracietkleurige pakje aangetrokken dat ze meestal droeg als ze voor het eerst naar een cliënt ging. Ze wist dat het haar goed kleurde en de efficiënte uitstraling gaf die ze nodig had. Haar moeder opende de deur.

„Dag mam," zei Sandrine zo gewoon mogelijk.

„Dag San," groette haar moeder terug. „Fijn dat je er bent. Wil je eerst een kop thee, of...?"

„Thee graag." Sandrine liep achter haar moeder aan. Irma zette de waterkoker aan. Op het aanrecht stonden twee kopjes, een schaaltje met zoute koekjes waar Sandrine dol op was en haar lievelingsbonbons.

Toen haar moeder de theepot omspoelde, zag Sandrine dat haar hand trilde. Dat vertederde Sandrine meer dan iets anders: haar moeder was zenuwachtig. Het wrokkige gevoel, waar ze het laatste jaar zo'n last van had gehad, zakte weg. Ach... haar moeder die nergens om verblikte of verbloosde, was zenuwachtig.

„Hoe is je manier van werken?" vroeg haar moeder toen ze aan de thee zaten.

„Ik loop met u mee het huis door, we kijken samen wat weg kan en ik zorg dat de kasten in orde komen. Er moet schoongemaakt worden omdat het dan in een keer klaar is en gemakkelijker bij te houden."

„O, dat doet mevrouw Zwart nooit," schrok haar moeder.

„Dat hoeft ook niet. Daar zorgt Maria voor," stelde Sandrine haar gerust.

„Die Maria?"

„Die Maria... ja." Sandrine keek haar moeder aan. Als ze maar even merkte dat haar moeder aanmerkingen wilde maken op Maria, ging het feest niet door.

Haar moeder knikte alleen maar.

„Dan kijken we of het wenselijk is dat er bergruimte bijgemaakt wordt. Dat kan een kast of een stel planken zijn, maar ik denk niet dat dat hier nodig zal zijn. Ruimte genoeg."

Mevrouw Rombouts ging haar dochter voor naar zolder. Het was overal chaotisch en hoewel Sandrine heel even schrok van de warboel, werkte ze haar programma gewoon af. Ze keek in alle kamers en merkte dat ze, nu ze afstandelijk naar de inrichting en huisraad keek, opeens oplossingen zag waar ze vroeger nooit was opgekomen.

Bij mensen van het type van haar moeder, moest je met etiketten werken. Ze moest op laatjes en dozen schrijven wat er in zat. Bij Ronny had ze dat voor het eerst geprobeerd. Ze zou het hier ook toepassen.

Op Tanja's kamer lagen stapels papieren en het bed was bezaaid met ordners.

„Mam, hebben jullie niet een mooie ladekast in de winkel?" vroeg Sandrine. „Of laten we een paar ladeblokken met hangmappen kopen. Dan ben je in een klap van die papiertroep af. Dan heb je meer overzicht."

„Als jij vindt dat het nodig is, doen we dat natuurlijk. We betalen je niet voor niets," antwoordde haar moeder.

Betalen?

Sandrines mondhoeken trokken. Ze kon haar ouders toch niet laten betalen? Hoewel... Zou het zinvoller voor ze zijn als ze wel betaalden?

Hier moest ze nog eens rustig over nadenken.

Even viel haar moeder uit haar rol. „Sandrine, weet jij waar dat digitale fototoestel is?"

„Ja hoor, dat heb je onder in de linnenkast gelegd," zei Sandrine zonder na te denken.

„In de linnenkast? Waarom in de linnenkast?"

„Dat weet ik niet. Je verstopte daar ook altijd een deel van de sinterklaascadeautjes."

„O ja, dat is ook zo. Die keer toen we pas in de zomervakantie de laatste cadeautjes terugvonden..." Mevrouw Rombouts lachte bij de herinnering en Sandrine giechelde mee. Ze knielde neer bij de kast op de overloop. Van de bovenste plank viel een stapeltje handdoeken naar beneden. Sandrine keek omhoog. Haar moeder had dezelfde uitdrukking op haar gezicht als haar gewone cliënten. Half boos, half beschaamd en gegeneerd.

„Allereerst deze kast opruimen," noteerde Sandrine in haar hoofd en grabbelde achter de lakens. Ze hield het toestel omhoog.

„Hier is het, mam."

„Hè gelukkig. Je vader was er zo knorrig over," zei Irma Rombouts.

Ze vouwde de handdoeken op en propte de stapel terug.

Sandrine had opeens met haar moeder te doen.

„Mam, als het op orde is en als je een paar vuistregels opvolgt, blijft het vanzelf netjes," troostte ze.

Een halfuur later waren ze weer terug in de woonkamer.

„Blijf je nog tot je vader komt?" vroeg Irma. „Blijf je eten misschien?"

Dit heb ik eerder meegemaakt, dacht Sandrine. Die keer dat ze bij Ronny ging eten. Wat was er veel veranderd in een jaar.

„Nee mam, ik heb gasten. Tenminste, Maria en ik hebben samen gasten. Maria kookt voor ons."

„Goed. Prima," zei haar moeder haastig en ze klemde het fototoestel tegen zich aan. Ze wist dat ze nu niets meer moest vragen.

Sandrine stond op. Haar moeder volgde haar naar de deur. Even aarzelde Sandrine en toen gaf ze haar moeder een kus.

„Dag mam, doe de groeten aan papa. Ik stuur van de week nog een offerte."

„Tanja zegt dat je gaat trouwen," zei haar moeder toen Sandrine al op de stoep stond. Haar ogen keken onderzoekend naar haar dochter die er bloeiend uitzag.

„Je weet dat Jasper ons af en toe belt?"

„Vertel hem maar dat ik ga trouwen." Sandrine keerde zich om en liep weer naar haar moeder terug. „Met Coop Lingers. Hij heeft hem een paar keer ontmoet. U ook trouwens. Maar... We komen zondagmorgen even langs. Goed?"

Ze glimlachte. Ze hoefde zich niet af te vragen of het Coop wel uitkwam. Hij zou zonder gesputter of tegenzin met haar mee gaan. Haar hart sloeg even over van vreugde.

„Heel graag," zei haar moeder en knipperde met haar ogen.

Had ze Sandrine ooit zo gelukkig zien kijken? De laatste jaren niet in ieder geval.

„Je zult wel weten wat je doet, kind," zei ze.

Op de terugweg zong Sandrine. Het opgeluchte, vrije gevoel raakte ze, ondanks het vaststellen van een paar feiten, niet meer kwijt. Een excuus van haar ouders verwachtte ze niet. Ze waren er waarschijnlijk niet toe in staat. Maar het gaf niet. Ze was de boosheid en de wrok kwijt. Ga met God... had Maria gezegd.

En Hij was nabij geweest.

De lampen in haar huis waren aan. De deur werd geopend en Coop trok haar in zijn armen voor ze naar de huiskamer kon gaan. Hij nam haar hoofd tussen zijn handen en keek haar onderzoekend aan. „En?"

Ze keek blij in zijn gezicht. Zijn haar viel in zijn ogen en boven zijn wenkbrauwen was de rimpel dieper geworden.

„Kijk maar niet zo bezorgd. Het komt allemaal goed. Niet dat ze zegt dat het haar spijt, maar dat hoeft ook niet meer. Ik weet het zo wel. Ga je zondagmorgen mee op de koffie?"'

„Goed. Als jij er aan toe bent." Hij trok haar dicht tegen zich aan en Sandrine legde haar gezicht tegen zijn schouder. Een intens gevoel van geborgenheid en geluk overviel haar.

„Coop, ik houd van je," zei ze hartgrondig.

Na een paar minuten opende Lotje de deur. „Tansan... Eten klaar," riep ze met een hoog stemmetje. „Nita en Carlos zijn er en ik speel met ze. En met vrouw Afra."

„Speel jij met ze, Lotje? Wat fijn. Wat doen jullie?"

Sandrine en Coop liepen naar binnen.

Ze hadden de lange gedekte tafel in het midden van de kamer gezet en een bankje uit de tuin gehaald om het tekort aan stoelen op te heffen. In de hoek stond een grote bos vlammend gele chrysanten waarvan Sandrine wist dat ze uit Afra's tuin kwamen. Op de kleine lage hoektafel brandden de kaarsen in de standaard.

In het vertrek hing een kruidige geur van tomaten en gebakken uien. Maria kwam de kamer in met een grote pan saus. Ben was de wijnglazen aan het vullen. Afra speelde 'Mens Erger Je Niet' met de kinderen van Maria, die hun verlegenheid kwijt waren en schaterden van plezier toen Afra's laatste pion van het bord werd gegooid.

Afra zag Sandrines stralende gezicht en voelde een warme genegenheid opkomen.

Ronny kwam binnen met een schaal salade en zette de gebakken bananenrondjes er naast.

„Net op tijd." Ze keek Sandrine vragend aan. Sandrine knikte. Ronny haalde opgelucht adem. Ze wist hoe Sandrine tegen deze middag opgezien had.

Maria zette de pan op tafel, liep op Sandrine af en gaf haar een kus. Haar wang was warm tegen die van Sandrine.

„Alles goed, San?"

„Ja. Alles is goed. Dank je wel, Maria."

Sandrine glimlachte naar Maria en knipperde met haar ogen. De uitdrukking op haar gezicht ontroerde de anderen.

Maria vroeg niet verder. Sandrines glanzende ogen zeiden genoeg. Straks zou Sandrine wel vertellen hoe het was gegaan. Voorlopig was het genoeg dat ze zo gelukkig keek.

„Coop, de rijst," beval ze.

Coop verdween naar de keuken en keerde terug met een dampende schaal rijst.

„Goed." Als laatste bracht Maria de krokant gebakken kipstukjes binnen.

„Allemaal zitten. We kunnen beginnen."

Onder de tafel zocht Coops hand de hand van Sandrine.

„We kunnen beginnen..." Sandrine vocht tegen haar tranen om deze woorden.

Ze waren in twee opzichten op zijn plaats. Voor de maaltijd en voor haar leven. Het was of ze na een donkere tijd eindelijk weer het zonlicht zag. Na een schimmige nacht, was de heldere morgen aangebroken.

„Ja, laten we beginnen," zei ze dankbaar.